Bernward Büchler · Die Armut der Armen

Bernward Büchler

Die Armut der Armen

Über den ursprünglichen Sinn
der mönchischen Armut

Kösel-Verlag München

CIP-Kurztitelaufnahme der Deutschen Bibliothek

Büchler, Bernward:
Die Armut der Armen : über d. ursprüngl. Sinn d.
mönch. Armut / Bernward Büchler. – München : Kösel, 1980.
ISBN 3-466-20199-3

ISBN 3-466-20199-3
© 1980 by Kösel-Verlag GmbH & Co., München.
Printed in Germany. Alle Rechte vorbehalten.
Gesamtherstellung: Kösel, Kempten.
Umschlaggestaltung: Günther Oberhauser, München.

Inhalt

Vorwort

Faßt ein Reicher den Vorsatz, arm zu werden, so verzichtet er auf sein mehr oder weniger großes Vermögen. Spricht aber ein Besitzloser davon, daß er arm werden wolle, so stellt sich die Frage nach dem Wesen der Armut – denn herzugeben hat der Arme nichts. Die klösterliche Armut forderte und verwirklichte in der Geschichte des Mönchtums erstmals der Kopte *Pachomius* zusammen mit seinen Brüdern; es waren arme Fellachen aus dem oberen Niltal. Was war das für eine Armut dieser armen Fellachen, wie sah sie aus, wie wurde sie begründet und was sind ihre spezifischen Kennzeichen?

Seit eineinhalb Jahrtausenden gehört die Armutsforderung zum unverzichtbaren Bestand mönchischen Lebens, oft von hervorragenden Gestalten der Kirchengeschichte als leuchtendes Beispiel verwirklicht, oft durch abschreckende Beispiele in Mißkredit gebracht, ständig aber ein Punkt ernsten Ringens, heftiger Auseinandersetzung und intensiver Überlegungen.

Was die ersten Mönche unter Armut verstanden, und welchen Beitrag deren Armutsverständnis zur Diskussion um die rechte Ausgestaltung des evangelischen Rates der Armut auch in unserer Zeit erbringen könnte, war bis heute noch nie Gegenstand einer eingehenden Untersuchung. Eine Beschäftigung mit dem Armutsbegriff und den Armutsauseinandersetzungen der Pachomianer verspricht insofern weiterführende Erkenntnisse, als die ältesten Quellen über die ersten Lebensformen der Pachomianer erst seit wenigen Jahrzehnten ediert sind. Für die Ausgestaltung des abendländischen Mönchtums hingegen waren nicht diese ältesten Quellen (die Viten), sondern die etwas jüngeren Regeln bestimmend gewesen.

Ansatzpunkt der hier vorliegenden Untersuchung zum Thema Armut ist eine Auseinandersetzung über die Armut, die fünf Jahre nach dem Tod des *Pachomius* in den pachomianischen Klöstern stattfand: der sogenannte Armutsstreit bei den Pachomianern.

Die Untersuchung geht auf eine Dissertation zurück, die im Sommersemester 1979 von der philosophischen Fakultät der Universität des Saarlandes angenommen wurde.

Für den Druck wurde die Dissertation lediglich so überarbeitet, daß im I. Teil »Auf der Suche nach dem Sinn der Armut« in den Kapiteln 1 bis 5 ein fortlaufender, auch für den Nichtfachmann leicht lesbarer Text entstand, der zwar alle wesentlichen Gedanken und Argumente enthält, aber auf die nur den Fachmann im engeren Sinn interessierenden Details verzichtet. Zur Überprüfung der Thesen aus Kapitel 1 bis 5 wurden die wissenschaftlichen Details und jene Texte, die zum Verständnis des Ganzen nicht unabdingbar sind, im II. Teil »Quellenkritischer Anhang« in den Kapiteln 6 und 7 zusammengefaßt. Ebenfalls der besseren Lesbarkeit wegen wurden die koptischen und griechischen Zitate fast durchweg übersetzt; nur an ganz wenigen Stellen wurde die Originalsprache belassen; allerdings mußten diese Stellen in Umschrift gesetzt werden.

Der Dank an dieser Stelle gebührt meinem Lehrer, Herrn Professor Dr. Gotthold Hasenhüttl in Saarbrücken sowie dem zweiten Berichterstatter, Herrn Professor Dr. Gert Hummel in Saarbrücken; außerdem allen Teilnehmern des Doktorandenkolloquiums Hasenhüttl in Saarbrücken für alle Anregung und Hilfe.

Mancherlei Hilfe auf dem Gebiet der Orientalistik verdanke ich Herrn Professor Dr. Alexander Böhlig und Herrn Privatdozent Dr. Heinz Halm vom Orientalischen Seminar der Universität Tübingen. Für wertvolle Anregungen darf ich an dieser Stelle auch den Patres Friedrich Wulf SJ, Heinrich Bacht SJ und Josef Sudbrack SJ danken. In den Dank eingeschlossen seien schließlich die Damen und Herren der Vatikanbibliothek in Rom und der Universitätsbibliothek in Göttingen für die freundliche Bereitstellung der unveröffentlichten Vitentexte.

Schlechtbach im Schwäbischen Wald, am Festtag des Heiligen Pachomius,
den 9. Mai 1980   Bernward Büchler

1 Die Situation

Überblick über die Geschichte der Pachomianer

Vor über eineinhalb Jahrtausenden starb in Oberägypten im Alter von etwa 55 Jahren ein Mann, mit dessen Leben und Sterben einer der entscheidensten Einschnitte in der Geschichte der christlichen Spiritualität, ja der Kirchengeschichte überhaupt, untrennbar verbunden ist: der Kopte *Pachomius*,[1] der erste christliche Klostergründer. Er wurde um das Jahr 292[2] in der Gegend von Snê-Latopolis in der Thebais von

---

1 *Pachomius*, ein alter ägyptischer Name, der schon in ältester Zeit vorkommt, bedeutet »dieser (große) Falke«. Der Name ist seit dem 18. Dynastie bezeugt. Vgl. dazu: *J. Leipoldt:* Pachôm, in: Bulletin de la Société de l'Archéologie Copte 16 (1961/62) 191–229, hier 193; *F. Ruppert,* Das pachomianische Mönchtum und die Anfänge des klösterlichen Gehorsams (weiter zitiert als: *Ruppert,* Gehorsam), Münsterschwarzach 1971, 11. Bemerkung zur Zitationsweise: In den Anmerkungen werden Abkürzungen der meist zitierten Werke sowie Kürzel und Sigla für die Bezeichnung der Quellen verwendet. Vgl. dazu: *Abkürzungsverzeichnis und Zitationsweise,* S. 166 und Erläuterungen zur Bezeichnung der verschiedenen *Vitenteile,* S. 115–118.

2 Die exakte Festlegung des Geburtsjahres bereitet einige Schwierigkeiten. Für eine relative Chronologie steht in den Viten die Information zur Verfügung, daß *Pachomius* im Alter von etwa 20 Jahren für einen Feldzug rekrutiert wurde. Vgl.: Bo 7: CSCO 89 4, 14–16 (= *Lefort* 82,7–8); S-4 7: CSCO 99 212a,24–212b,2 (= *Lefort* 293,15); Am 342,10; G-1 4: *Halkin* 3,15 (= *Festugière* 161); G-2 6: *Halkin* 171,16 (= *Mertel* 25,16); Dion 4: *Cranenburgh* 90,4,5–6. Da dieser Feldzug aber nie stattfand – *Pachomius* wird unmittelbar nach seiner Rekrutierung wieder aus dem Militärdienst entlassen – fehlen außerpachomianische Quellen, über die wir eine absolute Chronologie sichern könnten. So bleiben für die Datierung dieses »Feldzuges« nur Vermutungen. *P. Ladeuze:* Etude sur le cénobitisme pachômien, Löwen–Paris 1898, 239 nimmt an, daß es sich um eine Truppenaushebung des *Licinius* – entweder zur Absicherung des eigenen Erfolges gegen *Maximin Daia* oder als Sicherheitsreserve für *Constantin* – gehandelt haben könnte und verlegt den Feldzug daher in das Jahr 313; die Geburt des *Pachomius* somit ins Jahr 292. *Ladeuze* folgen in dieser Datierung *D. J. Chitty:* The Desert a City, Oxford 1966,1 und *A. J. Festugière:* La première Vie grecque de Saint Pachôm, Introduction critique et traduction. Les Moines d'Orient 4.2, Paris 1965 (zitiert als: *Festugière*), 15 f. *J. Gribomont: Pachomius der Ältere,* in: LThK Bd. 7, 1330–1331 gibt, ohne weitere Gründe zu nennen, 287 als das Geburtsjahr, mithin 308 als das Jahr des »Feldzuges« an. Wie *Hitzfelder,* in: *Wetzer/Welte:* Kirchenlexikon Bd. 9, ²1895, 1230–1232 vermuten läßt, stützt sich *Gribomont* bei seinen Angaben auf: *E. Amélineau:* Histoire de Saint Pachôm et de ses

heidnischen Eltern geboren[3] und starb am 9. Mai 346 in Pbow[4] als Generalabt einer insgesamt neun Männer- und zwei Frauenklöster umfassenden Mönchskongregation. Zwischen diesen beiden Daten liegt ein äußerst bewegtes Leben – davor ein Christentum, dem klösterliches Leben völlig fremd ist, danach eine mehr als eineinhalb Jahrtausende umfassende Geschichte des christlichen Mönchtums, die ohne eingehende Kenntnis dieser Gründungszeit und der damals wirkenden Persönlichkeiten kaum genügend gewürdigt werden kann.

Über Kindheit und Jugend des *Pachomius* liegen uns keine, oder nur sehr zweifelhafte Nachrichten vor: Geschichten von heidnischen Opfern seiner Eltern, die aufgrund der Anwesenheit des Kindes *Pachomius* nicht recht gelingen wollten,[5] sowie von verschiedenen Dämonenversuchungen[6] und Berichte von Verführungsversuchen eines jungen Mädchens, denen der junge Pachomius heldenhaft widerstand.[7] Die sporadische Überlieferung dieser Erzählungen, der stark hagiographisch gefärbte Stil

---

communautés. Annales du Musée Guimet 17, Paris 1889, LXXVII und *L. de Tillemont:* Mémoires pour servir à l'histoire écclesiastique des six premiers siècles, Paris 1706, 675 Anm. 2

K. Baus: in: *H. Jedin,* (Hrsg.): Handbuch der Kirchengeschichte Bd. II/1, Freiburg–Basel–Wien 1973, 358 verlegt die Rekrutierung ebenfalls ohne Angabe von Gründen in die Zeit des *Maximin Daia* und kommt so auch auf 287 als Geburtsjahr.

Da alle Viten, die von dieser Begebenheit berichten, *Constantin* als den Verursacher dieser Truppenaushebung nennen, folgen wir in diesem Punkte *Ladeuze* und nehmen an, daß nicht mehr *Maximin Daia* die Truppenaushebung veranlaßte. Vgl.: Bo 7: CSCO 89 4,5 (= *Lefort* 81,28–30); S-4 7: CSCO 99 211b, 17–20 (= *Lefort* 293,6–8); G-1 4: *Halkin* 3,12–13 (= *Festugière* 161); G-2 6: *Halkin* 171,13–16 (= *Mertel* 25,11–13); Am 342,5; Dion 4: *Cranenburgh* 90,4,1–4.

Zur Frage der Chronologie vgl. auch:

H. Bacht: Pakhome – der Große Adler, in: Geist und Leben 22 (1949) 367–382, hier: 367–369; *Ruppert,* Gehorsam 11, Anm. 2; *W. Bousset:* Zur Chronologie Pachoms, in: ders.: Apophtegmata, Tübingen 1923; Aalen ²1969, 271–272.

3 Bo 3: CSCO 89 1,21–22 (= *Lefort* 80,6); S-3: CSCO 99 253a,1–3 (= *Lefort* 54,5); G-1 2: *Halkin* 2,24–26 (= *Festugière* 160); G-2 4: *Halkin* 170,8 (= *Mertel* 24,5); Dion 2: *Cranenburgh* 88,2,1–2; Am 339,9.
Die wirtschaftlichen Verhältnisse im Elternhaus lassen sich nicht mehr eindeutig festlegen. Vgl. dazu auch S. 49, Anm. 86.

4 *S-7:* CSCO 99 94,24–95,3 (= *Lefort* 50,22–25); G-1 116: *Halkin* 75,29 (= *Festugière* 223); G-2 88: *Halkin* 286,24–269,1 (= *Mertel* 119,25); zum Jahr vgl.: *H. Bacht:* Pakhome – der Große Adler, a. a. O., 367 Anm. 1; *P. Ladeuze:* Etudes sur le cénobitisme pachômien, a. a. O., 229–233; *W. Bousset:* a. a. O., 271; *S. Schiwietz:* Das morgenländische Mönchtum, Bd. 1, Mainz 1904, 159 Anm. 7 schwankt dagegen zwischen den Jahren 340 und 349; *J. Leipoldt:* Pachôm, in: Bulletin de la Société de l'Archéologie Copte 16 (1961/62) 191, 197.

5 Sehr kurz und bündig: S-8: CSCO 99 206a, 19–31 (= *Lefort* 42,26–28); ausführlicher und ausgeschmückter dagegen: Bo 4: CSCO 89 2,4–9 (= *Lefort* 80,14–21); G-1 3: *Halkin* 2,30–35 (= *Festugière* 160); G-2 5: *Halkin* 170,14–22 (= *Mertel* 24,19–26); Am 340,3–6; Dion 3: *Cranenburgh* 88,3,1–10.

6 Bo 5: CSCO 89 2,17–3,9 (= *Lefort* 80,28–81,8); S-4 5: CSCO 99 210a,1–21 (= *Lefort* 292,5–10); Am 340,9–341,5; zu den Dämonengeschichten allgemein vgl.: *A. J. Festugière:* Ursprünge christlicher Frömmigkeit, Freiburg–Basel–Wien 1963, 26–57.

7 Bo 5: CSCO 89 3,11–18 (= *Lefort* 81,8–16); S-4 5: CSCO 99 210a,25–210b,28 (= *Lefort* 292,12–19); Am 341,5–8; S-8: CSCO 99 206a,1–18 (= *Lefort* 42,20–26).

und schließlich auch die Bemerkung, wonach *Pachomius* später seinen Mönchen solche Geschichten aus seinem Leben erzählt haben soll[8] lassen sehr starke Zweifel am historischen Wert dieser Nachrichten aufkommen. Ernsthafter, und auch besser überliefert, ist dagegen das Erlebnis seiner Rekrutierung im Alter von etwa 20 Jahren. Pachomius wird von einer Rekrutenaushebung des Kaisers Constantin betroffen und zusammen mit anderen jungen Männern seines Alters nach Theben transportiert; dort wird er über Nacht einquartiert.[9] In dieser Nacht widerfährt ihm ein für sein ganzes kommendes Leben prägendes Ereignis: nachts kommen Leute aus Theben und bringen den angehenden Soldaten etwas zu Essen. Auf die erstaunte Frage des *Pachomius,* wer denn diese Leute seien, und warum sie so handelten, erhält er zur Antwort: »Das sind Christen, und sie sind um Gottes Willen so gut zu uns.«[10] Er beschließt nach seiner überraschenden Entlassung aus dem »Militärdienst«, auf Grund dieses Erlebnisses ebenfalls Christ zu werden, um auch so handeln zu können.[11] Etwa um das Jahr 313 wurde er in Scheneset-Chenoboskion getauft. Er lebte dort drei Jahre am Rande des Ortes,[12] wandte sich aber nach dieser Zeit der Wüstenaskese zu und zog zu einem Mönch namens *Palamon,* bei dem er etwa sieben Jahre blieb.[13]

Um 320–325 gründete er, nachdem er sich wieder von *Palamon* getrennt hatte, in Tabennesi am Nil sein erstes Kloster.[14] Dieser ersten Kloster-

---

8 Bo 6: CSCO 89 3,18–20 (= *Lefort* 81,17–18); S-4 5: CSCO 99 210b,29–211a,4 (= *Lefort* 292,20–21); diese Bemerkung läuft dem sonst in den Viten gezeichneten Bild des *Pachomius,* als eines Menschen, der von seiner Person überhaupt kein Aufheben macht, strikt zuwider.

9 Bo 7: CSCO 89 4,14–5,5 (= *Lefort* 82,7–22); S-4 7: CSCO 99 212b,10–213a,4 (= *Lefort* 292,14–22); Am 342,6–343,8; G-1 4: *Halkin* 3,16–26 (= *Festugière* 161); G-2 6: *Halkin* 171,13–172,14 (= *Mertel* 25,12–34); Dion 4: *Cranenburgh* 90,4,1–90,4,35.

10 Bo 7: CSCO 89 4,26–5,5 (= *Lefort* 82,14–22); S-4 7: CSCO 99 213b,1–7 (= *Lefort* 293,20–30). Leicht verändert dagegen G-1 4: *Halkin* 3,23–26 (= *Festugière* 161): »Es sind Menschen, die den Namen Christi tragen, des eingeborenen Sohnes Gottes, und sie tun Allen alles Gute, weil sie auf ihn hoffen, den Schöpfer von Himmel und Erde und auch von uns Menschen.«; ähnlich auch: G-2 6: *Halkin* 171,23–26 (= *Mertel* 25,17–29); Dion 4: *Cranenburgh* 90,4,15–16; Am 343,5–6.

11 Eine gute Übersicht über die Bekehrung und Berufung des *Pachomius* findet sich als Teil 1 der Arbeit von *Ruppert* über den Gehorsam bei den Pachomianern, a. a. O., 11–59.

12 E. *Amélineau:* Géographie de l'Egypte à l'époque copte, Paris 1893, 585, glaubt nachweisen zu können, daß es sich hier um den Ort Pesterposen handelte.

13 Die drei Jahre am Rande von Scheneset-Chenoboskien werden erwähnt: Bo 10: CSCO 89 7,20 (= *Lefort* 84,14); Am 346,2.
Die griechische Tradition weiß von dieser Zeit nichts. Nach diesen Viten ging *Pachomius* sofort nach seiner Taufe in die Wüste: G-1 6: *Halkin* 4,17–19 (= *Festugière* 161); G-2 7: *Halkin* 171,26–173,9 (= *Mertel* 26,26–27,7); Dion 6: *Cranenburgh* 94,6,1–5. Für die Zeit bei *Palamon* nennt Bo sieben Jahre: Bo 17: CSCO 89 18,25–26 (= *Lefort* 91,30–31); G-1, G-2 und Am nennen keine Zeit; Av weiß von 17 Jahren zu berichten; vgl. dazu aber: L. *Th. Lefort:* Les Vies coptes des S. Pachôme et des ses premiers successeurs. Bibliothèque de muséon 16, Löwen 1942, ²1966 (zitiert als: *Lefort*), 91, Anm. 17.3.

14 S-1: CSCO 99 1,1–3,25 (= *Lefort* 1,5–3,12); S-3: CSCO 99 104a,26–109b,36 (= *Lefort*

gründung folgten im Laufe der kommenden Jahre weitere Gründungen. Um das Jahr 340 verlegte *Pachomius* den Hauptsitz der Kongregation nach Pbow. Die Gemeinschaft nahm einen ungeahnten Aufschwung. Den jungen Mönch *Theodor,* der in den Viten öfters als eine Art »Lieblingschüler« des *Pachomius* dargestellt wird, ernannte *Pachomius* zu seinem Stellvertreter in Pbow, nachdem *Theodor* zuvor Abt in Tabennesi gewesen war. Von Pbow aus leitete *Pachomius* die ganze Kongregation und besuchte häufig die einzelnen Klöster, die je von einem eigenen Abt geleitet wurden.

Wirtschaftlich unterstanden die einzelnen Klöster dem Großökonom von Pbow, dem die Ökonomen der einzelnen Klöster jährlich einmal, am zwanzigsten *Mesore* (13. August), Rechenschaft ablegen mußten[15]

Im Jahre 346 starb *Pachomius* an einer Pestepidemie.[16] Überraschenderweise ernannte er nicht seinen »Lieblingsschüler« *Theodor* zu seinem Nachfolger, sondern den ebenfalls todkranken Abt *Petronius* von Tsmîne, der ihm nach wenigen Monaten in den Tod folgte. Kurz vor seinem Tod ernennt *Petronius* wiederum nicht *Theodor,* sondern *Horsiese* zum Generalabt und damit zweiten Nachfolger des *Pachomius.*

Horsiese machte sich unverdrossen ans Werk: er visitierte die Klöster, hielt Katechesen, und suchte in allem, den inzwischen angewachsenen Verband zusammenzuhalten. Zunächst fand er bei allen Gehör: sie gehorchten ihm »mit großer Demut und Unterwürfigkeit«.[17] Es treten jedoch bald Spannungen auf. Es wurde für Horsiese nötig, in seinen Ansprachen die verschiedenen Klöster zu ermahnen, den Weisungen der Regeln und den Anordnungen der Oberen zu folgen: »*Horsiese* ermahnte sie, die Regeln zu beachten, die Apa *Pachomius* zu seinen Lebzeiten zur Sicherung des dauernden Bestandes der ›Koinonia‹ in Kraft gesetzt hatte. Desgleichen sollten sie die Weisungen der Äbte und Hausoberen beachten.«[18] Die einzelnen Klöster waren in der Zwischenzeit zu einem gewissen Reichtum und Wohlstand gekommen, was zu einer Stärkung des

---

38,34–62,31); S-5: CSCO 99 133a,1–133b,31 (= *Lefort* 236,11–236,28); G-1 14: *Halkin* 9,9–10,23 (= *Festugière* 165–166); Am 360,2–363,7 (mit deutlich fremdem Einschlag).
Zur Topographie der pachomianischen Klöster vgl.: *L. Th. Lefort:* Les premiers monastèrs pachômiens. Exploration topographique, in: Le Muséon 52 (1939) 379–408.
Über Ausgrabungsarbeiten bei den pachomianischen Klöstern berichtet *B. Schwank:* Internationales Neutestamentlertreffen in Tübingen, in: Erbe und Auftrag 54 (1978) 72–77, hier 76f.
15 Bo 71: CSCO 89 73,19–26 (= *Lefort* 132,26–29); S-4 71: CSCO 99 238,23–24 (= *Lefort* 310,14–17); Am 639,7-11 (hier allerdings ohne Datumsangabe); G-1 83: *Halkin* 56,16–21 (= *Festugière* 203).
16 S-7: CSCO 99 94,24–95,3 (= *Lefort* 50,22–25); G-1 114: *Halkin* 74, 26–28 (= *Festugière* 221); G-2 88: *Halkin* 268,13–15 (= *Mertel* 119,10–14).
17 S-5 125: CSCO 99 181,29–31 (= *Lefort* 273,5–6).
18 G-1 122: *Halkin* 79,2–7 (= *Festugière* 226–227).

Selbstbewußtseins der Äbte gegenüber dem Generalabt führte. Es kam noch hinzu, daß *Horsiese* eher ein Zauderer, denn ein zupackender Mann war.[19] Es kam zu dem, was in der Literatur allgemein mit dem Namen »pachomianischer Armutsstreit« bezeichnet wird.

Um das Jahr 351 erheben sich einige Äbte und begehren unter der Führung des Abtes *Apollonius* von Tmouschons-Monchosis gegen die Leitung des Verbandes unter *Horsiese* auf. *Horsiese* versucht zunächst durch geduldiges Ertragen, der Schwierigkeiten Herr zu werden; er hofft insgeheim, daß sich der Aufruhr legen werde. Da dies jedoch immer unwahrscheinlicher wird, beruft er *Theodor,* nicht zu seinem Nachfolger, sondern zum Koadjutor. Er selbst zieht sich in das Kloster Scheneset-Chenoboskion zurück. Durch geduldiges Überreden sowie durch hartes Auftreten gelingt es jedoch *Theodor,* des Aufstandes Herr zu werden. Die separatistischen Tendenzen werden unterdrückt, die Äbte werden abgesetzt oder versetzt, und die Klöster werden wieder unter die Oberaufsicht des Mutterklosters Pbow zurückgeführt.

Von anhaltendem Erfolg waren die Bemühungen *Theodors* eigenartigerweise nicht begleitet. Immer wieder geht er in seinen späteren Reden gegen die alten Untugenden an. In seiner Not wendet er sich schließlich wiederum an *Horsiese,* der ihm nur resigniert zur Antwort geben kann: »Der Herr hat die Koinonia gesegnet und ließ sie wachsen; er gab auch die Kraft, daß sie wieder abnahm nach seinen Anweisungen und seinen gerechten und richtigen Ratschlüssen.[20] Ein Jahr vor seinem Tod rief *Theodor* resigniert den *Horsiese* wiederum ins Mutterkloster Pbow zurück. *Theodor* starb im Jahre 368 und *Horsiese* übernahm wieder die alleinige Führung des Gesamtverbandes bis zu seinem eigenen Tod im Jahre 387.

Kein halbes Jahrhundert dauerte die Blütezeit des pachomianischen Klosterverbandes am oberen Nil. Und doch finden wir in dieser Zeit und in den Schriften aus dieser Zeit nahezu alle Probleme des Mönchtums schon angesprochen, wie sie auch in der späteren Kirchengeschichte noch auftauchen sollten.[21]

Nur etwa 30 Jahre nach der Gründung des ersten Klosters in der Geschichte der Kirche tobte ein Armutsstreit, der sich weder in seinen

---

19 vgl. dazu genauer S. 43–47.
20 Bo 197: CSCO 89 192,17–21.
21 Vgl. *H. Bacht,* Das Vermächtnis des Ursprungs. Studien zum frühen Mönchtum I, Würzburg 1972 (zitiert als: *Bacht,* Vermächtnis), 8: »Je länger man sich mit diesen Zeugnissen beschäftigt, um so nachhaltiger wird der Eindruck, daß darin eigentlich alles Entscheidende der nachfolgenden Mönchsgeschichte zu finden ist. Selbst die Sprache, in der die geistlichen Erfahrungen auszudrücken sind, ist damals schon für alle nachfolgende Zeit geprägt worden. Nur mit dem Unterschied, daß in der »Gründerzeit« die Worte und Formeln mit vollem Leben gefüllt sind, während sie im Abstand der Jahrhunderte immer mehr zu Klischees verblassen und zu allzu gängiger Münze abgewertet werden.«

Ursachen, noch in seinen Gründen, weder in den Thesen, noch in den Lösungsvorschlägen von den späteren Armutsauseinandersetzungen in der Kirchengeschichte unterschied. Lediglich die lokale Ausdehnung und die Auswirkungen weisen Unterschiede auf.

Diesen ersten Armutsstreit darzustellen und zu untersuchen, wird die Aufgabe der folgenden Seiten sein.

Überblick über den Forschungsstand

Die Wirkungsgeschichte der pachomianischen Gedanken weist einige erwähnenswerte Besonderheiten auf.

Die Viten des *Pachomius* – und damit nach *Veilleux* die ursprünglichen pachomianischen Gedankengänge[22] – gerieten sehr schnell in Vergessenheit und waren – wie sich aus dem Überblick über die Handschriftentradition ergibt[23] im Abendland der Folgezeit kaum mehr greifbar und damit wirkungslos.

Hieronymus übersetzt bereits 404 lediglich die Regeln, einige Briefe und Katechesen und den *Liber Orsiesii* von einer Vorlage ins Lateinische. Auch Abt *Johannes Cassian* erwähnt in seiner – im Quellenwert aber etwas zweifelhaften[24] – Beschreibung des pachomianischen Mönchtums ebenfalls ausschließlich die Regeln.

Die Regeln des *Pachomius* erhielten in den kommenden Jahren eindeutig den Vorzug gegenüber den – nach den Veilleux'schen Forschungsergebnissen[25] – viel ursprünglicheren Viten. Der spätere Zustand des Pachomianertums, wie er uns aus den Regeln entgegentritt, war also für die Ausformung des abendländischen Mönchtums prägend. Die originalen pachomianischen Gedanken, Überlegungen und Beweggründe, wie sie uns in den Viten überliefert sind, bleiben für lange Zeit verloren.[25a] Die

---

22 Vgl. dazu: *A. Veilleux*, La liturgie dans le cénobitisme pachômien au quatrième siècle. Studia Anselimiana 57, Rom 1968 (zitiert als: *Veilleux*, Liturgie), 129–131.
23 Vgl. dazu S. 120.
24 Vgl. dazu *Veilleux*, Liturgie 146–149.
25 Vgl. dazu: ebd. 129–131.
25a Auch für die Spiritualität des *Liber Orsiesii* stellt *Bacht*, Vermächtnis, 31–32, Ähnliches fest: »Von den rund 30 Hss, die *Boon* zur Erstellung seiner Pachomiana Latina verwendete, enthalten überraschenderweise nur vier auch den *Liber Orsiesii*. Das ist deshalb auffallend, weil doch *Benedikt von Aniane*, der große Reformabt der Karolingerzeit nicht nur den ganzen Text des Liber in seinen Codex Regularum eingefügt hatte, sondern darüber hinaus in seiner Concordia Regularum immer wieder große Abschnitte daraus übernommen hatte. Vermutlich ist der bescheidene Ansatz einer monastischen Spiritualität, wie ihn *Horsiese* geliefert hat, von der Fülle der asketischen Werke, wie sie uns zwischen dem vierten und siebenten Jahrhundert beschert wurden, in den toten Winkel gedrückt worden.«

Edition der ersten griechischen Vita durch *Papebroch* konnte im Jahre 1680 nicht viel daran ändern.

Eine Wende in der pachomomianischen Forschung brachte eigenartigerweise die liberale Kirchengeschichtsschreibung des vorigen Jahrhunderts. Im Zusammenhang mit Tendenzen der liberalen Kirchengeschichtsschreibung, die Ursprünge des christlichen Mönchtums ausschließlich außerhalb des Christentums zu suchen, erwachte das Interesse an der Erforschung der Ursprünge des Mönchtums in ungeahntem Ausmaß. Angestoßen wurde diese gründlichere Bearbeitung der Ursprünge des Mönchtums durch Thesen wie denen von *H. Weingarten.* Im ersten Band der neuen Zeitschrift für Kirchengeschichte vertrat er die These, daß das christliche Mönchtum als Ganzes in seinen Ursprüngen nicht auf biblischen Fundamenten, sondern auf dem Fundament des heidnischen Ägyptens beruhe: »Nicht der leiseste Anklang findet sich bei diesen [Mönchen] an ein ernst gedachtes Vorbild Christi, geschweige denn an den paulinischen Lebensgedanken: wenn wir mit Christus gestorben sind, dann werden wir – das ist unser Glaube – auch mit ihm zum Leben kommen.«[26] Besonders in protestantischen Kreisen fand dieser Gedanke großen Anklang. In der Fortführung solcher Überlegungen wurde der Ursprung des Mönchtums auf die philosophischen Ideen des Altertums zurückgeführt.[26a] *A. Hilgenfeld* dachte an buddhistische Einflüsse,[27] *Th. Keim* an den Neuplatonismus[28] und *Ch. Williams* sah Zusammenhänge mit der Gnosis.[29]

Die These *Weingartens* wurde in der Folgezeit lebhaft diskutiert. *St. Schiwietz* dagegen war der Meinung, man könne, nach einem Vergleich des christlichen Asketentums mit den gleichzeitigen heidnischen Erscheinungsformen, nur zu dem Ergebnis kommen, daß die christliche Mönchsidee nicht als Ableger außerchristlicher Gepflogenheiten und Einrichtungen betrachtet werden darf, sondern in ihren Motiven voll in evangelischen Gedanken wurzelt.[30]

Vor allem unter dem Einfluß der Diskussionsbeiträge aus der Ägyptolo-

26 *H. Weingarten:* Der Ursprung des Mönchtums im nachkonstantinischen Zeitalter, in: Zeitschrift für Kirchengeschichte 1 (1877) 1–35.544–374; hier: 584.
26a *H. Bestmann:* Geschichte der christlichen Sitte, Bd. II, Nördlingen 1885, 483–543; *O. Zöckler:* Askese und Mönchtum, 2 Bde. Frankfurt/Main 1897; *J. Grützmacher:* »Mönchtum«, in Realenzyklopädie für protestantische Theologie Bd. 13, 214–235.
27 *A. Hilgenfeld* machte derartige Andeutungen in einer Rezension von *H. Weingarten:* Der Ursprung des Mönchtums im nachkonstantinischen Zeitalter, in: Zeitschrift für wissenschaftliche Theologie 21 (1878) 139–149; hier 148.
28 *Th. Keim:* Aus dem Urchristentum, Zürich 1878, 215–220.
29 *Ch. Williams:* Oriental affinities of the Legend of the Anachorite, Part II, Illinois 1929, 427ff.
30 *S. Schiwietz:* Das morgenländische Mönchtum, Bd. I, Mainz 1904, 7–14,43–47.

gie wurde *Weingartens* These stark modifiziert.[31] *K. Heussi* schließlich führt die gesamte Debatte bereits 1936 als nur noch wissenschaftsgeschichtlich interessant an.[32]

Die These vom außerchristlichen Ursprung des Mönchtums wurde in letzter Zeit wieder von *J. Leipoldt* aufgegriffen, der keine Möglichkeit sieht, mit *Heussi* den Ursprung des Mönchtums aus einer inneren christlichen Entwicklung abzuleiten.[33] *W. Nigg* hingegen meint: »Die Wurzeln des christlichen Mönchtums gehen auf das Neue Testament zurück.«[34] Obwohl heute eher die Meinung vorherrschend ist, daß die These *Weingartens* von der totalen außerchristlichen Abhängigkeit des Mönchtums modifiziert werden muß, läßt doch die Heftigkeit mit der *K. Baus* gerade jüngst wieder die Thesen *Weingartens* zurückweist,[35] vermuten, daß die ganze Frage noch nicht vollkommen ausgestanden ist.

Für die Erforschung des Pachomianertums war die Kontroverse insofern interessant, als durch das neu erwachte Interesse am frühen Mönchtum auch das Interesse an der Edition der pachomianischen Quellen neu erwachte. *P. Ladeuze* ging als erster in seiner Dissertation 1898 auf die Frage der Ursprünglichkeit der verschiedenen Viten ein.[36] Sein Schüler *L. Th. Lefort* erstellte dann die kritischen Editionen und untersuchte in der Einleitung zur französischen Übersetzung der koptischen Viten die Abhängigkeit der verschiedenen Viten voneinander. Er kam dabei zu dem Ergebnis, daß die koptische Tradition ursprünglicher sei, als die griechische.[37] *P. Peeters* schloß sich 1946 dieser Auffassung an.[38] *D. J. Chitty* hingegen widersprach 1954 dieser These und plädierte vehement für die Priorität der ersten griechischen Vita (G-1)[39]. Auf dieser These wiederum baute *A. J. Festugière* seine Untersuchungen in der Einleitung zur französischen Übersetzung der G-1-Vita auf.[40] Bereits 1954 hatte *Lefort* der Chitty'schen These aufs heftigste widersprochen.[41]

---

31 Vgl. dazu: *E. Preuschen:* Mönchtum und Sarapiskult, Gießen ²1903.

32 *K. Heussi:* Der Ursprung des Mönchtums, Tübingen 1936, 286.

33 *J. Leipoldt:* Griechische Philosophie und frühchristliche Askese, in: Verhandlungen der Sächsischen Akademie der Wissenschaften, philosophisch-historische Klasse, Bd. 106/4, Berlin 1960, 61.

34 *W. Nigg:* Vom Geheimnis der Mönche, Zürich–Stuttgart 1953, 15.

35 *K. Baus:* Innerkirchliches Leben zwischen Nikaia und Chalkedon, in: *H. Jedin* (Hrsg.): Handbuch der Kirchengeschichte, Bd. II/1, Freiburg–Basel–Wien 1973, 347–388.

36 *P. Ladeuze:* Etude sur le cénobitisme pakhômien pendant le IVᵉ siècle, Löwen–Paris 1898, Neudruck 1961.

37 *Lefort,* LXXXVII–XCI.

38 *P. Peeters:* Le dossier copte de S. Pachôme et ses rapports avec la tradition grecque, in: Analecta Bollandiana 64 (1946) 258–277.

39 *D. J. Chitty:* Pachomian Sources Reconsidered, in: Journal of Ecclesiastical History 5 (1954) 38–77.

40 *Festugière,* a. a. O.

41 *L. Th. Lefort:* Les sources pachomiennes, in: Le Muséon 67 (1954) 217–229.

Die Meinungen, die jeweils die Priorität ausschließlich für die griechische oder die koptische Tradition reklamierten, blieben lange unversöhnt nebeneinander stehen, bis erstmals 1966 *A. Veilleux* – im Grunde genommen eine viel ältere Überlegung *Boussets* aufgreifend[42] – hinter die heute vorliegenden Quellen zurückfragte.[43] In seiner Replik auf *Lefort* deutet *Chitty* zwar auch diesen Weg an,[44] bleibt aber im Grunde genommen bei seiner alten These von der Priorität der G-1-Vita. Die voll ausgebaute Untersuchung von *Veilleux*[45] scheint *Chitty* noch nicht vorgelegen zu haben.

Diese Untersuchung stellte *Veilleux* als umfangreichen ersten Teil seiner Arbeit über die Liturgie der Pachomianer voran. Er sucht darin die Frage der Originalität der verschiedenen Viten, ihre Entstehung und ihre Abhängigkeit voneinander zu beantworten. Das Ergebnis der Veilleux 'schen Arbeiten faßt *F. Ruppert* gut zusammen, wenn er schreibt:»Seine Untersuchungen bestätigen zum großen Teil die Erkenntnisse von *L. Th. Lefort*, [...] der der koptischen Tradition den größeren Quellenwert gegenüber der arabischen und griechischen Tradition zuschreibt. [...] *Veilleux* glaubt, zwei koptische ›Urviten‹ feststellen zu können, die später ineinander geschoben und vielfach weiterentwickelt und ergänzt wurden. Die eine bezeichnet er als ›vita brevis‹ (VBr). Sie ist eine kurze, nüchterne Lebensbeschreibung des *Pachomius*. Die andere nennt *Veilleux* die ›vita Theodors‹ (VTh), des Lieblingsschülers des *Pachomius* und späteren Koadjutors des Generalabtes *Horsiese*. Diese Vita ist ausführlicher und bereits stark mit hagiographischen Elementen durchsetzt. Diese beiden Dokumente lassen sich auf Grund der koptischen Tradition nicht mehr unterscheiden, wohl aber an Hand der von *E. Amélineau* veröffentlichten arabischen Kompilation (Am). Hier ist VTh en bloc in VBr eingeschoben, und an den beiden Nahtstellen macht der Kompilator sogar durch entsprechende Bemerkungen auf seine Arbeitsweise aufmerksam. Beide Viten waren ursprünglich koptisch verfaßt und wurden ins Arabische übersetzt. Die koptischen Originale gingen verloren. Nur das 10. sahidische Vitenfragment (S-10) stimmt weitgehend mit Am überein. In den noch erhaltnenen koptischen und griechischen Viten und Vitenfrag- menten ist VTh nicht en bloc in VBr eingeschoben, vielmehr sind beide Dokumente so stark miteinander vermischt, daß nur der Vergleich mit

---

42 *W. Bousset,* Apophtegmata. Studien zur Geschichte des ältesten Mönchtums, Tübingen 1923, 209–280. (*Bousset* schrieb zu einer Zeit, als die Editionen von *Lefort* und *Halkin* noch nicht vorlagen!).

43 *A. Veilleux:* Le problème des Vies de Saint Pachôme, in: Revue d'Ascetique et de Mystique 42 (1966) 287–305.

44 *D. J. Chitty:* Pachomian sources once more, in: Studia patristica 10. Texte und Untersuchungen 107, Berlin 1970, 54–64.

45 *Veilleux:* Liturgie, a. a. O.

17

Am erkennen läßt, zu welcher ›Urvita‹ die einzelnen Episoden gehören.«[46]

Auch zu den Regeln und zur Frage des Verhältnisses der Viten zu den Regeln hat sich *Veilleux* eingehend geäußert. Während *Leipoldt* noch 1960 ganz der Meinung war, die Regeln seien die ursprünglichsten, uns überlieferten pachomianischen Texte,[47] kann *Veilleux* nachweisen, daß die Regeln einen Organisationsgrad und Institutionalisierungsgrad der Koinonia voraussetzen, der weiter fortgeschritten ist, als er uns in den Viten gegenübertritt.[48]

Für die *Veilleux*'schen Thesen spricht vor allem, daß *Veilleux* differenzierter und ausführlicher als alle Forscher vor ihm an die Fragen herangeht, und dann auch zu weit differenzierteren Ergebnissen kommt als seine Vorgänger. Es gelingt *Veilleux* dadurch, die berechtigten Anliegen und Ergebnisse von *Lefort* und von *Chitty* in einem Modell zu vereinigen. Und dieses eine Modell ist – wie sich in dieser Arbeit zeigen wird – sehr viel besser in der Lage, die anstehenden Fragen zu beantworten, als es die Modelle von *Chitty* und *Lefort* alleine wären.

Solange also *Chitty* nicht in seiner angekündigten genaueren Untersuchung weitere Forschungsergebnisse vorgelegt hat,[49] die, was Genauigkeit und Ausführlichkeit anlangt, den Untersuchungen von *Veilleux* werden ebenbürtig sein müssen, solange werden die Ergebnisse von *Veilleux* Basis aller weiteren einschlägigen Untersuchungen sein.

Seit der endgültigen Edition der Viten sind gerade 46 Jahre vergangen. Rechnet man die Edition der lateinischen Vita, so sind es erst 10 Jahre. Die Werke der Pachomianer liegen seit 23 Jahren ediert vor. (Die meisten arabischen Handschriften harren noch immer der Edition.) Moderne Übersetzungen sind noch jünger. Die Diskussion der Quellenkritik ist erst seit gut 10 Jahren zu einem gewissen Abschluß gekommen.

Es ist unter diesen Umständen überhaupt nicht verwunderlich, daß quellenkritisch fundierte Untersuchungen über die Pachomianer noch sehr selten sind.

Trotz dieser Quellenlage haben vor allem *H. Bacht* und *B. Steidle* sehr viel Mühe auf die Erforschung des pachomianischen Mönchtums verwendet. Von diesen beiden Forschern stammen die meisten Untersuchungen zum Pachomianertum, wenn auch fast alle vor *Veilleux* geschrieben wurden.[50]

---

46 *Ruppert:* Gehorsam 3.
47 *J. Leipoldt:* Pachom, in: Bulletin de la Societé d'Archéologie Copte 16 (1961/2) 191–229; hier 192–193.
48 *Veilleux,* Liturgie 129–131.
49 *D. J. Chitty:* Pachomian Sources once more. Studia patristica 10. Texte und Untersuchungen 107, Berlin 1970, 54.
50 Vgl. dazu im Literaturverzeichnis die Werke von *Bacht* und *Steidle.*

Nach 1968 wurden nur ganz wenige Arbeiten veröffentlicht.[51] Auf die quellenkritischen Untersuchungen von *Veilleux* baut im Grunde genommen nur ein Forscher auf.[52]

51 *H. Bacht:* Die Bürde der Welt. Erwägungen zum frühmoastischen Armutsideal, in: *H. Schlier* (Hrsg.): Strukturen christlicher Existenz, Würzburg 1968; *ders.:* Vexillum crusis sequi (Horsiesius). Mönchtum als Kreuzesnachfolge, in: *O. Semmelroth* (Hrsg.): Martyria Leiturgia – Diakonia (Festschrift *Volk*), Mainz 1968, 149–162; *ders.:* Vermächtnis, a. a. O.; *H. van Cranenburgh:* Valeur actuelle de la vie religieuse Pachômienne, in: La Vie Spirituelle 119 (1969) 411–422; *ders.:* Les noms de Dieu dans la prière de Pachôme et de ses frères, in: Revue d'Histoire de la spiritualité 52 (1967) 193–213; *M. van Molle:* Vie commune et obéissance d'après les institutions premières de Pachome et Basile, in: La Vie Spirituelle Supplement 23 (1970) 196–225; *B. Steidle:* Der Heilige Abt Theodor von Tabennesi, in: Erbe und Auftrag 44 (1968) 91–103; *P. Tamburrino:* Aspetti ecclesiologici del monachismo pacomiano del secolo IV, Rom 1968.
52 *Ruppert,* a. a. O.; *ders.:* Arbeit und geistliches Leben im pachomianischen Mönchtum, in: Ostkirchliche Studien 24 (1975) 8–12.

2 Die Auseinandersetzung

Vorgeschichte des Armutsstreits

Nach Ostern 346 breitet sich in den pachomianischen Klöstern eine Pestepidemie aus, durch die auch *Pachomius* erkrankt.[1] Die Krankheit verschlimmert sich. An Pfingsten ist *Pachomius* immer noch krank.[2] Drei Tage nach Pfingsten, am 14. Tag des Monats Pachôn (9. Mai), stirbt *Pachomius*.[3]

Sein Tod war für die Gemeinschaft ein harter Schlag; vor allem auch deshalb, weil dieser Schlag die Gemeinschaft organisatorisch vollkommen unvorbereitet traf. Die Berichte vom Tod des *Pachomius* und von der Bestellung eines Nachfolgers[4] hinterlassen alle den deutlichen Eindruck einer beinahe lähmenden Verlegenheit.

Einerseits war es ein Kennzeichen des pachomianischen Instituts, daß auf die Unabhängigkeit der Ämter von den Amtsträgern großer Wert gelegt wurde. Denn *Pachomius* hatte für alle Ämter jeweils zusätzlich zum eigentlichen Amtsinhaber einen sogenannten »Zweiten« bestellt, womit er offensichtlich beabsichtigte, die Funktion des Amtes unabhängig von der augenblicklichen Einsatzfähigkeit des Amtsträgers ständig zu sichern.[5] Für sich selbst und sein Amt wandte jedoch *Pachomius* dieses Prinzip nicht an. Die Gründe werden im Dunkeln bleiben. Weiter unten wollen wir einen Lösungsvorschlag unterbreiten,[6] ohne diesen Vorschlag jedoch mit letzter Sicherheit belegen zu können. Fest steht auf jeden Fall, daß im Augenblick des Todes von *Pachomius* kein eindeutiger »Kronprinz«, kein »Zweiter des Generalabtes« in Sicht war. Die weit verbreitete Auffassung von *Theodor* als dem »Kronprinz« des *Pachomius* glauben wir so nicht übernehmen zu können. Nicht zuletzt deshalb, weil *Pachomius* auf dem Sterbebett ja die Möglichkeit gehabt hätte, *Theodor*

---

1 G-1 114: *Halkin* 74,24–27 (= *Festugière* 221).
2 S-7: CSCO 99 92,20–23 (= *Lefort* 48,35–36).
3 G-1 116: *Halkin* 75,28–30 (= *Festugière* 223). Das entspricht in unserem Kalender dem 9. Mai. Dies war auch ursprünglich der Festtag des Heiligen *Pachomius*. Durch einen Übertragungsfehler in G-2 wurde dieser Tag später am 14. Mai gefeiert. Vgl. dazu: *Lefort* XXIX.
4 G-1 114–117: *Halkin* 74,24–75,33 (= *Festugière* 221–223); S-3: CSCO 99 122a,13–128b,33 (= *Lefort* 72,24–77,9); S-7: CSCO 99 87,11–95,3 (= *Lefort* 45,4–50,25).
5 Vgl. dazu auch *B. Steidle:* Der Zweite im Pachomiuskloster, in: Benediktinische Monatsschrift 24 (1948) 97–104.774–179.
6 Vgl. dazu S. 59–61.

zu seinem Nachfolger zu ernennen, und dies (zur Überraschung der heutigen Pachomius-Forscher) nicht tat.

Was *Theodor* selbst anlangt, so dürfte bei ihm sicherlich die noch nicht lang zurückliegende Verstoßung aus der Gemeinschaft nachgewirkt haben: die Brüder hatten erst vor wenigen Jahren[7] als *Pachomius* schon einmal auf den Tod erkrankt war, *Theodor* gebeten, für den Fall des Ablebens des *Pachomius* das Amt des Generalabtes zu übernehmen.

Theodor hatte damals dem Vorschlag zugestimmt, worauf *Pachomius*, nachdem er wieder genesen war und von der Abmachung erfahren hatte, *Theodor* mit einer zwei Jahre dauernden Verstoßung aus der Gemeinschaft bestrafte.[8] Eine gewisse – aus diesem Vorkommnis herrührende – Verunsicherung, sowohl auf seiten des *Pachomius,* als auch auf seiten des *Theodor,* dürfte zum Zeitpunkt des Todes von *Pachomius* noch vorhanden gewesen sein.[9]

Noch schwerer wog der Verlust, den *Pachomius'* Tod für die Gemeinschaft bedeutete, da der gleichen Pestepidemie so bewährte »Männer der ersten Stunde« wie die Äbte *Sourous* von Phnoum, *Cornelius* von Tmouschons-Monchosis und *Paphnutius,* der leibliche Bruder *Theodors,* der Groß-Ökonom des Mutterklosters Pbow, zum Opfer fielen.[10]

Pachomius hinterließ also einen Klosterverband, dessen Einzelklöster zwar für sich durch das Institut des »Zweiten« so gefestigt waren, daß sie auch den Verlust eines bedeutenden Abtes überstehen könnten, der aber als Klosterverband über keinen organisatorisch und institutionell abgesicherten Zusammenhalt verfügte. Die Position eines »Zweiten des Geeralabtes« war nicht besetzt, ein »Kronprinz« nicht vorhanden; dazu hin hatte *Pachomius* wenige Jahre vor seinem Tod durch die Verstoßung des *Theodors,* der bis dahin sein Koadjutor in Pbow gewesen war, direkt unterhalb der obersten Leitungsebene des Verbandes ein Machtvakuum entstehen lassen, unter Umständen nicht ahnend, wie bald er auf einen geeigneten Nachfolger angewiesen sein würde.

Die mit *Pachomius* dahingerafften Äbte waren in ihrer Position als Vorsteher ihrer eigenen Klöster zwar ersetzbar, nicht jedoch in ihrer Position als Garanten des Zusammenhalts der »Koinonia«.

Zu allem Unheil griff *Pachomius* auf dem Sterbebett noch zu einem Nachfolger, der selbst sterbenskrank war: »Die, die zu Apa *Petronius* [ihn

---

7 zur Dauer vgl.: G-1 107: *Halkin* 70,15 (=*Festugière* 216).

8 Bo 94: CSCO 89 109,19–115,12 (=*Lefort* 157,7–160,22); G-1 106: *Halkin* 69,22–70,14 (=*Festugière* 216).

9 vgl. dazu S. 58. Die Dauer der Ausschließung war unverhältnismäßig lang. Sowohl *Theodor,* als auch die anderen Brüder waren dadurch einigermaßen verstört.

10 G-1 114: *Halkin* 74,30–33 (=*Festugière* 222); S-3: CSCO 99 126a, 3–126b,21 (=*Lefort* 75,9–26); S-7: CSCO 99 91,17–23 (=*Lefort* 48,8–12); allerdings ohne die Bemerkung über weitere Väter.

hatte *Pachomius* zu seinem Nachfolger bestellt] geschickt wurden, fanden ihn ebenfalls krank, aber trotz seiner Krankheit war er voller Aufmerksamkeit. Nachdem er einige Tage die Brüder im Gehorsam gegen das Wort Gottes und in Erinnerung an ihren Vater regiert hatte, starb er am 21. Juli desselben Jahres.«[11]

Die ganzen Probleme der Nachfolgeregelung tauchten also kaum ein Vierteljahr später erneut auf. Nun aber war der Gründerabt schon tot. Eine derartige mehrfache Belastung für das höchste Leitungsamt, das ohnehin schon äußerst schwach institutionalisiert war, mußte den Zusammenhalt der Koinonia aufs äußerste gefährden.

Darüberhinaus entnehmen wir einer Bemerkung in S-3, daß offensichtlich das Amt des Groß-Ökonoms von Pbow, das seit dem Tod des *Paphnutius,* also fast gleichzeitig mit dem Tod von *Pachomius,* vakant war, erst durch *Horsiese* wieder besetzt wurde, also während einer längeren, für die Entwicklung des pachomianischen Verbandes entscheidenden Zeit, nicht besetzt war.[12] Ob zu all diesen Belastungen noch ein tatsächliches Anwachsen des konkreten Vermögensbestandes der Klöster kam, wie G-1 und auch Am behaupten, oder ob das Vermögen schon vorher bestanden hatten und ob nun – verbunden mit diesen Belastungen – noch der Verlust des richtigen Umgangs mit diesem Vermögen hinzukam, läßt sich aus den Vitentexten nicht mit letzter Sicherheit entnehmen.

All diese Belastungen[13] – so konnte man voraussehen – mußten sich an der Stelle manifestieren, wo der Gesamtverband am schwächsten war: es war also unwahrscheinlich, daß es innerhalb der einzelnen Klöster zu Schwierigkeiten kommen würde; vielmehr mußte zum Ausbruchsherd eventueller Schwierigkeiten der Zusammenhalt der Klöster untereinander werden. Intensivere Beziehungen, über die beiden jährlichen Treffen aller Mönche hinaus, werden von den einzelnen Klöstern nicht berichtet.[14] Es ist anzunehmen, daß die Folge davon ein gering ausgeprägtes Gemeinschaftsgefühl aller im Gesamtverband gewesen ist.

Wir finden also im Augenblick des Todes von *Pachomius* vor: ein

---

11 G-1 117: *Halkin* 75,34–76,2 (= *Festugière* 223).

12 G-1 124: *Halkin* 79,21–24 (= *Festugière* 227): Tod des *Paphnutius;* S-3: CSCO 99 126a,4 (= *Lefort* 75,9–10): Ernennung eines Nachfolgers durch *Horsiese.*

13 Eine weitere Belastung sei kurz erwähnt: *Pachomius* starb zu einer Zeit, als das Christentum durch die Religionspolitik *Constantins* sich gerade für gebildetere Schichten öffnete. Solche Schichten können zu dieser Zeit langsam auch Einfluß auf die – bisher allein aus niederen Schichten bevölkerten – Klöster erhalten haben. Vgl. dazu S. 137.

14 Die Viten berichten von einem jährlichen Generalkapitel an Ostern, sowie einem zweiten im August zur Abrechnung mit dem Groß-Ökonomen von Pbow: Bo 71: CSCO 89 73,19–26 (= *Lefort* 132,26–29); Am 639,8–640,1; G-1 183: *Halkin* 56,16–21 (= *Festugière* 203) G-1 erwähnt ausdrücklich, daß Kontakte, die über diese Treffen hinausgingen, Sache der Äbte waren.

organisatorisch überhaupt nicht ausgebautes Amt des Generalabtes; die Position des »Zweiten des Generalabtes« nicht besetzt; die Autorität des *Pachomius,* die sich offensichtlich ausschließlich auf seine persönliche Autorität gründete. Bedeutende Äbte, die als Garanten der Einheit hätten wirken können, starben zusammen mit *Pachomius* und das Amt des Groß-Ökonomen war lange Zeit über verwaist.

Aufkommen des Streits unter Horsiese

Es kam zu den sich abzeichnenden Schwierigkeiten. Die Texte geben uns leider keine genauen zeitlichen Angaben darüber, wie lange die hergebrachte Ordnung sich unter der Regierung Horsieses noch aufrechthalten ließ, wann und für wie lange die ersten Anzeichen der kommenden Auseinandersetzung auftauchten, und vor allem nicht, wie lange die eigentliche, offene Auseinandersetzung dauerte, bis sie schließlich durch das entschlossene Eingreifen *Theodors* beendet wurde. Wir wissen lediglich, daß zwischen dem Tod des *Pachomius* und dem Eingreifen *Theodors* beinahe fünf Jahre verstrichen waren,[15] und daß sich das Zusammenleben der Brüder unter Horsiese zunächst ohne größere Schwierigkeiten anließ.[16] Auf diese erste, ruhige Zeit folgte eine Periode, in der *Horsiese* sich zu vermehrten Mahnungen veranlaßt sah,[17] und schließlich diejenige des offenen Ausbruchs des Widerspruchs. Der Gesamteindruck der Schilderungen deutet darauf hin, daß während des größeren Teils der Zeit zwischen dem Tod von *Pachomius* und dem Eingreifen *Theodors* Ruhe herrschte, und daß *Theodors* Aktivität erst gegen Ende der 5-Jahres-Frist begann.

Der aufkommende Widerspruch wurde zunächst ausschließlich vom Abt *Apollonius* des Klosters Tmouschons-Monchosis getragen: »So kam es, als die Brüder zahlreich wurden, daß man, um diese Zahl zu ernähren, anfing, Grundbesitz zu erwerben und allerlei materielle Güter. Und jedes Kloster begann nach und nach, vom Weg der Regeln abzuweichen in dem Maß, als andere Interessen wuchsen. Ein gewisser *Apollonios,* Vorsteher des Klosters Tmouschons-Monchosis wollte, was den Regeln widersprach, für sich selbst überflüssige Dinge einkaufen. Von *Horsiese*

---

15 G-1 131: *Halkin* 83,3 (= *Festugière* 231); weitere koptische Parallelstellen fehlen. S-6: CSCO 99 272b,12–15 (= *Lefort* 326,15) äußert sich unbestimmter: »noch nicht lange her«.
16 S-5 125: CSCO 99 181,29–31 (= *Lefort* 273,5–6): Die Mönche gehorchten ihm »mit großer Demut und Unterwürfigkeit«.
17 G-1 122: *Halkin* 79,2–7 (= *Festugière* 226/227).

deswegen zur Rede gestellt, war jener sehr verärgert. Durch eine Versuchung des Bösen wollte er sein Kloster aus dem Gesamtverband lösen und er überredete viele gewichtige Brüder aus dem Kloster, ebenso zu handeln.«[18]

Wenn wir uns an diese Schilderung der Viten halten, so entstand der Streit eigenartigerweise gerade in entgegengesetzter Reihenfolge, als wir dies nach eingehender Analyse der Situation zur Zeit des Todes des *Pachomius* zu erwarten hätten. Die Lage der Gemeinschaft nach dem Tode des Gründers sprach dafür, daß es zunächst zu Autonomiebestrebungen der einzelnen Klöster und erst in deren Gefolge zu Auseinandersetzungen im Umgang mit dem Vermögen kommen würde, und infolgedessen die Klöster bei nächster Gelegenheit die Abrechnung mit dem Mutterkloster Pbow verweigern würden. Der Streit verlief aber in Wirklichkeit in anderer Richtung: die Viten schildern die Autonomiebestrebungen des *Apollonius* als reine Reaktion auf das tadelnde Eingreifen des *Horsiese,* nachdem *Apollonius* zuvor ein den Regeln widersprechendes Verhalten auf ökonomischem Gebiet an den Tag gelegt hatte. Der Streit entstand also nach den Texten nicht durch ein Autonomiebestreben, das sich an der Ökonomie-Oberhoheit von Pbow stieß, sondern durch ein verändertes Verhalten dem Eigentum gegenüber, das nach dem tadelnden Eingriff des geistlichen (nicht des finanziellen) Leiters erst zu einem Autonomiebestreben wurde. Mag es auch – infolge der wenigen überlieferten Texte – ein hoffnungsloses Unterfangen sein, hier Ursache und Wirkung mit letzter Sicherheit genau zu trennen, so spricht doch die der vorhersehbaren Entwicklung zuwiderlaufende tatsächliche Entwicklung gerade für die Historizität der Berichte und dafür, daß es sich in der Tat um einen Streit über den Umgang mit dem Vermögen, also um einen »Armutsstreit« gehandelt hat.

Die Auseinandersetzung war anfangs nur auf *Apollonius* und *Horsiese* (höchstens noch auf die Klöster Tmouschons-Monchosis und Pbow) beschränkt. Erst als sich *Apollonius* dem *Horsiese* nicht unterordnen wollte, wurden offensichtlich andere Klöster in die Auseinandersetzung mit einbezogen: »Auch den anderen Klöstern hatte er schweren Schaden zugefügt dadurch, daß er Zwietracht säte und sagte: wir gehören nicht mehr zur Gemeinschaft der Brüder«,[19] berichtet G-1 unmittelbar im Anschluß. Ob die anderen Klöster zu der Zeit, als sich die Auseinandersetzung noch allein zwischen *Apollonius* und *Horsiese* abspielte, im Geheimen schon mit *Apollonius* und seinen Gedanken sympathisierten, läßt sich heute nicht mehr sicher ausmachen. Die Tatsache, daß die

---

18 G-1 127: *Halkin* 80,35–81,6 (= *Festugière* 229).
19 G-1 127: *Halkin* 81,7 (= *Festugière* 229).

Schwierigkeiten in einem recht kurzen Zeitraum ein umfangreiches Ausmaß annahmen, und *Horsiese* schon vor dem Ausbruch des Streits entsprechende Mahnungen an die Brüder gerichtet hatte, läßt vermuten, daß die anderen Klöster nicht erst durch die Reaktion *Horsieses* auf die Seite des *Apollonius* getrieben wurden, sondern schon vorher im Innersten ähnliche Ansichten hatten.

Als eigentlichen Ausgangspunkt des Streits nennen die Viten: »Er *[Apollonius]* wollte für sich selber überflüssige Dinge einkaufen«;[20] und an anderer Stelle:»Er besaß mehr als die anderen Klöster«[21], oder ganz einfach:»Ein gewisser *Apollonios, Abt* von Tmouschons-Monchosis, der große Schwierigkeiten verursacht hatte...«[22]. Die bohairische Vita, deren Schilderung des eigentlichen Armutstreites verloren ist, weiß an späterer Stelle, als eine Art Reminiszens, zu berichten: von der »...Unordnung, die vor langer Zeit einmal durch den *Apollonios,* den Vorsteher des Klosters Tmouschons-Monchosis entstand, als dieser nach Alexandrien schickte, um gesonderte Einkäufe für die Kranken zu tätigen.«[23] Wenn es also – wie gezeigt – beim Armutsstreit wirklich um ein Auseinandersetzung über den Umgang mit dem Vermögen handelte, so mußte das Kloster Tmouschons-Monchosis entweder mehr als die anderen Klöster besessen haben, oder wenigstens danach gestrebt haben. Wie es zu dem relativen Reichtum des Klosters Tmouschons-Monchosis kam, darüber schweigen sich die Viten aus. Sowohl Am, als auch G-1 erwähnen im unmittelbaren Anschluß an die oben zitierten Stellen, daß *Apollonius* in diesem Zusammenhang die Regeln zu ändern versuchte. Ursache und Wirkung läßt sich auch hier – also im Falle des Klosters Tmouschons-Monchosis – nicht mehr klar auseinanderhalten. Ebenso offen muß die Frage bleiben, wie schnell die Ablösungstendenzen auf die anderen Klöster übergriffen. Das Gebet *Horsieses* läßt den Schluß zu, daß dies wohl schnell geschehen sein muß, zumal – wie dieses Gebet zeigt – *Horsiese* gerade auf dem Höhepunkt der Krise wohl ohne Hilfe war: »... und die Brüder, die noch treu sind, sind gering an Zahl.«[24] Wir entnehmen diesem Gebet – auch in der griechischen Fassung –[25], daß der Aufstand, zumal *Horsiese* schließlich resigniert,[26] gewaltige Formen

---

20 G-1 127: *Halkin* 80,38–81,1 (= *Festugière* 229).
21 Am 666,4–5.
22 S-6: CSCO 99 268a,32–268b,6 (= *Lefort* 324,15–16).
23 Bo 204: CSCO 89 202,26–203,1 (= *Lefort* 225,1–4).
24 Am 667,5.
25 G-1 128: *Halkin* 81,15–20 (= *Festugière* 229): »Mein Gott! Dein Diener *Pachomius* hat mir dieses Amt anvertraut, um möglichst viele zu gewinnen, und um eine große Zahl zu retten. Jetzt aber glaube ich, daß es unter ihnen nicht mehr viele gibt, die zu ihrem Heil auf mich hören. Jetzt hört nur noch jeder auf sich selber, außer deinen treuen Dienern, die im Guten mit unserem Vater *Pachomius* zusammengelebt haben, und die im Frieden leben.«
26 G-1 129: *Halkin* 82,5 (= *Festugière* 230).

angenommen haben muß, und daß – da *Theodor* später derart geharnischte Reden hielt[27], das regelwidrige Verhalten der Äbte weit über einen einmaligen, gesonderten Arzneimitteleinkauf in Alexandrien hinausgegangen sein muß. Ein auf dem Gebiet des Vermögensumgangs liegendes, regelwidriges Verhalten, das den Bestand der Koinonia derart entscheidend gefährdete, kann eigentlich nur darin bestanden haben, daß die Äbte je für ihr eigenes Kloster Vermögen ansammelten und die Abrechnung und Ablieferung mit dem Mutterkloster verweigert haben. Ein einmaliger Arzneimitteleinkauf allein, oder die Tatsache, daß ein Kloster über geringfügig mehr Besitz verfügt als ein anderes, dies allein kann kaum zu den (in den Viten berichteten) heftigen Reaktionen von *Horsiese* und *Theodor* geführt haben.

Wenn also die Klöster je für sich, unter Umständen sogar gegeneinander, eine Vermehrung ihres Vermögensbestandes betrieben – Klöster, die nach den Intentionen des *Pachomius* zur Solidarität untereinander verpflichtet waren – dann war damit der Kern des pachomianischen Instituts getroffen und *Horsiese* mußte handeln.

Nennenswerte Unterschiede im Verhalten der einzelnen Klöster und Äbte wissen die Viten nicht zu berichten. Die Auseinandersetzung schien vielmehr schon am Anfang, und dann, je länger desto mehr, zu einem Streit des *Apollonius* (zum Teil ohne die anderen Äbte) und *Horsiese* geworden zu sein, wobei dann im Verlauf der Auseinandersetzung der eigentliche Kern immer mehr in den Hintergrund trat. *Horsiese* machte *Apollonius* im ersten Stadium noch konkrete Vorhaltungen wegen dessen Fehlverhalten,[28] während von solchen Äußerungen *Horsieses* im späteren Stadium des Streits nicht mehr berichtet wird.[29] Hier scheint sich das Problem auf die Frage der Leitung durch *Horsiese* zugespitzt zu haben.

Reaktion des Horsiese

Bei dem Versuch, den Charakter des *Horsiese* an Hand seines geistlichen Testaments ein klein wenig auszuleuchten, werden wir weiter unten sehen,[30] daß *Horsiese* kein Mann konkreter, eindeutiger Stellungnahmen war, sondern seine Stärken auf dem Gebiet des Vermittelns und des abwägenden Anerkennens der Argumente auch der anderen Seite zu finden waren. Sein Verhalten auf dem Höhepunkt der Krise kann unter

---

27 G-1 131: *Halkin* 82,35–83,14 (= *Festugière* 229).
28 G-1 127: *Halkin* 81,2–3 (= *Festugière* 229).
29 vgl. den Inhalt des *Horsiese*-Gebetes, Anm. 25.
30 vgl. S. 43–47.

Berücksichtigung dieses seines Charakterzuges besser verstanden werden.

In der Tat benahm sich *Horsiese* wie »das berühmte Kaninchen vor der Schlange«, das aus lauter Angst sich überhaupt nicht mehr rühren kann, und das Nächstliegende (im Falle des Kaninchens: Davonlaufen) nicht tun kann: »In dieser Verwirrung hatte Apa *Horsiese* eine Zeitlang vor, die Sache zu ertragen und dann richtete er sich darauf ein, die Anfechtungen bis zu seinem Tode aushalten zu müssen.«[31] *Horsiese* zog sich also vom nach außen gerichteten Handeln ganz in seine Innenwelt zurück und betete, wartete ab und hoffte, daß die Trübsal vielleicht vorbeigehe.

Bedenkt man nun zusätzlich die Mahnungen, die *Horsiese* in seinem geistlichen Testament an die Oberen richtet,[32] so könnten wir dieses auf Ertragen ausgerichtete Verhalten des *Horsiese* sogar als eine Art indirekter Selbstkritik verstehen. Denn in seinem Testament mahnt *Horsiese* die Oberen, den ihnen anvertrauten Mönchen ja alles Nötige zukommen zu lassen, damit die Mönche nicht der Gefahr ausgesetzt seien, sich auf eigene Rechnung das ihnen Fehlende zu beschaffen.[33] Horsiese schrieb diese Mahnung in seinem Testament sicher nicht unter völliger Vernachlässigung seiner eigenen Erfahrungen. Dann aber lassen diese Mahnungen aus späterer Zeit Rückschlüsse auf Fehler zu, die *Horsiese* während der Zeit seiner Regierungszeit begangen haben könnte. Im *Liber Orsiesii* hätten wir dann an dieser Stelle auch den literarischen Niederschlag der selbstkritischen Verarbeitung der eigenen Erfahrungen aus früherer Zeit durch den alten *Horsiese*. Da es sich nun aus dem Charakter des *Horsiese* nahelegt, daß er auch in den Argumenten des Anderen berechtigte Seiten erkennen konnte, bedeutete die nun entstandene Lage für *Horsiese* wirklich eine hoffnungslose Situation: einerseits mag er gewisse eigene Fehler zugegeben und im Verhalten der aufständischen Äbte eine gewisse Berechtigung erblickt haben; andererseits war er – wie sich aus dem Gebet ablesen läßt – von einem tiefen Pflichtgefühl der einmal übernommenen Verantwortung gegenüber erfüllt, so daß er in der Tat nicht mehr anders als durch den »Tot-stell-Reflex« reagieren konnte.

In dieselbe Richtung deutet die Ausgestaltung des Traumes, der dann schließlich für *Horsiese* die Lösung brachte. Horsiese träumt zwei Betten. Eines dieser Betten ist gebraucht, ein anderes neu. Und er hört eine Stimme im Traum, die ihm bedeutet, sich auf das neue Bett zurückzuzie-

---

31 G-1 128: *Halkin* 81,10–13 (= *Festugière* 229).
32 Hier wird zu beachten sein, daß *Horsiese* ja in der zur Debatte stehenden Zeit ebenfalls »ein Oberer« war, und die Verhältnisse also genau kennen mußte.
33 vgl. S. 46.

hen.[34] Da wir uns in Ägypten befinden[35] und da auch *Pachomius* selbst auf seine Träume großen Wert gelegt hatte[36], soll zur Verdeutlichung der Lage *Horsieses* sein Traum herangezogen werden.[37] Darin wählt das Traum-Ich ausgerechnet das Bild zweier Betten, um eine Regelung für die Nachfolge-Frage anzuzeigen, obwohl doch das Bild von zwei Stühlen sicher sinnvoller gewesen wäre. Auch jedes andere Bild hätte für uns einen besseren Sinn gegeben. *Horsiese* aber träumt vom Bett, also vom sich Hinlegen, Ausruhen, vom sich Zurückziehen. Wir entnehmen daraus daß für *Horsiese* zu dieser Zeit seines Lebens sehr starke regressive Kräfte bestimmend waren. Auch die Bemerkung in Am, wonach *Horsiese* im Traum aufgefordert wird, »sich auf das eine Bett zu legen«[38], läßt keine andere Deutung zu. Da die Träume in unterschiedlichen Fassungen überliefert sind, ist eine eingehendere Interpretation nicht möglich. Was nun in diesem Traum als Lösungsmöglichkeit aufgezeigt wird, ist im Grunde genommen nur die logische Fortführung pachomianischen Gedankenguts: die Bestellung eines »Zweiten des Generalabtes«.[39] In seinem Traum erhielt *Horsiese* die Aufforderung, diese Stelle wieder zu Durch Traum, Gebet oder Eingebung – die Viten weichen hier wieder voneinander ab – kam es zur Besetzung der Position des »Zweiten des Generalabtes«. Somit war *Theodor* nun nach Jahren wieder an der Stelle, an der er vor langer Zeit schon einmal stand.[40] Ob das wohl der Zweck der Übung war? Die Handlungsweisen *Theodors* lassen dies anzweifeln.

Allerdings bleibt dann nach wie vor die – vielleicht unbeantwortbare – Frage offen, warum nicht *Pachomius* selber ihn an diese Stelle setzte, warum *Petronius* es nicht tat, und warum erst unter *Horsiese* die Koinonia beinahe auseinanderbrechen mußte, bis *Horsiese* den *Theodor* wieder mit seiner alten Aufgabe betraute.

---

34 G-1 129: *Halkin* 81,25–29 (= *Festugière* 230).

35 Zur Bedeutung der Träume in Ägypten vgl.: *A. L. Oppenheim:* The Interpretation of Dreams in The Ancient Near East, in: Transactions of The American Philosophical Society NS 46 (1956) 179–372; *M. Pongracz:* Das Königreich der Träume. 4000 Jahre moderne Traumdeutung, Hamburg–Wien 1963,13–29.

36 Vgl. dazu auch *W. Bousset:* Apophtegmata, Tübingen 1923, 244: »Was ich aber behaupte, ist dies: daß all diese Berichte [über die Visionen des *Pachomius*] aufs Ganze gesehen der Wirklichkeit recht nahe liegen. *Pachom* ist wirklich ein ausgesprochener Visionär gewesen; der Traum, die Vision, das Hellsehen, das Vorherwissen, das Gedankenlesen und Schauen und Künden der Herzensgeheimnisse gehören zum Zentralen seiner Persönlichkeit. Darauf ruhte ein Teil seiner Kraft und Autorität, die er bei den Brüdern hatte. Man traute ihm hier einfach alles zu.«

37 Vgl. zu den Träumen auch die Berufungsvisionen des *Pachomius* Bo 17: CSCO 89 18,18–20 (= *Lefort* 91,25–27); S-3: CSCO 99 100b,4–33 (= *Lefort* 56,4–12); Am 358,3–7; G-1 12: *Halkin* 8,1–7 (= *Festugière* 164–165).

38 Am 668,1.

39 Wie schon ausgeführt, war diese Position, obwohl für alle anderen Funktionen verpflichtend, durch *Pachomius* nicht besetzt worden. Vgl. dazu S. 20–21.

40 Vgl. dazu S. 58. *Lefort*, 325, Anm. 12 legt den Zeitpunkt des Ausschlusses 2 Jahre vor dem Tod des *Pachomius*.

In diesem Stadium nun hat sich die Auseinandersetzung ganz auf die Führungsposition des *Horsiese* im Mutterkloster Pbow zugespitzt. Vom ursprünglichen Armutsstreit ist jetzt nichts mehr zu spüren.

Eingreifen des Theodors

»Als die Brüder erfuhren, daß er *[Theodor]* erwählt worden war, freuten sie sich sehr.«[41] Diese Information, die alle Viten berichten, läßt fragen, welchen Vorteil die abtrünnigen Äbte von *Theodor* im Gegensatz zu *Horsiese* sich versprechen konnten. Konnten sie allen Ernstes erwarten, daß *Theodor* ihnen das gewähren würde, was *Horsiese* ihnen in Treue zu den pachomianischen Grundideen hatte versagen müssen? Und konnte *Horsiese,* bei seinem schon erwähnten Pflichtbewußtsein, der einmal übernommenen Verantwortung gegenüber es wirklich wagen, die Koinonia einem *Theodor* anzuvertrauen, von dessen Loyalität dem pachomianischen Erbe gegenüber er nicht voll und ganz überzeugt gewesen war? Oder anders gefragt: die beiden Kontrahenten, *Horsiese* und *Apollonios* bzw. die aufständischen Äbte waren zumindest im ersten Augenblick beide mit *Theodor* einverstanden. Kurz zuvor hatten sich zwischen ihnen noch unüberbrückbare Gegensätze aufgetan. Wer hat sich nun eigentlich in wem getäuscht?

Vom Ende der Auseinandersetzung her wird man sagen müssen, daß sich beide Seiten in *Theodor* getäuscht hatten, denn keine der beiden Seiten erreichte im Grunde genommen, was sie wollte. *Theodor* rettete den äußeren Bestand der Koinonia, indem er sich aber allein auf das Problem der organisatorischen Bestandssicherung stürzte.

Als *Theodor* mitgeteilt wurde, wozu *Horsiese* ihn erwählt hatte, traute *Theodor* anscheinend dem Frieden nicht ganz. Er weigerte sich zunächst, irgend etwas zu unternehmen, »bevor ich nicht mit Apa *Horsiese* gesprochen habe«.[42] Theodor spielte damit erneut auf seine früheren Erfahrungen im Umgang mit Nachfolgeregelungen an. Dieses Ereignis von damals, als *Theodor* schon einmal seine Zusage zur Übernahme der Nachfolge gegeben hatte, und dann von *Pachomius* derart hart bestraft worden war, war also – was *Theodor* betrifft – noch lange nicht verarbeitet – weder im Augenblick da *Horsiese* ihn rief, noch im Augenblick des Todes von *Pachomius.*[43] *Theodor* nahm jedenfalls die Aufgabe an. Das weitere Vorgehen *Theodors* ist die einzige Stelle, an der

---

41 Am 669,1; G-1 130: *Halkin* 82,19 (= *Festugière* 230).
42 G-1 129: *Halkin* 82,9–10 (= *Festugière* 230); Am 669,5; S-6: CSCO 99 271b,27–31 (= *Lefort* 326,3–4).
43 Vgl. dazu S. 59.

die verschiedenen Viten den Ablauf des Armutsstreits selbst verschieden darstellen, und nicht – wie bisher – bei annähernd gleicher Schilderung des Hergangs lediglich unterschiedliche Erzählabsichten aufweisen.

Nach den arabisch-griechischen Viten, die bei der Einzeluntersuchung als Version B bezeichnen werden[44], rief Theodor zunächst die Mönche zusammen und hielt eine Rede. Da die Version B die Ereignisse in diesem Abschnitt sehr stark strafft[45], und da die koptischen Viten (Version A) davon berichten, daß Theodor später Besuch von den Äbten der anderen Klöster erhalten hätte, nehmen wir an, daß es sich bei diesen ersten Mönchen, zu denen Theodor sprach, um die Mönche des Klosters Pbow handelte. Theodor setzte also in seinen Bemühungen zunächst an der restlichen Machtbasis an, die Horsiese ihm noch überlassen hatte – am Kloster Pbow. Die Rede Theodors muß äußerst emotional gehalten worden sein, wird uns doch berichtet, daß Theodor selbst am Ende dieser Rede laut geweint hätte, und die Brüder in dieses Weinen eingestimmt hätten.[46] In dieser Rede nun nahm Theodor Bezug auf Leben und Beispiel des Pachomius und der alten Väter; er sprach von der Verheißung der künftigen Herrlichkeit (ein für Theodor typischer Gedankengang[47]), und gab seinen Gefühlen über den desolaten Zustand der Koinonia beredten Ausdruck. Eine solche Rede mußte – gewollt oder ungewollt – eine emotionale Stabilisierung der Mönche von Pbow mit sich gebracht haben: Ruhe an der Heimatfront gewissermaßen. Theodor hielt sich dadurch den Rücken frei, um gegen die abtrünnigen Äbte vorgehen zu können. Vom eigentlichen Streit, um den es zu Anfang ging, ist in dieser Phase überhaupt nichts mehr zu spüren. Wir werden bei der Besprechung der Reden Theodors nochmals darauf zurückkommen müssen.[48]

Die koptischen Viten wissen – nachdem Theodor in Pbow sich eine Basis geschaffen hatte – zu berichten, daß die aufständischen Äbte zu Theodor (sicher wohl nach Pbow) gekommen seien: »Als die Äbte erfuhren, daß Theodor an Stelle von Horsiese Abt geworden war, machten sie sich auf und kamen freudig zu ihm, um ihre Aufwartung zu machen; sie dachten bei sich, daß sie im Augenblick ihrer Ankunft sein Herz allein durch ihr Kommen zufriedenstellen könnten«;[49] – ein Verhalten, das nach alledem, was geschehen war, überraschen muß. Was mögen die Äbte von ihrem Besuch bei Theodor erwartet haben?

---

44 Vgl. dazu S. 122–124 und die Synopse im Anhang, S. 156.
45 Vgl. dazu S. 125.
46 G-1 131: *Halkin* 83,15–16 (= *Festugière* 231); Am weiß davon nichts; S-6: CSCO 99 273a,20–273b,10 (= *Lefort* 326,26–31).
47 vgl. dazu S. 42.
48 Vgl. dazu S. 130–133.
49 S-5: CSCO 99 188, 3–8 (= *Lefort* 279,1–5); S-6: CSCO 99 274,25–30 (= *Lefort* 327,26–30).

Die eine Möglichkeit bestände darin, daß das Anliegen der Äbte in der totalen Auflösung der Koinonia, der radikalen – auch geistlichen – Selbständigkeit der Einzelklöster zu suchen wäre. Das Verhalten der Äbte, nämlich zu diesem Zeitpunkt zu *Theodor* zu gehen, wäre dann mehr als töricht gewesen; im Gegenteil: die Situation wäre jetzt günstiger wie nie gewesen, den endgültigen Bruch mit dem Mutterkloster Pbow herbeizuführen und *Theodor* in Pbow »einen guten Mann sein« zu lassen.

Die andere Möglichkeit wäre, daß die aufständischen Äbte durchaus eine gewisse – wohl vor allem geistliche – Oberhoheit des Mutterklosters anzuerkennen bereit waren, allerdings mit Einschränkungen. Diese Einschränkungen wären dann entweder auf finanziellem Gebiet (keine Jahresabrechnung mehr mit dem Mutterkloster), oder auf personellem Gebiet (jeder andere, nur nicht *Horsiese* als Generalabt) zu suchen. Die Äbte hätten also dann bei ihrem gemeinsamen Gang zu Theodor von diesem erwarten können, daß sie sich mit ihm über einen für sie günstigen modus vivendi auf dem Wege des Kompromisses würden einigen können.

Eine dritte Erklärungsmöglichkeit, warum die Version A diesen Gang der Äbte zu *Theodor* berichtet, wäre darin zu suchen, daß dieser Bericht der Version A insgesamt nicht als historisch zu betrachten ist, sondern als eine spätere Zufügung. Der Bericht macht jedoch in den koptischen Viten einen zu lebendigen und lebensechten Eindruck, um als eine spätere Zufügung gelten zu können. Die Fülle der geharnischten, recht kurz gehaltenen Aussprüche *Theodors,* die dieser Bericht enthält, sprechen ebenfalls nicht für seine spätere Zufügung, ohne einen historischen Kern zu enthalten. Im Gegenteil: sie sprechen eher dafür, daß es sich bei Version B um eine gekürzte Fassung handeln muß, die Informationen unterdrückt, sprich, daß zu Anfang der Auseinandersetzungen die Version B noch darum weiß, daß andere Äbte und Klöster sich *Apollonios* angeschlossen hätten[50], am Ende des Streits sie aber nur von einer Wiederversöhnung mit *Apollonios* allein berichtet: »Und nach langen Bemühungen überzeugte er *[Theodor]* durch seine geistlichen Fähigkeiten den *Apollonios* und nahm ihn wieder in den Frieden mit den Brüdern auf.«[51] Die anderen Äbte, von denen Version B zu Beginn der Auseinandersetzung noch zu berichten wußte, sind am Ende des Berichts in Version B »unter den Tisch gefallen«.

Zudem, so kurz, wie G-1 die Wiederversöhnung schildert, kann sie nach einer Bemerkung in G-1 selbst nicht gewesen sein. G-1 spricht hier von »langen Bemühungen«, die der Wiederversöhnung vorausgingen.[52] Wir sehen darin einen kaum mehr erkennbaren Rest an Informationen, die

---

50 G-1 127: *Halkin* 81,6–7 (= *Festugière* 229); Am 666,11.
51 G-1 131: *Halkin* 83,19–22 (= *Festugière* 232); entsprechend auch: Am 673,4–6.
52 ebd.

S-5, S-6 und Bo (Version A) uns vollständig überliefert haben: den Besuch der Äbte bei *Theodor.*

Unterstellt man nun, daß die Äbte nicht völlig grundlos zu *Theodor* kamen, bedeutet das Verhalten der Äbte doch, daß sie durchaus eine gewisse Oberhoheit von Pbow anzuerkennen bereit gewesen waren, daß es also nicht ihr Ziel war, die Gemeinschaft radikal aufzukündigen, sondern daß sie bei andauerndem Fortbestand der Gemeinschaft lediglich eine teilweise Änderung herbeiführen wollten, d. h. die Ermöglichung von getrennter Wirtschaft der einzelnen Klöster und von getrenntem Vermögenserwerb.

Was aber mag die Äbte in der Überzeugung bestärkt haben, von *Theodor* auf diesem Gebiet Zugeständnisse erwarten zu dürfen? Unsere weiteren Untersuchungen wollen zu dieser Frage einen Vorschlag anbieten.[53]

Hier geht es jedoch allein um die Tatsache, daß sich die Äbte in *Theodor* gründlich getäuscht hatten: ohne auf ihr Anliegen der finanziellen Teilautonomie auch nur annähernd einzugehen, fuhr *Theodor* die Äbte an, setzte sie, indem er ihr Verhalten als eine grobe Verletzung der Loyalität dem *Pachomius* gegenüber brandmarkte, unter massiven Druck und nahm ihnen so den Wind aus den Segeln, so daß sie am Ende einsehen, daß sie bei *Theodor* nichts erreichen können, und ihn sogar bitten müssen, ihnen doch die Regeln erneut einzuschärfen: »Wir sind«, so sagen sie, »bereit, deinen Vorschriften entsprechend zu handeln. Schärfe uns bald die Regeln wieder ein und auch die Gesetze, die unser Vater uns hinterlassen hat, damit wir ihnen folgen.«[54] Sieht man das Verhalten des *Theodor* den Äbten gegenüber im Zusammenhang mit seiner Rede in Pbow, dann wird deutlich, wie *Theodor* die Äbte unter Druck zu setzen verstand. Die Äbte waren in der festen Überzeugung gekommen, sich mit Theodor über einen modus vivendi verständigen zu können, sie konnten dieser Überzeugung um so mehr sein, als sie – wie sich weiter unten zeigen wird[55] – zu *Theodor* eine recht enge geistige Verwandtschaft hatten, und vor allem, weil die Äbte sich des Rückhalts bei ihren Mönchen sicher sein konnten. Hier nun setzt *Theodor* an. Er erreichte zunächst einen Überraschungseffekt, indem er die Äbte mit einer Schroffheit sondergleichen »abfahren« ließ: »*Theodor* aber war, als er sie sah, von einer heftigen Empörung gepackt und sie mußten ihn beinahe mit Gewalt zwingen, sie zu umarmen. Als sie ihn so sahen, waren sie von großer Furcht ergriffen. Dann setzte er sich und er sprach in

---

53 Vgl. dazu S. 62.
54 S-6: CSCO 99 277,29–31 (= *Lefort* 330,19–23); Bo 165: CSCO 89 155,27–28 (= *Lefort* 191,4–6).
55 Vgl. dazu S. 62.

bewegten Worten zu ihnen.«[56] Wenn seine »bewegten Worte« derart waren wie seine Ansprache an die Mönche in Pbow, desselben Inhalts und vor allem derselben emotionalen Intensität, dann hatte er die Äbte in der Tat am wunden Punkt erwischt: sie konnten sich ausrechnen, daß, würde *Theodor* diese Rede in ihren eigenen Klöstern halten, sämtliche Mönche den Äbten die Gefolgschaft aufkündigen würden. Der emotional aufgeladene Appell an die Loyalität gegenüber dem Gründerabt hat – wie die Reaktion der Mönche von Pbow zeigte – in dieser Zeit noch Wunder gewirkt, zumindest, was die einfachen Mönche betraf.

In den Viten Bo und S-6 wird dann auch in der Tat berichtet, daß *Theodor* genau diesen Weg einschlug. Nach diesen Viten behielt er die Äbte in Pbow zurück und ging allein reihum in die »äbtelosen« Klöster, schwor dort die Mönche – genau wie vorher in Pbow – wieder auf *Pachomius* (und sicher auch den Nachfolger *Theodor*) ein und hatte so die aufständischen Äbte an die Wand gespielt ohne auch im mindesten – eine Untersuchung der Reden des *Theodor* wird dies bestätigen[57] – auf die Anliegen der Äbte eingegangen zu sein. Die ebenfalls in den koptischen Viten berichteten halbjährlichen Umbesetzungen in den Äbtepositionen, die *Theodor* in Zukunft vornahm bestätigen, daß *Theodor* diesen Weg ging.[58]

Dieses Verhalten des *Theodor* rettete zwar im Augenblick den Bestand der Koinonia; Jahre später aber sollte es sich rächen und *Theodor* selbst zur Resignation treiben.[59]

Ergebnis des »Armutsstreits«

Was war nun eigentlich geschehen? Aus einem noch näher zu untersuchenden Grund hatten sich einzelne Äbte zusammengetan, um eine relative Unabhängigkeit vom Mutterkloster Pbow auf finanziellem Gebiet zu erreichen; ganz offensichtlich in der festen Absicht, es in Zukunft nicht mehr zur Vermögensansammlung nur beim Mutterkloster kommen zu lassen; sie wollten für ihre Klöster selber Vermögen erwerben. Diesem Bestreben wird *Horsiese* – bedingt durch ein großes Maß an Selbstkritik – eine gewisse Berechtigung zugestanden haben. So

---

56 Bo 166: CSCO 89 156,21–23 (= *Lefort* 192,8–11); S-6: CSCO 99 278,11–12 (= *Lefort* 330,33–331,1).
57 Vgl. dazu S. 130–133.
58 Bo 167: CSCO 89 157,21–158,22 (= *Lefort* 192,28–193,11); S-6: CSCO 99 278,27–279,14 (= *Lefort* 331,16–35).
59 Bo 197: CSCO 89 191,19–192,27 (= *Lefort* 216,30–217,25).

hatte sich das Bestreben der Äbte ausgeweitet, bis *Horsiese* schließlich den gesamten Verband in Gefahr sah, und den *Theodor* zum Eingreifen ermutigte und ermächtigte. Durch *Theodors* Eingreifen war – zumindest in seinen Augen – die schlimmste Gefahr beseitigt: der Widerspruch war ausgeschaltet, die – auch ökonomische – Oberhoheit des Mutterklosters Pbow über die anderen Klöster war wieder hergestellt, an den aufständischen Äbten war für alle kommenden Zeiten ein Exempel statuiert worden; aber aus dem Armutsstreit, also aus der Auseinandersetzung um den rechten Umgang mit dem Vermögen, in die die Äbte doch – wie das Verhalten des *Horsiese* zeigte – einige gute Gründe eingebracht hatten, aus dieser Auseinandersetzung um den Umgang mit dem Vermögen der Klöster und der Brüder war unversehens eine Autoritätsauseinandersetzung geworden, also ein Streit um den Führungsanspruch des Mutterklosters Pbow. Über die eigentlichen Fragen wurde nicht mehr gesprochen. Wer Vermögen besitzen und verwalten durfte, wie mit eventuellem Vermögen umzugehen sei, ob das pachomianische Ideal auch bei einem, in derartige Dimensionen hineingewachsenen Verband, durchgehalten werden könne, all diese Fragen bleiben unbeantwortet und unverarbeitet stehen. Gelöst war das Problem dadurch, daß es verschoben worden war. Sicherlich hatte *Theodor* – der ganze Verband stand ja unmittelbar vor seiner Auflösung – keine andere Wahl, als so zu handeln: rein symptomorientiert vorzugehen und, ohne nach den Ursachen zu fragen, den »Koinonia« im Lebensnerv bedrohenden Aufstand mit allen ihm zur Verfügung stehenden Mitteln zu ersticken.

Rückblickend müssen wir jedoch festhalten, daß die eigentlichen, den ganzen Aufstand auslösenden Fragen nicht angegangen wurden. Davon geben spätere Notizen in den Viten Zeugnis: immer wieder flackerte das Problem des Umgangs mit Vermögen und Eigentum auf.[60] Ob ein Kloster Besitz haben dürfe oder nicht, darüber waren die Meinungen nach wie vor geteilt. Ob es sinnvoll sei, die Armut so zu regeln, daß das Vermögen beim Mutterkloster zentriert wird, darüber wurde nicht gesprochen. Ob die Armut in dieser Weise quasi teilbar sei (für *Theodor* war sie es, wie sich zeigen wird[61]), das blieb nach wie vor offen.

Horsiese hatte andere Meinungen aufkommen lassen und mußte sich dann infolgedessen mit dem Armutsstreit herumplagen. *Theodor* ließ andere Überlegungen nicht zu. Für ihn war allein der Fortbestand der »Koinonia« wichtig.

Warum *Theodor* so reagieren mußte, das soll auf den folgenden Seiten untersucht werden. Wir können dabei an einigen wichtigen Ergebnissen

---

60 Bo 183: CSCO 89 161,15–162,18 (=*Lefort* 195,13–196,6); Bo 204: CSCO 89 201,27–202,1 (=*Lefort* 224,9–12).
61 Vgl. dazu S. 100–101; 106–109.

der eingehenden Analyse der Texte, an denen vom pachomianischen Armutsstreit berichtet wird, nicht vorbeigehen.

Ergebnis der Textuntersuchungen

Die einschlägigen Texte sind im Kapitel VI einzeln vorgestellt und einer genauen Analyse unterzogen. Für den Fortgang unserer Untersuchungen kann an dieser Stelle eine Zusammenfassung der im Kapitel VI einzeln belegten Ergebnisse genügen:

(1) Die Betrachtung der Quellen zum pachomianischen Armutsstreit hinterläßt einen sehr diffusen Eindruck. Das Viten-Material muß – bis es endlich in die Form gegossen wurde, in der es uns heute vorliegt – einen komplizierten Weg hinter sich gebracht haben.

(2) Vom pachomianischen Armutsstreit waren – schon sehr früh – zwei deutlich zu unterscheidende (Gruppen von) Erzählungen im Umlauf. Eine Erzählung(-sgruppe) legte vor allem auf das Wirken des *Theodor* großen Wert, wobei die Schilderung der Vorgeschichte in den Hintergrund tritt. Wir nehmen an, daß diese Erzählung(-sgruppe) vor allem von der Geistigkeit des *Theodor* beeinflußt wurde (Version A).

(3) Daneben finden wir eine zweite Form des pachomianischen Armutsstreits, in der größerer Wert auf die Vorgeschichte und weniger Bedeutung auf das Wirken des *Theodor* gelegt wird. Diese zweite Version ordnen wir dem Kloster Pbow – dem Hauptwirkungsort des *Pachomius* zu (Version B).

(4) Neben diesen unterschiedlichen Erzählabsichten, die zwei verschiedene Erzählungsgruppen entstehen ließen, müssen noch weitere Tendenzen und Absichten an der Ausformung der heute vorliegenden Berichte mitgewirkt haben. So wird an einigen Stellen aus dem ursprünglichen Armutsstreit eine Unternehmung geformt, deren Ziel die vollständige Auflösung der »Koinonia« gewesen sein soll. Vor diesem Hintergrund ist zu verstehen, warum in den Reden des *Theodor* dieser – teils deutlich sichtbar, teils nur noch mit Mühe erkennbar – das Thema Armut im Vergleich zum Thema Autorität in den Hintergrund drängt.

(5) Diese Umformung des Armutsstreits zu einer Autoritätskrise kann aber nicht nur das Werk späterer Redaktoren gewesen sein. Schon *Theodor* selbst sah die Auseinandersetzung sehr stark als einen Angriff auf sein Autoritäts- und Gehorsamsverständnis. Diese von *Theodor* schon grundgelegte Tendenz wurde von den späteren Redaktoren noch verstärkt.

(6) In Frage steht dann, warum *Theodor* so deutlich die Sachzwänge, die zur »Umbiegung« des Armutsstreits führten, aufgegriffen und so gern

übernommen hat. Er hätte sich ja auch dagegen deutlicher zur Wehr setzen können. Wir vermuten, daß im Umkreis des *Theodor* eine deutlich andere Spiritualität herrschte, als im Umkreis des *Pachomius* (und des von ihm bis zuletzt geleiteten Klosters Pbow). Wenn diese Vermutung richtig ist, dann hätte *Theodor* schon von Grund auf die Armut als eine Folge der Regeln und damit den Armutsstreit als ein Problem des Gehorsams den Regeln gegenüber gesehen, während für *Pachomius* die Regeln die Folge der ursprünglicheren Armutsforderung gewesen wären.

Von dieser Hypothese könnte sich auch – falls sie sich bewahrheitet – die Frage beantworten lassen, warum schon zu Lebzeiten des *Pachomius* die Zahl der Mönche zunahm und materielle Güter erworben wurden (wie zu Beginn des Armutsstreits), warum es aber zu Lebzeiten *Pachomius* zu keinem Armutsstreit gekommen ist. Vielleicht war es nicht in erster Linie der zunehmende Wohlstand, der zur Auseinandersetzung um die Armut führte, als ein anderes Verständnis der Armut, das die Auseinandersetzungen vor allem heraufbeschwor.

Zur Überprüfung dieser Hypothese von den unterschiedlichen spirituellen Schwerpunkten der »Väter der Koinonia« sollen darum im nächsten Kapitel die verschiedenen Katechesen der verschiedenen Väter untersucht werden. Wir wählen dazu – um eventuelle »Verfälschungen von Redaktoren« ausschließen zu können, jene Katechesen, die uns außerhalb von Viten überkommen sind.

3 Die Personen

Erste, formale Betrachtung der drei Schriftsteller

Eine vergleichende Untersuchung der wichtigsten, außerhalb der Viten überlieferten Werke der Väter des pachomianischen Mönchtums fördert erstaunliche Unterschiede zu Tage. Der Rückgriff auf die Heilige Schrift geschieht bei den drei Männern durchaus unterschiedlich. *Pachomius* legt einen größeren Wert auf das Alte Testament, das ihm geläufiger ist als den anderen Schriftstellern, und das ihm auch geläufiger ist als das Neue Testament: die AT-Stellen überwiegen bei *Pachomius* eindeutig die NT-Stellen.[1] Anders ist es bei *Theodor.* In seiner 3. Katechese, der einzigen einigermaßen vollständigen überkommenen Katechese, verschwinden die AT-Stellen geradezu gegenüber der dreifachen Überzahl der NT-Stellen.[2] Hinzu kommen bei *Theodor* die Zitate aus pachomianischen Quellen. Der Meister im Zitieren der Heiligen Schrift hingegen muß *Horsiese* gewesen sein.[3] Seine Entnahmen aus dem AT halten sich zwar mit Entnahmen aus dem NT in etwa die Waage, übersteigen aber in ihrer Gesamtheit bei weitem die Zitate der beiden Anderen.[4] Dies ist auch so in den anderen Werken des *Horsiese*, den Briefen und vor allem im *Liber Orsiesii. H. Bacht* schreibt dazu: »Der ›Liber‹ ist geradezu ein Gewebe von Schriftstellen, die sich gleichmäßig auf beide Testamente verteilen.[5] Zieht man die Bedeutung, die die Heilige Schrift und das tägliche Hersagen der Heiligen Schrift in den pachomianischen Klöstern hatte,[6] in Betracht, so wird deutlich, daß sich hinter diesen rein

---

1 Z.B.: Katechese über den rachsüchtigen Mönch: 136 AT-Stellen gegen 121 NT-Stellen; abzüglich das Zitat: (25 AT-Stellen gegen 50 NT-Stellen) ergibt für den reinen pachomianischen Text ein Verhältnis von 111 AT-Stellen gegen 71 NT-Stellen.
2 55 AT-Stellen gegen 140 NT-Stellen. Sogar in dem relativ kurzen Osterfestbrief, der ausschließlich vom Pascha-Mahl handelt findet sich ein Verhältnis von 9 NT gegen 8 AT-Stellen.
3 210 AT-Stellen gegen 212 NT-Stellen.
4 *Bacht,* Vermächtnis 191–212; hier: 194.179, Anm. 236.
5 Ebd., 47; vgl. dazu auch: *L. Th. Lefort:* S. Athanase écrivain copte, in: Le Muséon 46 (1933) 1–33; hier: 4: »non seulement l'exposé en est émaillé perpétuellement, mais presque toutes les phrases sont farcies d'expressions empruntées aux textes bibliques.«
6 Auf die Bedeutung, die die Heilige Schrift in den pachomianischen Klöstern hatte, detailliert einzugehen, verbietet unser Thema. Einige wenige Hinweise seien jedoch trotzdem hier angebracht:
Schon der – wie gezeigt – überaus häufige Gebrauch von Schriftstellen belegt, daß die »Väter der Koinonia« eine sehr genaue Kenntnis der Heiligen Texte gehabt haben mußten. Aus der Art und Weise ihres Zitierens wird neben dieser überragenden Kenntnis der Texte auch eine große religiöse Ehrfurcht und vor allem die absolute Verbindlichkeit deutlich, die jedes Schriftwort für den einzelnen hat. Hinter dem ständigen Rückgriff auf die Heilige

statistischen Feststellungen durchaus verschiedene Zugänge der drei Männer zur Heiligen Schrift verbergen dürften. Solche verschiedenen Zugänge zur Heiligen Schrift wiederum lassen auf verschiedene Spiritualität schließen und rechtfertigen die Frage, ob auch inhaltlich wesentliche Unterschiede in den Werken der drei Väter des pachomianischen Mönchtums anzutreffen seien.

Die Gedankengänge des Pachomius, des Theodor und des Horsiese

(a) Die Gedanken des *Pachomius*

Bei der Untersuchung der pachomianischen Gedanken soll jener Teil der Katechese über den rachsüchtigen Mönch außer Betracht bleiben, den *Lefort* als Athanasius-Zitat nachgewiesen hat.[7] Der verbleibende, auch von *Lefort* als urpachomianisch anerkannte Teil erweist sich als hervorragendes Dokument für die Kenntnis der Spiritualität des *Pachomius*.[8]

Die Ermahnungen, die *Pachomius* hier an seine Zuhörer richtet, konvergieren alle mehr oder weniger in dem einen Gedanken: »Hüte dich vor dem Stolz, denn der Stolz ist der Anfang allen Übels.«[9] Dies begründet *Pachomius* gleich im Anschluß mit zwei Konsequenzen, die der Stolz hat: »entfernt die Menschen von Gott«[10] und er »verhärtet das Herz des Menschen seinem Bruder gegenüber.«[11] Beides sind für *Pachomius* Erscheinungen, die für einen Mönch das Verfehlen des Lebenszieles bedeuten. Gleich zu Beginn stößt er einen Weh-Ruf aus über die arme Seele, die von Gott getrennt leben muß.[12]

Die zweite Konsequenz besteht darin, daß der, der seinen Bruder nicht liebt, ebenfalls Gott fern ist.[13] Darum ermahnt *Pachomius* seine Zuhörer,

---

Schrift steht die lebendige Überzeugung, daß ihre Weisungen als die konkrete Anrede Gottes angenommen werden wollen. (Einiges haben wir dazu auch auf S. 68 ausgeführt). Zum Gebrauch der Heiligen Schrift bei *Pachomius* vgl. auch: *Bacht,* Vermächtnis 179, Anm. 236: »Dieses Meditieren der Schrift meint weniger die geistig-geistliche Durchdringung und gesammelte Erwägung der Texte als die ständige Rezitation von Teilen der Bibel.« Vgl. dazu auch: *H. Bacht:* Meditation in den ältesten Mönchsquellen, in: Geist und Leben 28 (1955) 360–373; erweiterter Abdruck in: *Bacht,* Vermächtnis 244–264.

7 *L. Th. Lefort:* S. Athanase écrivain copte, in: Le Muséon 46 (1933) 1–33.

8 CSCO 159 1,1–14,11 (=CSCO 160 1,1–14,33) und CSCO 159 21,1–26,11 (=CSCO 160 22,4–26,7).

9 CSCO 159 6,31 (=CSCO 160 7,17); auch in der Kirche ist nach *Pachomius* der Stolz der Anfang allen Übels: CSCO 159 24,12–14 (=CSCO 169 25,23–25).

10 CSCO 159 7,9–10 (=CSCO 160 7,18); CSCO 159 7,33 (=CSCO 160 8,8).

11 CSCO 159 7,11 (=CSCO 160 7,19).

12 CSCO 159 3,3 (=CSCO 160 3,7); CSCO 159 6,31 (=CSCO 160 7,7); CSCO 159 7,2 (=CSCO 160 7,10); CSCO 159 9,2 (=CSCO 160 9,14).

13 CSCO 159 3,26 (=CSCO 169 3,30).

demütig zu sein (also: sich vor dem Stolz zu hüten)[14] und vor allem die eitle Ruhmsucht zu meiden.[15] Denn beide entfernen den Menschen von Gott. Andere Gefahren für das Lebensziel des Mönchs, insbesondere etwa die Unzucht, treten gegenüber diesen Gefahren bei *Pachomius* in den Hintergrund.[16] Hauptgefahren für die Haltung der Demut und für die Vermeidung des Stolzes sind Nachlässigkeit und Kleinmut.[17] Gegen diese anzukämpfen – um damit Gott nicht fern zu sein – hat der Mönch Hilfsmittel: Fasten, Gebet, Nachtwachen und andere »fromme Übungen«.[18] All diese Mittel dienen bei *Pachomius* aber einem Ziel: auf dem Weg der Demut, Kleinmütigkeit und Nachlässigkeit vermeiden, um mit Hilfe der Demut Gott und dem Bruder nicht fremd zu sein, denn: »wenn du kleinmütig bist, wirst du Gottes Gesetz fremd sein.«[19] Aus sich selber heraus haben die »frommen Übungen« für *Pachomius* keinen Sinn. Sie haben allein dann einen Sinn, wenn sie Beziehung ermöglichen: Beziehung zu Gott und Beziehung zum Bruder. Weiterhin fällt auf, daß sie Zuhörer dazu selten durch Verheißungen der künftigen Herrlichkeit aufgefordert werden; die Ermunterung der Zuhörer zur Demut und zum Kampf gegen die Kleinmütigkeit geschieht vor allem durch Beispiele aus dem Alten Testament, aus dem Leben der »Heiligen« und durch – wenige – Erzählungen des *Pachomius* aus seinem eigenen Leben. Diese Ermunterungen sollen die Zuhörer zur Einsicht bringen, daß das »Gott nahe sein« nicht eine Frage der kommenden Ewigkeit, sondern ein Problem des konkreten diesseitigen Lebens ist: »Wenn du dir Gott zur Hoffnung nimmst, wird er dir in deiner Not zu Hilfe kommen.«[20] Ähnliches gilt für die Aufforderung zum Aushalten und Ertragen von Widerwärtigkeiten. Auch hier wird in erster Linie nicht ewiger Lohn verheißen, sondern konkrete Ergebnisse für das friedliche Zusammenleben der Brüder in dieser Welt. *Pachomius* sagt nicht: »halte aus, denn Gott wird dir die ewige Seligkeit schenken«, sondern: »wenn jemand dich verleumdet, halte das ruhig aus und hoffe, daß Gott das verwirklichen wird, was dir nützlich ist.«[21] Einen weiteren bedeutsamen Gedanken trägt *Pachomius* in diesem Zusammenhang seinen Zuhörern vor: er fordert sie

---

14 CSCO 159 7,12 (=CSCO 169 7,21); CSCO 159 23,3 (=CSCO 160 24,12).
15 CSCO 159 8,28 (=CSCO 160 9,9); CSCO 159 9,23 (=CSCO 160 9,14).
16 Vgl. dazu auch: *Bacht*, Vermächtnis 103, Anm. 78/135, Anm. 135.
17 CSCO 159 6,27–28 (=CSCO 160 7,4); CSCO 159 8,12 (=CSCO 169 8,8).
18 CSCO 159 3,18–21 (=CSCO 160 3,21–24); CSCO 159 8,6–7 (=CSCO 160 8,14–15).
19 CSCO 159 7,33 (=CSCO 169 8,7–8).
20 CSCO 159 5,20 (=CSCO 160 5,23–24; ähnlich auch: CSCO 159 1,11–26 (=CSCO 160 1,11–26); CSCO 159 2,5 (=CSCO 160 2,5); CSCO 159 6,7–8 (=CSCO 160 6,15).
21 CSCO 159 8,9–10 (=CSCO 160 8,16–17).

auf, das Böse, das die Brüder ihnen zufügen, zu ertragen; nicht, weil die kommende Herrlichkeit schöner sei, sondern weil keiner der Brüder – auf Grund eigener begangener Fehler den anderen gegenüber – ein Recht habe, sich überhaupt über Fehler anderer zu beklagen.[22] Die Aufforderung, einander zu vergeben wird nicht mit der Ewigkeit, oder mit der Gottesliebe, oder mit einem Gebot Jesu begründet, sondern damit, daß eigentlich jeder der Zuhörer schon aus eigenem Interesse dringend auf die Vergebung anderer angewiesen ist.[23] Der Hinweis auf die Verheißung einer besseren, schöneren Welt als Begründung für das Ertragen der Schwierigkeiten in dieser Welt taucht nur an vergleichsweise wenigen Stellen auf, und wenn, dann meist in irgend einem Zusammenhang mit der Verantwortung am Jüngsten Tag.[24] Aber auch dann sind immer noch Bezüge zu den Konsequenzen, die das Verhalten für diese Welt hat, zu erkennen.

Bei solchen Gedankengängen, die im asketischen Leben keinen Selbstzweck sehen, sondern das ganze Leben des Mönchs ausgerichtet wissen wollen auf das Ziel, Gott nahe zu sein, kann es nicht verwundern, daß *Pachomius* auch im Mönchtum an sich keinen Selbstzweck sieht.

Für das Mönchtum verwendet er mehrmals den Bildausdruck der Wüste.[25] Er fügt dann jeweils sofort hinzu, daß das »In-die-Wüste-Gehen« nicht das Ziel ist, sondern lediglich der Weg.[26]

Ein ähnlicher Gedankengang gilt folgerichtig auch für die Armut. Die Armut, die Kummer und böses Gerede zur Folge hat, ist keine Armut.[27] Die Armut, die aus der Bedürftigkeit entspringt, ist keine Armut,[28] und im Überfluß geben, ist kein Opfern. Nicht das Armsein ist es, was die Armut wertvoll macht, sondern die in der Armut gegebene Möglichkeit zur Vermeidung von Streit und Unfrieden.[29]

Im Gesamten fällt bei *Pachomius* die große Konkretheit der Anweisun-

---

22 CSCO 159 8,24 (=CSCO 160 9,5); ähnlich auch: CSCO 159 11,14–25 (=CSCO 160 11,34–12,10. Dieses Motiv erinnert sehr stark an die Mahnung Jesu vom Balken im eigenen und vom Splitter im Auge des anderen (Mt 7,3–5).

23 CSCO 159 23,21–26 (=CSCO 160 24,30–25,5); CSCO 159 23,31–24,9 (=CSCO 160 25,9–19).

24 CSCO 159 23,8 (=CSCO 160 24,17); CSCO 159 2,26 (=CSCO 160 2,27); CSCO 159 10,24 (=CSCO 160 11,11); CSCO 159 13,13–22 (=CSCO 160 14,1–10).

25 CSCO 159 6,16–18 (=CSCO 169 6,23–24); CSCO 159 8,6–8 (=CSCO 160 8,14–15). Bezeichnenderweise steht beidemale das Mönchtum gleichbereichtigt neben dem nicht monastischen Leben.

26 »Es ist besser, du lebst demütig unter Tausenden, als stolz in der Wüste« CSCO 159 22,18–20 (=CSCO 160 23,23–25); vgl. dazu: CSCO 160 23, Anm. 79 (dieser Spruch ist auch bei Evagrius nachgewiesen) und *Bacht*, Vermächtnis 143, Anm. 160.

27 CSCO 159 4,8 (=CSCO 160 4,12).

28 CSCO 159 4,21–23 (=CSCO 160 4,24–26).

29 Reichtum gilt ihm als Grund für Streit: CSCO 159 21,1–2 (=CSCO 160 22,4–5); er nennt ihn auch: »Angelhaken für die Sünder«: CSCO 159 21,3 (=CSCO 160 22,6).

gen und Gedanken auf: es finden sich kaum Abstrakta; dafür um so mehr konkrete Anweisungen.

Der Begriff »Koinonia« taucht zwar nie auf, um so mehr aber ist in diesen Gedanken die Sache vertreten.[30] Entsagung ist für *Pachomius* kein Wert an sich; Wert erhält die Entsagung, Wert erhalten alle frommen Übungen, Wert erhält auch die Armut für *Pachomius* allein aus dem »Gott-und-dem-Bruder-nahe-Sein«; sozusagen als Ermöglichungsgrund für Beziehung.

(b) Die Gedanken des *Theodor*

Gerade wenn man mit *Veilleux* davon ausgeht, daß es sich bei *Theodors* 3. Katechese um eine von einem späteren Redaktor erstellte Komposition von mehreren Teilen an sich selbst authentischen Gedankengutes des *Theodor* handelt,[31] fällt die deutlich hervortretende Geschlossenheit der Gedankenführung auf. Die verschiedenen Abschnitte dieser Katechese haben sicherlich verschiedene »Sitze-im-Leben« gehabt. Die durchgängige Art zu argumentieren ist darum um so auffallender, zumal sich diese Gedankenführung *Theodors* deutlich von der eben skizzierten Gedankenführung des *Pachomius* abhebt.

Hauptaussage aller Teile dieser Katechese des Theodor ist die Aufforderung zum Aushalten, Durchhalten und Festhalten am Gesetz der Koinonia,[32] desgleichen die Ermunterung zum Durchhalten der Treue dem einmal gegebenen Versprechen gegenüber:[33] »Richten wir doch unsere Aufmerksamkeit darauf, nach dem gesamten Gesetz der Koinonia zu wandeln.«[34] Auch in dem recht kurzen Osterfestbrief des *Theodor* – einem ebenfalls authentischen Zeugen – wird die jährliche Zusammenkunft in Pbow mit der Vorschrift des *Pachomius* begründet.[35] Im Unterschied zu *Pachomius* und auch zu *Horsiese* begründet *Theodor* seine Forderungen auszuhalten mit dem Hinweis auf Gottes Liebe, die sich gerade in Anfechtungen und Züchtigungen erweise.[36] Weitere

---

30 *P. Tamburrino:* Koinonia. Die Beziehung »Monasterium«–»Kirche« im frühen pachomianischen Mönchtum, in: Erbe und Auftrag 43 (1967) 5–21; hier 10.

31 *Veilleux,* Liturgie 136.

32 CSCO 159 41,17 (=CSCO 160 41,12).

33 CSCO 159 51,18–20 (=CSCO 160 52,7–10).

34 CSCO 159 41,16–17 (=CSCO 160 41,11–12).

35 »...quod pater noster disposuit«. *Boon* 106,18–19 (=*Steidle* 118).

36 CSCO 159 40,16–18 (=CSCO 160 40,8–12): »Bedenken wir die lange Züchtigung, durch die der Herr die Heiligen gebildet hat: *Josef, Job, David* und die anderen, die Propheten, Apostel und Martyrer, eingeschlossen die Väter der Koinonia, Apa und Apa *Horsiese,* die er durch heimliche Prüfungen und Krankheiten heranbildete.« Ähnlich auch: CSCO 159 42,21 (=CSCO 160 42,22); CSCO 159 43, 24–26 (=CSCO 160 43,23); CSCO 159 57,35 (=CSCO 160 58,33) u. v. a. m.

Gründe, die er nennt, sind Erwähnungen der von den »Schülern Christi«
und den »Jüngern der Koinonia« zu erwartenden Herrlichkeit, die einst
offenbar werden wird, und die nicht zu vergleichen ist, mit den Leiden
dieser Zeit.[37] Darum sollen sich die Zuhörer nicht entmutigen lassen
durch die gegenwärtigen Probleme und Anfechtungen.[38] Viel tiefgründi-
ger wird die Argumentationskette im Laufe der ganzen Katechese nicht
mehr. An einigen Stellen wird lediglich noch entfaltet, was unter »Gesetz
der Koinonia« zu verstehen sei, nämlich Liebe zum Nächsten und
Verantwortung füreinander.[39] Ein vergleichsweise großer Wert hingegen
wird darauf gelegt, daß das Leben der Mönche für die Novizen und für
»die Welt« ein leuchtendes Beispiel sein solle.[40] Hinzu kommt die
Versicherung, daß die Befolgung des »Gesetzes der Koinonia« das Leben
bzw. das Entkommen aus dem höllischen Feuer bewirke.[41] Hauptargu-
ment aber bleibt die Aufforderung zum Erdulden, zum Ertragen, auch
ungerechter Vorgesetzter zum Beispiel, unter Hinweis auf die Verheißungen des Herrn.[42] »Wir haben doch, meine Geliebten, das Vertrauen, daß
dank der überströmenden Gnade Gottes die Stürme, die uns jetzt
bedrängen, nicht andauern werden; d. h. die Stürme, die entweder durch
die leidenschaftlichen Wünsche des Fleisches oder auch sonst irgendwie
entstehen. Sorgen wir uns also nur um das eine, wie wir Diener Christi
werden, dann werden wir von ihm eine große Sicherheit und Vergebung
unserer Sünden erlangen, am Tag seiner herrlichen Ankunft.«[43] Die

---

37 CSCO 159 41,11 (=CSCO 160 41,6); CSCO 159 42,20 (=CSCO 160 42,20); ähnlich
auch, im Zusammenhang mit derartigen Verheißungen an die Väter der »Koinonia«:
CSCO 159 53,3 (=CSCO 160 53,28).
38 CSCO 159 41,2 (=CSCO 160 40,27).
39 CSCO 159 45,13–20 (=CSCO 169 45,18–46,2); hier finden sich deutliche Anspielungen
auf den *Liber Orsiesii,* wo folgende Haltung getadelt wird: faciat quod vult, ad me non
pertinet; nec eum moneo, nec errantem corrigo, sive salvetur sive pereat, ad me non
pertinet. Vgl. dazu auch: *Boon* 114,6–8 (=*Bacht* 77,16–20).
40 CSCO 159 52.23 (=CSCO 160 53.17) u. v. a. m.
41 CSCO 159 44,6–10 (=CSCO 160 44,7–19).
42 CSCO 159 46,7–18 (=CSCO 160 46,15–26); zu einer ähnlichen Beurteilung des
Gedankengangs *Theodors* kommt auch *H. Bacht:* Vexillum crucis sequi, a. a. O., 149–162;
hier: 157: »*Theodors* Kreuzestheorie ist vor allem an der paulinischen Botschaft
orientiert, wenn er den Mönchen zuruft: ›Uns ist die Gnade geworden, nicht nur an
Christus zu glauben, sondern auch für ihn zu leiden (Phil. 1,29). Halten wir jede
Bedrängnis, jede Trübsal für nichts (Röm 8,18) durch die Gnade dessen, der die Kraft
verleiht (vgl. Phil. 4,13), Christus, unser Herr.‹ Im selben Kontext schreibt er: ›Sprechen
wir alle im Geist und mit dem Mund vor Gott: Nicht nur Fesseln, sondern auch Tod will ich
gleich wo ertragen für den Namen unseres Herrn Jesus Christus. In der Bedrängnis sollen
wir auf den gotterwählten Apostel schauen, der uns gesagt hat: Ahmet mich nach, so wie
ich Christus nachahme (1 Kor. 11,11)‹. *Theodor* hat die stolze Zuversicht, daß die ›Jünger
der heiligen Koinonia‹ durch die Kraft Christi bis zum Ende durchhalten, zufrieden, daß sie
für Christus in Bedrängnis sind. Denn alle, welche das ›heilige Leben der Koinonia‹ gelebt
haben, haben die Schmach Christi ertragen.«
43 CSCO 159 48,20–30 (=CSCO 160 49,1–10).

Aufforderung, die Welt zu verachten, und die Mahnung, den Leib nicht über den Geist Herr werden zu lassen, ist hier schon angedeutet.[44] Das Verzichten und das Ertragen um ewigen Lohnes willen; der Hinweis auf das Einhalten der von *Pachomius* gegebenen Gebote; die Gefahr, daß der Leib über den Geist Herr werde; all das sind Gedanken, die wir im Unterschied zu *Pachomius* nur bei *Theodor* finden.

(c) Die Gedanken des *Horsiese*

Bei *Horsiese* ist bei weitem keine so eindeutige Gedankenführung auszumachen wie etwa bei *Pachomius* oder *Theodor*. Er war eher ein Mann der systematischen Zusammenschau, denn der originären Entwicklung eigener Gedanken. Dem Liber Orsiesii bescheinigt daher *H. Bacht* einen »klaren systematischen Aufbau«, der »nach einer durchsichtigen Disposition angelegt ist« und als eine »systematische Sammlung eines Intellektuellen, der sich vor allem um die überzeugende Begründung der vorgetragenen Lehren bemüht«, angesehen werden muß[45] »Es sei nur«, fährt Bacht fort, »auf das Kapitel 21 verwiesen, wo die zönobitische Armutsidee in konzentrierter Argumentation einmal von der besonderen Situation in der Koinonia, dann aus dem Gedanken der Kreuzesnachfolge und endlich aus dem Hinweis auf die Vorbilder der Väter begründet wird.«[46] Da *Horsiese* eher im Ordnen – auch einander widersprechender Begründungen – seine Stärke sah, und darum auch den Armutsstreit so anzugehen versuchte,[47] eignen sich seine Texte eher für eine zusammenfassende Betrachtung aller damals vorgetragenen Argumente der beiden Seiten, denn für eine differenzierende Untersuchung. Trotzdem lassen sich doch mehrere Kernpunkte aufzeigen, um die das Denken des *Horsiese* ganz offensichtlich kreiste.

Die ganz außergewöhnliche Fülle von Schriftzitaten, die wir bei *Horsiese* finden,[48] legt seine Argumentationslinie nahe: *Horsiese* nimmt hauptsächlich Bezug auf Stellen aus der Heiligen Schrift, auf die dort aufgestellten Forderungen und auf Vorschriften der »Väter der Koinonia«.

Der Mönch richtet seine Gedanken auf die zukünftige Welt, um dort den Lohn himmlischer Verheißungen zu erhalten: »Auch ihr werdet zum

---

44 CSCO 159 59,2 (=CSCO 160 60,5); CSCO 159 58,4–5 (=CSCO 160 59,4).
45 *Bacht*, Vermächtnis 45.
46 Ebd. 46.
47 Vgl. dazu S. 27.
48 Vgl. dazu S. 37. In den Briefen und Katechesen des *Horsiese* merkt *Lefort* (CSCO 160) mehr als doppelt so viele Schriftzitate an wie bei *Pachomius* oder *Theodor*. Der zweite Brief des *Horsiese* (CSCO 159 65–66) besteht – von den drei Einleitungssätzen abgesehen – bloß aus Schriftzitaten.

himmlischen Mahl gerufen werden und die Engel werden euch bedienen und dies sind die Verheißungen, die denen zuteil werden, die die Gebote Gottes beobachten, und dies ist der Lohn der zukünftigen Welt.«[49] Der Mönch hat sich dabei stets vor Augen zu halten, »daß man uns im Gericht festhalten wird und daß wir über alles und jedes Rechenschaft ablegen müssen, warum wir es unterlassen oder nachlässig verwaltet haben.«[50] Wegen der Verheißungen der künftigen Welt lohnt es sich für den Mönch, in dieser Welt auszuharren und standzuhalten: »Laßt uns als wackere Soldaten Christi die Mühsal ertragen.«[51] Aus demselben Grund verzichtet der Mönch auch auf zeitliche Tröstungen, da schließlich »die Trübsal nur eine Zeitlang dauert und nicht auf immer währt. Darum wollen wir in Tränen säen, damit wir in Freude ernten können.«[52] Die schon erwähnten Vorschriften hat der Mönch als Gebote Gottes zu beachten, da sie uns von den Heiligen vorgelebt wurden, und da der Vater *Pachomius* diese Gebote in konkrete Forderungen und Normen gegossen hat. »Wenn es also Gottes Gebote sind, die er uns durch unseren Vater *Pachomius* überliefert hat und durch deren Befolgung wir zum Himmelreich gelangen, dann wollen wir sie auch mit ganzem Herzen erfüllen.«[53] Hauptbegründung ist immer dieser Hinweis auf ein Gebot Gottes: »Lassen wir uns nicht abbringen vom Gesetz Gottes, das unser Vater *Pachomius* von ihm erhalten und an uns weitergegeben hat. Laßt uns seine Gebote nicht geringschätzig abtun, sonst wird auch über uns einmal Klage erhoben.«[54]

Eine zweite Begründung ist das Vorbild der Heiligen: »Laßt uns die Werke der Heiligen nachahmen, seht doch, welch große Liebe und wie heiliges Streben in dem Gottesmann *Paulus* lebte.«[55] Schließlich: die Vorschriften des Vaters *Pachomius:* »Jedes einzelne Gebot unseres Vaters und jener, die uns unterwiesen haben, wollen wir mit sorgsam

49 LO 19: *Boon* 120,26–121,1 (= *Bacht* 99,9–13).
50 LO 10: *Boon* 115,13–15 (= *Bacht* 81,17–19); ähnlich auch: LO 11: *Boon* 115,20–24 (= *Bacht* 81,26–83,4); LO 11: *Boon* 116,4–6 (= *Bacht* 83,11–13); LO 31: *Boon* 131,10–11 (= *Bacht* 143,1–2); LO 40: *Boon* 135,7–8 (= *Bacht* 153,3–4).
51 LO 34: *Boon* 132,17 (= *Bacht* 145,22).
52 LO 42: *Boon* 136,19–22 (= *Bacht* 157,23–26) ähnlich auch: LO 22: *Boon* 124,12–16 (= *Bacht* 117,10–119,3); LO 41: *Boon* 135,29–30 (= *Bacht* 155,15–17).
53 LO 28: *Boon* 129,13–15 (= *Bacht* 135,14–16); ähnlich: LO 10: *Boon* 125,9–11 (= *Bacht* 121,14–17); LO 27: *Boon* 127,24–25 (= *Bacht* 131,4–5); LO 41: *Boon* 135,16–18 (= *Bacht* 153,15–155,1).
54 LO 46: *Boon* 138,24–27 (= *Bacht* 163,11–14); ähnlich auch: LO 35: *Boon* 133,8–10 (= *Bacht* 147,21–23); LO 38: *Boon* 134,22–25 (= *Bacht* 151,10–13); LO 54: *Boon* 146,8–11 (= *Bacht* 185,16–20); vielleicht auch: LO 17: *Boon* 119,3–22 (= *Bacht* 95,2–24).
55 LO 13: *Boon* 117,2–5 (= *Bacht* 89,4–5); ähnlich auch: LO 19: *Boon* 121,9 (= *Bacht* 101,7); LO 42: *Boon* 136,11–12 (= *Bacht* 157,14–15); LO 47: *Boon* 139,27–140,2 (= *Bacht* 167,9–11).

Herzen erwägen.«[56] Und am Ende seines Buches erweitert *Horsiese* das
Paulus Zitat:»... aber nicht bloß mir, sondern allen, die seine
Gerechtigkeit geliebt haben«[57] um die Wendung:»... und alle Gebote
unseres Vaters *Pachomius* erfüllt haben.«[58]
Wer diese Vorschriften nicht zu beachten gewillt ist, gehört nicht ins
Kloster, den »Weinberg des Herrn.«[59]
Konkretisiert werden diese Gebote und Vorschriften Gottes, der Heiligen
und des Vaters *Pachomius* durch die Bemerkung:»Demgemäß müssen
wir einander lieben und dadurch beweisen, daß wir wirklich Diener des
Herrn Jesus Christus und Söhne des *Pachomius* und Jünger der Zönobien
sind.«[60] Bei der näheren Bestimmung dieser »Liebe zum Nächsten« legt
Horsiese auf zwei Dinge einen auffallend großen Wert: Auf die Haftung,
die die Vorgesetzten für ihre Untergebenen haben und auf die Forderung
der Armut. Alle anderen Konkretisierungen der Nächstenliebe treten
gegenüber diesen beiden Hauptforderung in den Hintergrund.
Die Ältesten müssen für ihre Brüder einstehen, denn »auch uns Oberen
wurde von Gott ein Gut anvertraut, nämlich der Wandel unserer Brüder.
Wenn wir uns für sie abmühen, dürfen wir ewigen Lohn erwarten.«[61]
Aber auch die Brüder tragen untereinander Verantwortung für den
anderen, denn »wenn einer durch unsere Schuld zu Tode kommt, dann
wird unsere Seele für seine haften müssen.«[62] Das Motiv »meine Seele
und Gott« hat bei *Horsiese* nichts zu suchen. Im Gegenteil: *Horsiese*
mahnt ausdrücklich:»Manche Obere sind zwar für ihre eigene Person
darauf bedacht, nach Gottes Gebot zu leben; aber sie reden sich ein: was
scheren mich andere Leute. Ich suche, wie ich Gott diene und seine
Gebote erfülle; was andere tun, geht mich nichts an. Diese Leute trifft der
Tadel *Ezechiels:* ›Ihr Hirten Israels! Weiden die Hirten etwa sich
selbst?‹«[63] Auffallend deutlich wird an vielen Stellen den Oberen der
verschiedensten Grade diese ihre Verantwortung für die ihnen Anvertrauten vor Augen gestellt.[64]

---

56 LO 5: *Boon* 111,15–17 (= *Bacht* 65,21–67,1); ähnlich auch: LO 12: *Boon* 116,18–19
   (= *Bacht* 85,12–86,1); LO 18: *Boon* 120,14 (= *Bacht* 97,16); LO 26: *Boon* 127,10–12
   (= *Bacht* 129,23–25); LO 35: *Boon* 133,25 (= *Bacht* 147,13–16).
57 2 Tim 4,6–8.
58 LO 56: *Boon* 147,22 (= *Bacht* 189,13–14).
59 LO 28: *Boon* 129,15–19.25–27 (= *Bacht* 135,17–137,3.11–14).
60 LO 23: *Boon* 125,9–11 (= *Bacht* 121,14–17).
61 LO 11: *Boon* 116,4–6 (= *Bacht* 83,11–13); ähnlich auch: LO 13: *Boon* 117,15–16
   (= *Bacht* 89,20–21); LO 15: *Boon* 118,9–10 (= *Bacht* 93,1–2).
62 LO 13: *Boon* 117,10–11 (= *Bacht* 89,13–14); ähnlich auch: LO 9: *Boon* 114,18–22
   (= *Bacht* 79,14–18); LO 16: *Boon* 118,25–27 (= *Bacht* 93,20–24).
63 LO 8: *Boon* 113,6–10 (= *Bacht* 75,5–9); vgl. dazu auch: *Bacht,* Vermächtnis 155, Anm.
   187; *Ruppert,* Gehorsam 347–355.
64 LO 14: *Boon* 117,18.23–118,2 (= *Bacht* 91,3–4.10–15); LO 15: *Boon* 118,11–12

Insbesondere gilt dies auch für den Bereich der materiellen Güter und damit zusammenhängend für die Verwirklichung der Armutsforderung. Die Verwirklichung der Armut steht und fällt für *Horsiese* damit, daß die Vorgesetzten ihre Pflicht erfüllen, den ihnen Anvertrauten alles an Nahrung, Kleidung, Vorsorge im Krankheitsfall und geistlichem Fortschritt zukommen lassen, was ihnen erlaubterweise zukommen darf: »Wir haben doch Vorgesetzte, die mit Furcht und Zittern an unser Statt um alles besorgt sind, was Nahrung und Kleidung und den Fall etwaiger körperlicher Erkrankung betrifft, so daß wir völlig unbesorgt sein können und keinen Anlaß haben, um der leiblichen Wohlfahrt willen den geistlichen Fortschritt zu gefährden.«[65] Der Obere, der diese Forderung nicht oder nur mäßig erfüllt, untergräbt nach *Horsiese* die Armutsforderung in seinem Verantwortungsbereich: »Wenn jemand in einem Hause des Klosters unter der Obsorge des Oberen nichts von dem entbehrt, was man im Kloster erlaubterweise haben darf, und wenn er einen Vater, Bruder oder lieben Freund hat, dann soll er sich auf keinen Fall von denen etwas schenken lassen – weder ein Gewand noch einen Umhang, noch sonst etwas. Falls sich herausstellen sollte, daß er nicht all das erhalten hat, was durch die Regel vorgesehen ist, dann soll die ganze Schuld und Strafe auf den Oberen fallen.«[66] Damit zusammenhängend bedeutet die Armut bei *Horsiese* zunächst das Freisein von materieller Sorge, die ja der Obere für den Mönch übernommen hat.[67] In zweiter Linie wird dann die Armut mit der durch die Armut errungenen inneren Freiheit begründet;[68] sodann auch mit dem Motiv der Weltentsagung[69] und dem Motiv des Vollkommenheitsbestrebens.[70] Weitere Gründe für die Armutsforderung sind bei Horsiese, daß er in der Armut eine Möglichkeit zur Demut sieht wenn er z. B. schreibt: »Wenn wir ihm nachfolgen wollen, dann müsen wir von der todbringenden Höhe des Stolzes zur lebensspendenden Demut herabsteigen, indem wir den Reichtum mit der Armut und die Tafelfreuden mit einfacher Speise vertauschen,«[71] ferner noch die

---

(= *Bacht* 93,3–4); LO 41: *Boon* 135,21 (= *Bacht* 155,5–6); LO 46: *Boon* 139,9–10 (= *Bacht* 165,8–10).

65 LO 21: *Boon* 122,28–123,2 (= *Bacht* 107,4–9).

66 LO 39: *Boon* 134,28–135,4 (= *Bacht* 151,18–25); ähnliche Anklänge: LO 7: *Boon* 112,16 (= *Bacht* 73,1–5); LO 21: *Boon* 122,28–123,2 (= *Bacht* 107,4–8); LO 26: *Boon* 127,20–23 (= *Bacht* 129,23–25); LO 40: *Boon* 135,5–7 (= *Bacht* 155,1–3).

67 LO 21: *Boon* 123,4–6 (= *Bacht* 109,3–5); LO 39: *Boon* 134,28–29 (= *Bacht* 151,18–20).

68 LO 27: *Boon* 128,24–25 (= *Bacht* 131, 6–7); ähnlich auch: LO 46: *Boon* 139,5–7 (= *Bacht* 165,3–6); vgl. dazu auch: *Bacht,* Vermächtnis 169, Anm. 216 und 109 Anm. 88.

69 Vgl. dazu: *Bacht,* Vermächtnis 105, Anm. 82.

70 LO 27: *Boon* 129,2 (= *Bacht* 133,18–135,1).

71 LO 21: *Boon* 123,11–12 (= *Bacht* 111,6–9); *Bacht,* ebd., Anm. 95, vermerkt zu dieser Stelle: »Diese Stelle bietet gewissermaßen die christologische Begründung des Mönchtums und der spezifisch mönchischen Tugenden der Demut und der Armut.«

Begründung der Armutsforderung aus dem einmal gefaßten Entschluß des gemeinsamen Zusammenlebens.[72]

Weitere Begründugen für die Armut finden sich bei *Horsiese* nur ganz sporadisch, so daß sie im Vergleich zu den hier aufgeführten Argumenten, die eine richtige Übermacht darstellen, kaum auffallen; etwa das Argument, daß sich das Verhalten der Mönche schon in dieser Welt friedenstiftend auswirke.[73] Auch der Zusammenhang zwischen der Nähe zu Gott und der Nähe zum Bruder – ein pachomianischer Gedanke – taucht bei *Horsiese* nur am Rande auf.[74]

Eine kurze Zusammenfassung des hier Gesagten liefert *Horsiese* selbst: »Da wir nun in den Zönobien zusammenwohnen und miteinander in gegenseitiger Liebe vereinigt sind, wollen wir uns bemühen, daß wir so, wie wir uns hiniden der Gemeinschaft der heiligen Väter erfreuen durften, auch dereinst an ihnen Anteil erlangen. Wir haben uns dabei bewußt zu sein, daß das Kreuz die Grundlage unseres Lebens und unserer Lehre ist, und daß wir mit Christus leiden müssen, und daß wir begreifen müssen, daß niemand ohne Mühsal und Pein den Sieg errang.«[75] Ebenso auch im Schlußsatz des *Liber Orsiesii:* »Höre alles, fürchte Gott und beachte seine Gebote, das ist die Pflicht für jeden Menschen, denn alles, was er tut, wird Gott mit Genauigkeit vor sein Gericht ziehen, sei es gut oder böse.«[76]

(d) Unterschiede in der Gedankenführung

Unsere Vermutung hat sich bestätigt:[77] es bestehen in der Tat ganz erhebliche Unterschiede in der geistigen Grundhaltung der drei Männer. Bei *Pachomius* zeigte sich deutlich eine erdhafte Diesseitigkeit der Argumentation. Das Ziel, das er vor Augen hat, ist nicht das Bild einer ewigen Seligkeit, die der Mensch einmal erreichen soll, sondern sein Ziel ist ganz konkret die Beziehung zum Bruder und die dadurch erreichbare Beziehung zu Gott.[78] Eine Gedankenführung, die Tugenden um ihrer selbst willen oder um eines ewigen Lohnes willen fordert, ist ihm

---

72 LO 22: *Boon* 123,15 (= *Bacht* 113,1–2); LO 31: *Boon* 131,6–7 (= *Bacht* 141,15–17); LO 29: *Boon* 130,4–5 (= *Bacht* 137,22–24); LO 50: *Boon* 142,14–17 (= *Bacht* 175,7–10); LO 22: *Boon* 123,20–124,2 (= *Bacht* 115,1–6); LO 11: *Boon* 115,26–116,1 (= *Bacht* 83,6–7).
73 LO 3: *Boon* 110,22–24 (= *Bacht* 63,15–20).
74 LO 9: *Boon* 114,13–14 (= *Bacht* 79,7–9).
75 LO 50: *Boon* 142,23–29 (= *Bacht* 175,16–177,3).
76 LO 56: *Boon* 147,23–26 (= *Bacht* 189,14–17). Der gleiche Schlußsatz findet sich auch mit geringen Modifikationen im 1. Brief des *Horsiese:* CSCO 159 65,17–20 (= CSCO 160 65,22–25).
77 Vgl. dazu S. 38.
78 Vgl. dazu S. 38 Anm. 10; Anm. 11; S. 39 Anm. 20.

unbekannt. Alles, was der Mönch nach *Pachomius* tut, ja, das gesamte Mönchtum selbst, ist nicht aus sich heraus wichtig und gut und besser, als das Leben in der Welt,[79] sondern dies alles ist lediglich ein Mittel zur Erreichung des einen Zieles, dem Bruder und damit Gott nicht fremd zu sein. Unter diesen Mitteln nimmt die Armut einen hervorragenden Platz ein – aber auch nicht deshalb, weil das Armsein aus sich heraus wertvoll wäre, sondern weil die Armut die beste Möglichkeit ist, den Stolz und den Streit zu vermeiden und so das Zusammenleben zu gewährleisten.[80] In der Tat eine auffallende Gedankenführung, vergleicht man damit die Gedanken des *Theodor:* Bei ihm ist das Erhalten der bestehenden Koinonia ein Wert in sich, der höchstens noch weitere Begründung findet im Erhalten der ewigen Herrlichkeit. Darum lohnt es auch für *Theodor,* auszuhalten und auszuharren.[81] Die Tugenden, die bei *Pachomius* noch eindeutig Mittel zum Zweck sind, zum Zweck der Erreichung konkreter, irdischer Nähe zum Bruder, die haben sich im Gedankengang des *Theodor* verselbständigt und werden begründet von der ewigen Herrlichkeit her; sie sind zu Werten an sich geworden. Die konkrete Forderung der Armut taucht dann bei *Theodor* konsequenterweise gar nicht mehr gesondert auf, sondern ist subsumiert unter den sonstigen »Widerwärtigkeiten«, die es um ewigen Lohnes willen in dieser Welt zu ertragen gilt. Von diesen beiden sehr unterschiedlichen Gedankengängen finden sich Teile im Werk des *Horsiese;* einerseits die Aufforderung, in den mönchischen Tugenden auszuharren um ewigen Lohnes willen,[82] andererseits aber auch die Ablehnung einer Askese um ihrer selbst willen,[83] und eine starke Betonung der gegenseitigen Verantwortlichkeit der Brüder unter einander.[84] Bei *Horsiese* ist die Armutsforderung – im Gegensatz zu *Theodor* – wieder eine zentrale Forderung und nicht lediglich ein Anhängsel. Allerdings ist die Armutsforderung bei *Horsiese* untrennbar verbunden mit der Forderung der gewissenhaften Erfüllung der Fürsorgepflicht durch den Vorgesetzten. Ohne daß der Vorgesetzte sich in allem um den Mönch kümmert und ihm so einen Mindest-Lebensstandard sichert, ist klösterliche Armut für *Horsiese* nicht denkbar. Hier steht *Horsiese* deutlich in der Tradition des *Pachomius:* einen persönlich armen Mönch, dessen Kloster durch des Mönches persönliche Armut

---

79 Vgl. dazu S. 40.
80 Vgl. dazu S. 40 Anm. 26.
81 Vgl. dazu S. 43.
82 Vgl. dazu S. 44.
83 Vgl. dazu: *Bacht,* Vermächtnis 165, Anm. 201: »von einem Selbstzweck der Kasteiungen kann keine Rede sein«. B. *Steidle:* Der Zweite im Pachomiuskloster, in: Erbe und Auftrag 24 (1948) 102: »Für *Pachomius* ist jede Organisation nur Mittel zum Zweck.«
84 Vgl. dazu S. 45.

reich geworden ist, können sich beide nicht vorstellen; im Gegenteil: es ist für sie eine Verderbung des ursprünglichen Armutsideals.

Nach dem Vergleich der Katechesen dürfen wir aber gerade hier den Hauptgrund vermuten, der die apollonische Revolution erst ausbrechen ließ.[85] *Horsiese* hätte diesem Gedanken sonst kaum einen derart breiten Raum in seinem Testament eingeräumt.

Daß die Väter des pachomianischen Mönchtums unterschiedlich dachten, hat unsere Untersuchung ihrer Katechesen gezeigt; daß sie die Armutsforderung unterschiedlich begründeten, ergibt sich teils aus dieser Feststellung, teils ebenfalls aus der Lektüre ihrer Werke; daß sie infolge dieser unterschiedlichen Spiritualität auch anders handelten und andere Lösungsmöglichkeiten für den Armutsstreit sahen und in Erwägung zogen, hat die Untersuchung der Berichte über den Armutsstreit ergeben. Offen bleibt an dieser Stelle die Frage, ob aus der Lebensgeschichte des *Pachomius* und des *Theodor* Hinweise zu entnehmen sind, die diese unterschiedliche Spiritualität erklären und verständlich machen können.

Unterschiedliche Wege zum Mönchtum

Bei derartigen Unterschieden im Argumentieren liegt die Vermutung nahe, daß die Persönlichkeiten selbst – auch in ihrer Lebensgeschichte – große Unterschiede aufweisen.

(a) *Pachomius'* Weg zum Mönchtum

Pachomius wurde als Kind heidnischer Eltern geboren.[86] Das Christentum lernte er ausweislich aller Viten im Alter von 20 Jahren als in Theben einquartierter Rekrut kennen.[87] Überraschenderweise brachten einige

---

85 Vgl. dazu *Bacht,* Vermächtnis 153, Anm. 177: »Die von *Benedikt von Aniane* beigebrachten Zeugnisse aus anderen Regeln zeigen, wie sehr von allem Anfang an die Redlichkeit und Ernsthaftigkeit der Armutsübung gefährdet war. Eine der Ursachen dabei war offensichtlich die Nachlässigkeit der Oberen, die sich nicht hinreichend und unparteiisch um das ›zeitliche‹ Wohl der Brüder kümmerten und lieber duldeten, daß sich diese, was ihnen so abging, von Freunden und Verwandten schenken ließen.«
86 Vgl. dazu S. 10.
  Über die wirtschaftlichen Verhältnisse in seinem Elternhaus liegen uns im Gegensatz zum Elternhaus des *Theodor* (vgl. S. 52) keine eindeutigen Informationen vor. Die bohairische Vita (Bo 5: CSCO 89 2,21–23 (= *Lefort* 80,28–30) weiß aus der Jugend des *Pachomius* zu berichten, daß er eines Tages Antilopenfleisch zu den Feldarbeitern bringen mußte. Dies könnte auf die Zugehörigkeit der Eltern zur Oberschicht deuten. Andererseits nimmt *Bacht,* Pakhome – der Große Adler, a. a. O., 369 an, daß die Verhältnisse im Elternhaus »wirtschaftlich nicht glänzend« waren, da die Eltern *Pachomius* nicht zur Schule schickten.
87 Zu den Fragen der Chronologie vgl. S. 9.

Bürger Thebens – wohl heimlich[88] – Lebensmittel zu den Rekruten und forderten sie auf zu essen. *Pachomius,* der Heide, war über dieses Verhalten überrascht und erkundigte sich bei seinen Leidensgenossen warum die Leute das tun, da »sie uns doch nicht kennen.«[88a] Er erhielt zur Antwort: Das sind Christen, und sie behandeln uns um Gottes Willen so liebenswürdig.«[89] *Pachomius* war von diesem Verhalten so überrascht, daß er noch in derselben Nacht beschloß Christ zu werden, um ebenso handeln zu können. Dieser Entschluß ist uns in einem Gebet überliefert: »Mein Herr Jesus Christus, Gott aller Heiligen! Komm schnell mit deiner Güte, rette mich aus dieser Not und ich meinerseits werde alle Tage meines Lebens den Menschen dienen.«[90]

Nachdem die Rekruten überraschenderweise entlassen wurden, zog sich *Pachomius* nach Scheneset-Chenoboskion zurück und wurde dort getauft. In der Nacht vor seiner Taufe hatte er einen – später mehrmals wiederkehrenden – Traum: Tau senkt sich vom Himmel auf sein Haupt herab, geht auf seinen Arm und seine Hand über, wird dort zu Honig und breitet sich über die ganze Erdoberfläche aus.«[91]

Nach seiner Taufe lebte *Pachomius* drei Jahre in der Nähe von Scheneset-Chenoboskion – vermutlich in Pesterposen[92] – in einem ehemaligen Sarapisheiligtum. Er hatte dort für sich, für Arme aus dem Dorf und für Durchreisende etwas »Gemüse und Dattelpalmen« gepflanzt und war gegen alle gütig und überaus hilfsbereit, wie er es ja kurz zuvor in Theben versprochen hatte. Als in der Gegend eine pestartige Krankheit ausbrach, »pflegte er die Kranken, bis Gott ihnen die Genesung schenkte«.[93]

Dieses von ihm versprochene und drei Jahre durchgehaltene »Dienen allen Menschen alle Tage meines Lebens« unterbrach er jedoch überraschenderweise, um sich zu einem Asketen in die Wüste zurückzuziehen. Über die Gründe schweigen sich die Viten aus. Er vermachte seinen kleinen Garten einem anderen Mönch und begab sich zu *Palamon.*[94]

Irgendetwas muß mit *Pachomius* in diesen drei Jahren in Pesterposen geschehen sein. Denn nach diesen drei Jahren gibt er seinen Vorsatz auf, und nach weiteren Jahren in der Wüste bei *Palamon* ist ihm sein ursprüngliches Ideal, »den Menschen zu dienen alle Tage meines

---

88 Alle Viten sprechen davon, daß dies »in der Nacht« geschah.
88a Bo 7: CSCO 89 5,1–3 (= *Lefort* 82,19–20).
89 Bo 7: CSCO 89 5,3–5 (= *Lefort* 82,20–22).
90 Bo 7: CSCO 89 5,6–10 (= *Lefort* 82,23–26).
91 Bo 8: CSCO 89 6,17–24 (= *Lefort* 83,22–28); Am 344,9–345,1 bietet denselben Text.
92 Bo 8: CSCO 89 6,3 (= *Lefort* 83,10); vgl. dazu auch: *Lefort,* 80; zur heutigen Lage der alten Orte vgl.: *L. Th. Lefort:* Les premiers monastères pachômiens. Exploration topographique, in: Le Muséon 52 (1939) 379–408.
93 Bo 9: CSCO 89 7,1–20 (= *Lefort* 83,32–84,13).
94 Bo 10: CSCO 89 7,20–8,7 (= *Lefort* 84,14–25).

Lebens«, so fremd geworden, daß ihm in einem Traum ein Engel erst dreimal zurufen muß, daß gerade dies der Wille Gottes sei, den er doch suche, nämlich den Menschen zu dienen; erst danach erinnert er sich wieder an sein ursprüngliches Versprechen in Theben.[95] Nach weiteren vier Jahren bei *Palamon* erhielt er den Auftrag, am Nilufer das erste eigentliche Kloster der Kirchengeschichte, in Tabennesi, zu gründen.[96] Die Tatsache, daß *Pachomius* den entscheidenden Traum seiner Taufnacht, in dem Tau aus dem Himmel herabkam und sich durch ihn als Honig auf die ganze Erde ausbreitete, mehrmals in größeren Abständen, aber jeweils an entscheidenden Stellen träumte, und daß er dieselbe Vision, in der es um die Erkenntnis des Willens Gottes geht, und in der ihm der Wille Gottes als Dienst für die Menschen geoffenbart wird, mehrmals, aber immer an entscheidenden Wendepunkten empfängt, läßt uns auf eine seelische Entwicklung des *Pachomius* schließen, die spiralförmig vor sich gegangen sein muß: immer wieder kam er offensichtlich an denselben Fragen »vorbei«, jedoch jeweils auf einer höheren Entwicklungsstufe, mit weiteren und besseren Lebenserfahrungen im Hintergrund. Das Grundproblem seiner Lebensentwicklung war demnach: Die Berufung durch Gott zum Dienst für die Menschen, und wie diese Berufung zu verwirklichen sei. Diesen Dienst für die Menschen verstand *Pachomius* zuerst rein sozial-caritativ in den alltäglichen Nöten bis hin zur Pflege der Pestkranken. Danach folgte – wie eine weitere Drehung auf der Spirale – die Zeit bei *Palamon,* der sich sogar am Hohen Ostertag weigerte, etwas in Öl Gebratenes zu essen.[97] Nach dieser Zeit beschäftigte *Pachomius* sich wieder mit der Frage, was der Wille Gottes sei; er erhielt wieder die Antwort, den Menschen zu dienen. Diesmal aber in der Art, daß er ein Kloster gründet und als »geistlicher Vater« seinen Schülern diente.

F. Ruppert, der die Berufung des *Pachomius* ausführlich untersucht hat, interpretiert diesen Weg des *Pachomius* durchaus zutreffend eher als eine Akzentverschiebung, denn als eine totale Umkehr, eine Akzentverschiebung vom »schlichten, alltäglichen Dienst zur Hilfe für den Menschen auf seinem Weg zu Gott.«[98] Damit ist die äußerlich erkennbare Akzentverschiebung sicherlich richtig wiedergegeben. Offen bleibt aber die Frage, was eigentlich bei *Pachomius* solch eine Akzentverschiebung ausgelöst hat, und vor allem die Frage, was sich – als Voraussetzung dieser äußerlich

---

95 Bo 22: CSCO 89 22,4–6 (= *Lefort* 94,7–8); S-3: CSCO 99 107,9–31 (= *Lefort* 60,25–61,15).

96 Bo 17: CSCO 89 18,18–22 (= *Lefort* 91,25–27): »*Pachomius, Pachomius,* kämpfe, laß dich hier nieder und baue eine Bleibe...«; S-3: CSCO 99 100b,27–33 (= *Lefort* 56,11–13): »Kämpfe, laß dich hier nieder und baue ein Kloster!«

97 Bo 11: CSCO 89 11,18–22 (= *Lefort* 86,31–33).

98 *Ruppert,* Gehorsam 11–41.

erkennbaren Akzentverschiebung – innerlich bei *Pachomius* in diesen Jahren zwischen 312 und 325 ereignet hat.

Wir wollen weiter unten auf diese Frage nochmals zurückkommen,[99] und uns hier mit der Feststellung begnügen, daß *Pachomius* vom Heiden bis zum Klostergründer einen weiten, seelischen Weg zurückgelegt hat, der ihn – zwar auf jeweils verschiedenen Entwicklungsstufen – immer wieder mit der einen Frage konfrontiert hat, wie er den Menschen dienen könne, und der ihn durchaus auch extreme Möglichkeiten hat durchspielen lassen.

(b) *Theodors* Weg zum Mönchtum

Ganz anders als *Pachomius* fand *Theodor* ins Kloster. Derartige Krisen und Entwicklungsprozesse, wie dies uns die Viten für *Pachomius* aufzeigen, erfahren wir über *Theodor* nicht. Über seine Jugend berichtet die bohairische Vita: »Aber nun soll sein Leben von seiner Jugend an erzählt werden zur Ehre Gottes. *Theodor* war Sohn einer großen Familie[100] und wurde von seiner Mutter sehr geliebt. Im Alter von 8 Jahren schickte man ihn zur Schule, damit er schreiben lerne und er machte große Fortschritte in der Weisheit; als er 12 Jahre alt war, hielt er sich an große Fasten, nahm keine Nahrung zu sich, außer der Nahrung, wie sie üblicherweise die Mönche einnehmen. Er fastete jeden Tag bis zum Abend und manchmal dehnte er sein Fasten bis zum folgenden Tag aus.«[101] Offensichtlich handelte es sich bei *Theodors* Elternhaus um eine christliche Familie. Die Viten verzeichnen alle für seine Familie den Ausdruck »groß«, und zwar im Sinne von »bedeutend.«[102]

Erhärtet wird diese Interpretation durch die Nachricht, daß *Theodor,* damals schon als junger Mann, in einem Kloster, einen durchreisenden Pachomianermönch bat, mit ihm, dem Mönch, zu *Pachomius* in dessen Kloster gehen zu dürfen. Dieser Pachomianer, Apa *Pecos* reagierte auf

---

99 Vgl. dazu S. 70–73.

100 Vgl. dazu die Untersuchung dieses Wortes »groß« in Anm. 102.

101 Bo 31: CSCO 89 33,20–29 (= *Lefort* 102,24–103,31).

102 Die bohairische Vita, Bo 29: CSCO 89 30,21–23 (= *Lefort* 100,15–17): *Dschitheodorus euscheripe nitehannischti efhemsi efsotem* (Von *Theodoros,* einem Sohn einer großen Familie, ...); oder an anderer Stelle Bo 30: CSCO 89 32,23–24 (= *Lefort* 101,31–33): *uoh augamof dschiuscheri nihannischtipe hentipolis Sne* (und der *Theodoros,* ein Sohn von Großen aus der Stadt Sne); oder wiederum Bo 31: CSCO 89 33,21–23 (= *Lefort* 102,25–26): *Theodoros neuscheripe nitehannischti eretefmaau mei mimof emascho* (*Theodoros,* ein Sohn von Großen, der sehr geliebt wurde). Die sahidische Vita, berichtet, S-4, 31: CSCO 99 219a,16–20 (= *Lefort* 296,6–7): *Theodoros neuscherepe nitehennokj eiretefmaau me mimof emate* (Der *Theodoros,* ein Sohn von Hochgestellten, der sehr geliebt wurde). Zur Bedeutung des sahidischen Wortes *nokj* bzw. des bohairischen Wortes *nischti,* die keinesfalls ausschließlich im Sinne von »zahlreich« verwendet werden, vgl.: *W. Westendorf:* Koptisches Handwörterbuch, Heidelberg 1965/77, 138; *W. E.*

die Bitte des Theodor, nachdem die Mitbrüder des *Theodor* dem Apa *Pecos* mitgeteilt haben, *Theodor* sei »Sohn einer großen Familie« folgendermaßen: »er hatte Angst und sagte: ›ich kann dich nicht mitnehmen, wegen deiner Eltern.‹«[103]

Ebenfalls eigenartig reagierte *Pachomius* selbst, als *Theodor* dann doch zusammen mit Apa *Pecos* in Tabennesi ankam. *Pachomius* sagte zu *Theodor:* »Weine nicht, mein Sohn, denn ich bin Diener deines Vaters.«[104] Und wie eine Erklärung schiebt Bo nach: »er meinte mit ›dein Vater‹ Gott.«[105]

Weitere Einzelinformationen aus der Jugendzeit des *Theodor* erhärten diesen Eindruck.

Mit 8 Jahren wurde *Theodor* in eine (wohl heidnische[106]) Schule geschickt. Damals fand am Erscheinungstag im Haus seiner Eltern ein großes Fest statt.[107] Weiter wird berichtet, daß es im Haus seiner Eltern mehrere, größere und kleinere Zimmer gab.[108] Seine Mutter fand ihren

---

Crum: A Coptic Dictionary, Oxford 1939, 250–251.

Die erste bzw. dritte griechische Vita schreibt (da G-1 an dieser Stelle eine Lücke hat, verwendet *Halkin* für seine Ausgabe hier die G-3-Stelle), G-3 45: *Halkin* 280,24 (= *Festugière* 177): *tèn oikían autoū megálen ousan katà tón kósmon euthenoūsan epigeíos agathoīs (sein [Eltern-]Haus, das in den Augen der Welt betrachtet groß und mit irdischen Gütern gesegnet war).* Die zweite griechische Vita hat folgenden Text, G-2 30: *Halkin* 198,7–8 (= *Mertel* 52,16–19): *en hoīs kaì Theódorós tis hos etōn dekatessáron christianōn goneōn hypárchon kaì lían perifanōn* (Unter ihnen war auch ein gewisser *Theodoros,* der 14 Jahre alt war und aus einem angesehenen christlichen Elternhaus stammte). *Dionysius Exiguus* übersetzt seine griechische Vorlage wie folgt, Dion 29: *Cranenburgh* 152, 29,7–9: *... inter quos et Theodorus, adolescens annorum ferme XIV, christianis ortus parentibus et secundum saeculum valde claris, hoc modo conversus est.* (Unter ihnen war auch ein gewisser *Theodorus,* ein junger Mann von etwa 14 Jahren, der von christlichen Eltern abstammte, die in den Augen der Welt sehr angesehen waren; er wurde wie folgt gewonnen).

Aus allen Texten ergibt sich eindeutig, daß es sich um eine angesehene, unter Umständen wohlhabende oder reiche Familie gehandelt haben muß, aus der *Theodor* entstammte. Auch die Wortwahl in den arabischen Texten läßt keine andere Wahl. Die unveröffentlichte arabische Vita aus dem Vatikan verwendet an den entsprechenden Stellen (Av fol. 21^v Zeile 11; so auch: Av fol. 20^r Zeile 7 und Av fol. 21^r Zeile 9) das Wort *kibār* (pl. zu *kabīr*). Auch dieses Wort meint eindeutig eine große Familie im Sinne von »mächtig«, »angesehen«.

In der von *Amélineau* veröffentlichten arabischen Vita (Am 386,8) lautet der Ausdruck: *Ibn ryysā.* Dahinter könnte sich, liest man statt »*ryysā*« *ru'asā* = pl. von *ra'īs* = Anführer, Kapitän) eine ähnliche Bedeutung verbergen. An solch eine Bedeutung scheint auch *Amélineau* selbst gedacht zu haben, wenn er übersetzte: *fils de grands personnages* (Sohn bedeutender Leute).

103 Bo 30: CSCO 89 32,24–25 (= *Lefort* 101,33–102,2).
104 Bo 30: CSCO 89 33,10–12 (= *Lefort* 102,14–17); so auch: G-1 135 *Halkin* 22,1 (= *Festugière* 178).
105 Bo 30: CSCO 89 33,12 (= *Lefort* 102,17).
106 Am großen Fest Epiphanias besuchte Theodor die Schule und kam erst zum Mittagessen heim.
107 Bo 31: CSCO 89 33,29–34,3 (= *Lefort* 102,31–34).
108 Bo 31: CSCO 89 34,5–7 (= *Lefort* 103,1–2): »er zog sich in ein kleines, stilles Zimmer des Hauses zurück«.

weinenden Sohn: im kleinen Zimmer und fragte: »Mein Sohn, wer hat dich betrübt; ich werde ihn sofort streng zurechtweisen«.[109] In dieselbe Richtung deutet die Nachricht, daß die Mutter *Theodors* – später, als *Theodor* schon Mönch bei *Pachomius* war – nach Tabennesi kam, um ihren Sohn zu sehen. Sie brachte dazu einen »Brief des Bischofs von Sne an *Pachomius* mit.«[110] Sicherlich hat der Bischof nicht jeder beliebigen Mutter einen solchen Brief ausgestellt.

Theodor entstammte also zweifellos einem – mindestens im christlichen Milieu seiner Heimatstadt – sehr angesehenen Elternhaus. Durch dieses Elternhaus kam *Theodor* auch schon sehr früh in Beziehung zu christlich-asketischen Gedanken, wie wir aus den Berichten über seine ausgedehnten Fastenübungen schon in früher Jugendzeit entnehmen können.

Die Faszination, die diese Askese auf ihn ausübte, führte ihn schließlich in noch relativ jungen Jahren in einen Rigorismus, der selbst in seinem christlichen Elternhaus nicht mehr verstanden wurde. Von dem schon erwähnten Epiphanie-Fest berichtet Bo: »So traf es sich eines Tages, als er bei der Rückkehr aus der Schule – es war der Festtag Epiphanias d. h. der 11. Tobi – seine Familie bei einem großen Fest vorfand. Sofort war er von einem lebhaften Gefühl erfüllt: wenn du dich diesen Speisen und diesen Weinen hingibst, dann wirst du das ewige Leben Gottes nicht sehen. So zog er sich in ein kleines, stilles Zimmer des Hauses zurück, streckte sich auf dem Boden aus, betete, weinte und sagte: Mein Herr, Jesus Christus, du allein weißt, daß ich nichts wünsche auf dieser Erde außer dir allein und deiner überreichen Barmherzigkeit, die ich liebe. Als seine Mutter bemerkte, daß er aus der Schule heimgekommen war, ihn aber nicht sah, stand sie sofort auf, suchte ihn und fand ihn, wie er allein war und betete. Sie sah ihn an, bemerkte, daß seine Augen voll Tränen waren und sagte zu ihm: Mein Sohn, wer hat dich betrübt; ich werde ihn sofort streng zurechtweisen. Steh aber trotzdem auf und komm zum Essen, denn heute ist doch ein Festtag und seit dem Morgen schon warten wir auf dich; ich, deine Brüder und alle die unsrigen. Er aber antwortete ihr: Geht ihr anderen nur und eßt, ich werde jetzt nichts essen.«[111]

Außer diesen Hinweisen auf sein christliches Elternhaus, seinen frühen asketischen Rigorismus und die relativ vornehme Stellung seiner Familie ist noch eine starke Bindung *Theodors* an seine Mutter erwähnenswert. Daß er von seiner Mutter sehr geliebt wurde, haben wir schon erwähnt. Auffällig ist in der vorgenannten Erzählung vom Epiphanie-Fest die Bemerkung der Mutter: »wir warten auf dich; ich, deine Brüder und alle

---

109 Bo 31: CSCO 89 34,15–16 (= *Lefort* 103,7–9).
110 Bo 37: CSCO 89 39,2–5 (= *Lefort* 106,22–23).
111 Bo 31: CSCO 89 33,29–34,21 (= *Lefort* 102,31–103,13).

die unsrigen.« Ein Vater wird nicht erwähnt. In dieselbe Richtung weist eine Information, die wir in Am finden. Danach wurde *Theodor* in seinem ersten Kloster, in dem er vor seinem Überwechseln nach Tabennesi wohnte, krank. Daraufhin kamen seine Eltern und nahmen den jungen Mönch mit nach Hause.[112] Ebenso für erwähnenswert halten wir in diesem Zusammenhang die Bemühungen der Mutter *Theodors,* die sie unternahm, bloß um ihren Sohn in Tabennesi wiedersehen zu dürfen, und die Angst, die aus dem Verhalten *Theodors* spricht, er könne, wenn er seiner Mutter begegne, seinem Vorsatz, bei *Pachomius* Mönch zu bleiben, untreu werden.[113]

Vergleicht man die Entwicklung der beiden Männer, so fallen folgende Unterschiede sofort ins Auge:

Pachomius entstammte einem heidnischen Elternhaus; *Theodor* einem christlichen. *Pachomius* hatte also eine Bekehrung hinter sich, während *Theodor* schon in frühester Jugend einen ihm durch sein Elternhaus nahegelegten asketischen Weg einschlug.[114] Diesem einmal eingeschlagenen Weg ist *Theodor* im Großen und Ganzen sein ganzes Leben lang treu geblieben.[115] *Pachomius* hingegen machte zwei deutlich sichtbare Wandlungsprozesse mit: vom Helfer der Menschen im sozial-caritativen Sinn zum Asketen und Einsiedler; und vom Asketen und Einsiedler zum Helfer der Menschen im geistlichen Sinn. Dafür sind uns Träume des *Pachomius* überliefert, die auf einen psychisch sehr tiefgreifenden

---

112 Am 391,2–5; S-20: Le Muséon 54 (1941) 135–138 (= *Lefort* 19,6–9).

113 Bo 37: CSCO 89 39,2–40,8 (= *Lefort* 106,22–107,21); S-10: CSCO 99 38a,1–39a,9 (= *Lefort* 22,25–23,5); Am 405,1–7; G-1 37: *Halkin* 23,13–15 (= *Festugière* 179); G-2: 33: *Halkin* 201,10–19 (= *Mertel* 55,16–30); Dion 31: *Cranenburgh* 158,31,14–27.

114 Zum Alter *Theodors* vgl.: *Lefort* 103: »Über das Alter, in dem *Theodor* zu *Pachomius* kam, gibt es unterschiedliche Auskünfte in den Quellen. Nach Bo und S-14 verließ *Theodor* sein Elternhaus im Alter von 14 Jahren, hielt sich 6 Jahre bei den Anachoreten in der Nachbarschaft auf und kam zu *Pachomius* im Alter von 20 Jahren. Nach Am (392–293) kam *Theodor* im Alter von 14 Jahren. Nach dem Ammon-Brief im Alter von 13 Jahren. Allerdings darf man an der Treue des Gedächtnisses von Ammon zweifeln.« Vgl. dazu auch: *P. Peeters:* Le dossier copte de S. Pachôme et ses rapports avec la tradition gecque, in: Analecta Bollandiana 64 (1946) 258–277; hier 267–270; *B. Steidle* (Hrsg.): Antonius Magnus Eremita, Rom 1956, 66–107; *S. Frank* (Hrsg.): Askese und Mönchtum in der alten Kirche, Wiesbaden 1975, 183–229; hier: 189.

115 Erst recht spät, als *Theodor* schon Koadjutor des *Horsiese* war, erlebte und erlitt *Theodor* die Erfolglosigkeit seiner Bemühungen; in dieser Zeit machte *Theodor* eine Entwicklung durch, die der ähnlich ist, die *Pachomius* schon hinter sich hatte, bevor er Mönchsvater wurde. Auch *Ruppert,* Gehorsam 232, gewann vor allem aus dem Schluß der Viten – insbesondere aus dem eindringlichen Nachtgebet des *Theodor* – den Eindruck, daß *Theodor* in dieser Zeit eine Entwicklung ähnlich der des *Pachonius* mitmachte: »In den Episoden nach dem Tod des *Pachomius* wird das Bild des *Theodor* immer mehr dem des *Pachomius* angeglichen, sei es, daß mit zunehmendem Alter tatsächlich sein Rigorismus und seine stürmische Art nachließen, sei es, daß die Vita ihn bewußt mit den Zügen des *Pachomius* zeichnete. Auch wo die Vita grundsätzlich über *Theodors* Menschenführung spricht, ähneln die Aussagen stark denen, die bereits über *Pachomius* gemacht wurden. Er paßte sich, soweit es nur ging, der Eigenart eines jeden an.«

Wandel schließen lassen. Ohne in die Deutung dieser Träume hier tiefer einsteigen zu können, lassen sie doch – vor allem im Zusammenhang mit den anderen aufgeführten Fakten – den Schluß zu, daß *Pachomius* der seelisch wesentlich ausgereiftere der beiden Mönchsväter war. Was wir in *Pachomius* als Ergebnis eines langen und mühevollen Weges vorfinden, ist bei *Theodor* die Folge eines schon sehr früh geübten asketischen Rigorismus[116], wie sich auch im Zusammenleben der beiden Männer immer wieder zeigte.

(c) *Theodor,* der Lieblingsschüler des *Pachomius?*

Die dargelegten Ergebnisse scheinen Nachrichten zu widersprechen, die wir oft in den Viten finden: dort ist davon die Rede, daß *Pachomius* den *Theodor* als seinen Lieblingsschüler betrachtete:»*Theodor* wurde für *Pachomius* ein wahrer Sohn, geschaffen nach seinem Ebenbild.«[117] Oder: »Er wandelte in allem nach dem Vorbild des *Pachomius...*«[118] Diese Tradition, wonach *Theodor* Lieblingsschüler des *Pachomius* gewesen sei, gilt es einer differenzierenden Untersuchung zu unterziehen. Diese Differenzierung ist uns möglich, seit *Veilleux* die Quellenscheidung zwischen Vita des Theodor: VTh und Vita Brevis des Pachomius: VBr durchgeführt hat.[119] Ordnet man nun die Nachrichten über das Verhältnis der beiden Mönchsväter den von *Veilleux* ermittelten Quellen zu, so ergibt sich ein deutliches Bild: *Theodor* wird in der Rolle des Lieblingsschülers des *Pachomius* ausschließlich an solchen Stellen gezeichnet, die nach *Veilleux* dem VTh-Korpus zuzurechnen sind[120]; in VTh spielt Theodor in der Tat die Rolle des Kronprinzen[121].

Ganz anders hingegen sieht es aus, wenn man die Quellen untersucht, die VBr zuzurechnen sind: *Pachomius* baute das Kloster Pbow[122], bestellte dort den Abt, die Hausoberen und deren Stellvertreter, ohne *Theodor* für einen dieser Posten auch nur in Erwägung zu ziehen. Ebenso verfuhr *Pachomius* (nach VBr) bei den anderen Klostergründungen.[123] Auch hier

---

116 S-20: Le Muséon 54 (1941) 135–138 (= *Lefort* 19,6–9):
   Sein asketischer Rigorismus wird auch deutlich in dem Bericht, wonach er in seinem ersten Kloster erkrankte, sich aber weigerte, Essen, das ihm von zu Hause geschickt worden war, zu sich zu nehmen.
117 G-1 26: *Halkin* 16,23–24 (= *Festugière* 171).
118 Bo 31: CSCO 89 35,21–23 (= *Lefort* 104,13).
119 Vgl. dazu S. 17; *Veilleux,* Liturgie 16–156.
120 Ebd. 87.
121 Bo 74: CSCO 89 79,7–18 (= *Lefort* 136,17–21): »Oft schickte er den *Theodor* in die anderen Klöster, um sie zu besuchen und vor allen Brüdern sagte er oft: ich und *Theodor,* wir erfüllen denselben Auftrag.«
122 Bo 49: CSCO 89 51,23–25 (= *Lefort* 116,4).
123 Bo 50–51: CSCO 89 51,27–52,16 (= *Lefort* 116,7–117,2).

fanden alle Neugründungen statt, ohne daß der angebliche »Lieblings-schüler« für irgendeinen der zu besetzenden Posten in Erwägung gezogen wird. Ganz im Gegenteil: in Bo 57[124] gewinnt man den Eindruck, daß nicht *Theodor*, sondern *Petronius der* Lieblingsschüler des *Pachomius* sei.[125] Der ganze Bericht über die Gründung der ersten Tochterklöster wird gegeben ohne daß – da es sich hier um VBr-Material handelt – *Theodor* auch nur erwähnt wird. Auch als in Phnoum Abt *Sourous* eingesetzt wurde,[126] steht wiederum nicht *Theodor* für dieses Amt zur Ernennung heran. Als dann in Pbow ein Groß-Ökonom ernannt wurde, war es *Paphnutius*, der Bruder des *Theodor*, der dieses Amt erhielt. Von *Theodor* wird nur gesagt, daß er der leibliche Bruder jenes *Paphnutius* sei.[127]

Geht man von den Schilderungen in VBr aus, so spielte Theodor nicht im mindesten die Rolle eines Kronprinzen oder Lieblingsschülers, wie es die VTh(Vita des Theodor)-Stellen glauben machen wollen.

Fragen wir nach dem Grund für diese offensichtliche Mißachtung, die *Pachomius* – nach VBr (Vita Brevis) - dem *Theodor* entgegen brachte, so erhalten wir einen ersten Hinweis, daß wir den Grund in geistlichen Unterschieden zu suchen haben, durch eine Erzählung, die – was ihren Beweiswert für unseren Zusammenhang noch erhöht – aus dem VTh-Korpus stammt.

Pachomius war einige Tage auswärts mit mehreren Brüdern. Während dieser Zeit versorgte *Theodor* die Brüder daheim. *Pachomius* kam des Abends ganz erschöpft (und anscheinend auch krank) zurück. Er legte sich und *Theodor* brachte ihm eine schöne Decke. *Pachomius* sagt zu *Theodor:* »Nimm die Decke weg, und deck mich mit einer Matte zu, wie die anderen Brüder auch, und bedenke, daß der Herr mir Erleichterung bringen wird.« *Theodor* tat, wie ihm geheißen wurde, brachte dann aber eine Handvoll Datteln, reicht sie *Pachomius* und sagte: »Vielleicht kannst du davon ein bißchen essen, mein Vater, da du ja bisher noch nichts gegessen hast.« Es ist geradezu rührend, zu sehen, wie *Theodor* sich um den von ihm sehr geschätzten und verehrten *Pachomius* mühte; doch dieser antwortet dem *Theodor* traurig: »Weil wir die Frucht der Arbeit unserer Brüder und ihre Bedürfnisse zu verwalten haben, sollen wir deshalb davon profitieren? Wo ist die Furcht Gottes, hast du denn die

---

124 Bo 57: CSCO 89 56,9–18 (= *Lefort* 120,3–9).

126 S-7: CSCO 99 93,6–9 (= *Lefort* 49,13–15); dieser Eindruck findet Bestätigung dadurch, daß *Pachomius* auf dem Sterbebett gerade jenen *Petronius*, und nicht etwa den *Theodor* zu seinem Nachfolger ernennt.

126 Bo 58: CSCO 89 57,45- (= *Lefort* 120,21).

127 Bo 60: CSCO 89 59,22–29 (= *Lefort* 122,26–31); vgl. dazu S. 54, *Paphnutius* kommt zusammen mit *Theodors* Mutter ins Kloster.

Zimmer der Brüder besucht, um zu sehen, ob sich dort nicht vielleicht auch ein Kranker befindet?«[128]

In seiner kindlichen Anhänglichkeit an *Pachomius* hat *Theodor* ein wesentliches Moment pachomianischer Spiritualität nicht erkannt: die Gemeinschaft, die Solidarität und die Gleichheit unter den Brüdern. Vielleicht war dies der Grund, warum es *Pachomius* nicht wagen konnte, *Theodor* in einem der neu gegründeten Klöster zum Abt zu machen.

Weitere Zeugnisse aus den Viten sprechen gegen die von VTh aufgestellte These von *Theodor* als dem Lieblingsschüler des *Pachomius*.

Zunächst ist da der Zwischenfall zu nennen, bei dem *Theodor* seine Bereitschaft zur Übernahme des Amtes eines Generalabtes bekundete: *Pachomius* war einmal auf den Tod erkrankt.[129] Die Väter der »Koinoia« und alle Brüder versammelten sich in Pbow und baten den *Theodor:* »wenn der Herr unseren Vater heimsucht, dann gib du uns deine Zustimmung, daß du dich an unsere Spitze stellen und uns Vater werden wirst an seiner statt.« *Theodor* zögerte zunächst, gab dann aber doch seine Zustimmung. *Pachomius* entging diese Abmachung nicht. Als er wieder genesen, berief er eine Art »Schuld-Kapitel« ein, und bekannte als erster seine Verfehlungen, nämlich die Brüder in den Klöstern nicht oft und ausführlich genug besucht zu haben. Darauf forderte er die anderen Brüder auf, nun ihrerseits ihre Fehler zu bekennen. *Theodor* trat vor und gestand ein: »daß es mir nie in den Sinn kam, daß ich nach dir Vater der Brüder werde. Nun aber, da die Brüder mich gedrängt haben, habe ich zugestimmt und wenn ich jetzt leugnen würde und behauptete, daß ich nicht zugestimmt hätte, so wäre ich ein Lügner vor dir alle Tage meines Lebens.« *Pachomius* antwortete darauf dem *Theodor* vor versammelten Brüdern: »Dies sage ich dir: Ab sofort wirst du keine Vollmacht mehr über irgendeine Angelegenheit der Brüder haben. Vielmehr: gehe weg, zieh dich an einen einsamen Ort zurück und bitte Gott, daß er dir das vergebe, wozu du deine Zustimmung gegeben hast.« *Theodor* entfernte sich darauf betrübt. Nach einigen Versuchungen, denen *Theodor* in seiner Einsamkeit ausgesetzt war, berichtet Bo von einer recht eigenartigen ersten Begegnung der beiden Männer: *Theodor* ging in den Raum, wo sich *Pachomius* befand, trat von hinten an ihn heran, küßte ihn auf den Kopf, *Pachomius* fragte die Umstehenden: »Wer hat mich auf den Kopf geküßt?« Die antworteten ihm, daß es *Theodor* gewesen sei. *Pachomius* bat *Theodor,* sich neben ihn zu setzen. *Theodor* aber antwortete nur:

---

128 Bo 47: CSCO 89 49,7–19 (= *Lefort* 114,2–14); S-4 47: CSCO 99 226,17–227,3 (= *Lefort* 301,7–18); S-5 47: CSCO 99 142,26–143,2 (= *Lefort* 244,12–23); S-10: SSCO 99 46a,1–47a,8 (= *Lefort* 26,6–24); G-1 51: *Halkin* 33,14–34,4 (*Festugière* 186); G-2 41: *Halkin* 209,25–210,8 (= *Mertel* 63,26–34).
129 Bo 94: CSCO 89 109,19–115,12 (= *Lefort* 157,5–160,22).

»Was ich gesucht habe, habe ich gefunden«, und entfernte sich wieder. *Theodor* verblieb zwei Jahre in seiner Einsamkeit und *Pachomius* mußte erst durch eine Vision auf den Gedanken gebracht werden, »*Theodor* in eines der Klöster der Umgebung zu schicken.«[130] *Pachomius* rief daraufhin den *Theodor* und schickte ihn in das Kloster Tmouschons-Monchosis.

Andere Viten – vor allem unter dem Einfluß von VTh – biegen diese Begebenheit um in eine bloße Versuchung, der *Theodor* heldenhaft widerstand.[131]

Daß VTh die Notwendigkeit sieht, den VBr-Bericht zu Gunsten des *Theodor* »umzubiegen«, spricht für die Historizität des VBr-Berichtes. Dann aber gilt es, das Verhalten des *Pachomius,* also die harte Strafe der Degradierung und Verbannung, und die lange Weigerung des *Pachomius,* den *Theodor* wieder zu akzeptieren, zu erklären. Wäre *Theodor* wirklich der Lieblingsschüler des *Pachomius* gewesen, und »in allem sein Ebenbild«, so hätte es dem *Pachomius* doch nur recht sein können, wenn die anderen Brüder sich »sein Ebenbild« als Nachfolger erbitten. Auch wenn bei *Theodor* durchaus ein wenig Stolz mit im Spiel gewesen war, so war es doch – unter der Voraussetzung, daß *Theodor* wirklich der Lieblingsschüler des *Pachomius* war – ein dankenswerter Dienst den Brüdern und dem *Pachomius* gegenüber, zu dem sich *Theodor* hier bereit fand. Unter diesen Voraussetzungen wäre also die harte Strafe, die *Pachomius* verhängte, und die auffallende Unversöhnlichkeit des *Pacho-mius* nur sehr schwer erklärbar. Sie stünde sogar in krassem Gegensatz zu der sonst immer wieder berichteten, ungeheuer langmütigen Geduld, die den *Pachomius* auszeichnete.[132] Die Erklärung, die *Steidle* versuchte, daß nämlich *Theodor* durch sein Verhalten den »tiefsten Sinn des klösterli-chen Amtes, das Dienen ist und nicht Herrschen«,[133] verletzt habe, erklärt das eigenartige Verhalten des *Pachomius* nur zum Teil. Vor allem auch deshalb, weil *Pachomius* selbst seine Jünger immer wieder dazu aufgefordert hat, dem Nächsten zu verzeihen.[134] Bedenkt man dazu, daß

130 Bo 95: CSCO 89 115,12–14 (= *Lefort* 160,23–26). Aus der Erzählung läßt sich nicht ganz sicher entnehmen, ob *Theodor* innerlich schon den Schlag seiner Degradierung überwunden hatte, als er nach Tmouschons-Monchosis geschickt wurde. Nun schickt ihn *Pachomius* also ausgerechnet in das Kloster, von dem aus sich später der apollonische Aufstand erheben sollte. Falls *Theodor* wirklich – wie wir vermuten – in seinem »seelen-wunden« Zustand nach Tmouschons-Monchosis kam, war er sicherlich nicht der geeignetste Ratgeber für den Abt *Apollonios* und umgekehrt. Vgl. dazu auch S. 29.

131 *Veilleux,* Liturgie 67.77–79.

132 S-1: CSCO 99 6,14–24 (= *Lefort* 4,37–5,1).

133 B. *Steidle:* Der Oberen-Spiegel im Testament des Abtes *Horsiese,* in: Erbe und Auftrag 43 (1967) 22–38; hier 23 Anm. 11; ders.: Der Heilige Abt *Theodor* von Tabennesi, ebd., 44 (1968) 91–103.

134 *Pachomius* Katechese: CSCO 159 23,21–24 (= CSCO 160 24,31–25,3).

Theodor selbst bei der Niederwerfung des apollonischen Aufstandes in seiner Eigenschaft als Koadjutor des *Horsiese* den Äbten, die in der Tat einen Aufstand angezettelt hatten – im Gegensatz zu *Theodor,* der ja nie einen Aufstand im Sinn hatte –, wesentlich mildere Bußen auferlegt, die ihm *Pachomius* selbst im Traume nennt,[135] so wird noch deutlicher, wie fragwürdig die These von *Theodor* als dem Lieblingsschüler des *Pachomius* ist.

Würde das Verhalten des *Pachomius* durch die begründete Annahme unterschiedlicher Spiritualität der beiden Männer nicht viel besser erklärt werden können? *Pachomius* hat sicherlich die unbestreitbaren Fähigkeiten des *Theodor* auf organisatorischem Gebiet erkannt und geschätzt; sicherlich hat er jedoch genauso gespürt, daß dieser glänzende Organisator *Theodor* ein Christentum lebt, das seinem, des *Pachomius,* ganz und gar nicht entspricht. Für *Pachomius* war der »Fehler des *Theodor*« bestimmt ein willkommener Anlaß zu verhindern, daß er sein Lebenswerk dem *Theodor* anvertrauen mußte.

Genauso verhielt sich *Pachomius* Jahre später auf dem Sterbebett. Kurz vor seinem Tod bat *Pachomius* den *Horsiese,* sich bei den Brüdern umzuhören, wen sie als Nachfolger wünschen.[136] Diese Mission des *Horsiese* blieb ohne Erfolg. *Pachomius* ernannte daraufhin den ebenfalls todkranken *Petronius* zu seinem Nachfolger. Drei Monate, nachdem *Horsiese* dem *Pachomius* auf des *Pachomius* Frage, wen denn die Brüder als Nachfolger wünschten, keine Antwort geben konnte, erklärte derselbe *Horsiese* – inzwischen als Nachfolger des *Petronius* selbst Generalabt – in seiner ersten Ansprache an die Brüder: »wer aber wirklich vor allen dieses Amt verdient hätte, das ist Apa *Theodor,* denn er ist in allem unserem Vater *Pachomius* gefolgt.«[137] Sollte sich die Stimmung in dem damals doch schon recht großen Verband in der Zeit von nur drei Monaten so radikal gewandelt haben? Oder konnte *Horsiese* dem sterbenden *Pachomius* – wider besseres Wissen – einfach nicht sagen, daß die Brüder den *Theodor* als Nachfolger wünschten? Dies müßte dann dahingehend gedeutet werden, daß *Horsiese* wußte oder ahnte, daß *Pachomius* den *Theodor* – wegen zu großer geistlicher Unterschiede – nie zum Nachfolger ernennen würde. Auch *F. Ruppert* weist in seinen Untersuchungen auf diese Widersprüche hin, ohne allerdings eine Lösung anzubieten: »Zweifellos war *Theodor* ein hervorragender Charakter, und es wäre durchaus denkbar, daß *Pachomius* ihn auf dem Sterbebett bat, weiterhin seinen guten Einfluß auf die Brüder

---

135 Vgl. dazu S. 33.
136 S-7: CSCO 99 92,20–93,14 (= *Lefort* 48,35–49,20); G-1 114: *Halkin* 74,36–75,9
    (= *Festugière* 222); Am 646,1–10.
137 S-5 125: CSCO 99 182,1–3 (= *Lefort* 273,10).

auszuüben,[138] denn er besaß wirklich große Fähigkeiten in der Menschenführung. *Pachomius* hatte ihn sicherlich auch deshalb zu seinem Gehilfen gemacht. Wenn er ihn nun trotzdem bei der Nachfolgedesignation so offensichtlich überging, obwohl er ihm seinen Fehltritt bereits verziehen hatte, so schien *Pachomius* doch Bedenken wegen der Person *Theodors* gehabt zu haben, die nur in seiner Eigenart und in seinem Charakter liegen konnten. Trotzdem wird die Frage immer dunkel und unlösbar bleiben, da die Vita auch hier schweigt.«[139] Wir möchten überlegen, ob die von uns aufgezeigten unterschiedlichen Geisteshaltungen – hier das Einhalten einer abstrakten Tugend um ewigen Lohnes willen, und dort der Versuch, ganz einfach als Bruder unter Brüdern solidarisch zu sein – ob diese unterschiedlichen Geisteshaltungen nicht eine Erklärung dafür sein könnten. Allein die Frage, ob *Pachomius* diese Unterschiede deutlich erkannt, oder nur instinktiv gespürt hat, bliebe dann noch offen. Die Tatsache, daß *Pachomius* den *Theodor* zunächst zum Abt von Tabennesi bestellte,[140] ihn dann später ins Mutterkloster Pbow berief und ihn zu seinem persönlichen Koadjutor machte,[141] muß nicht unbedingt, wie *Steidle* meint,[142] darauf hindeuten, daß *Pachomius* den *Theodor* zu seinem Nachfolger wünschte. Ganz im Gegenteil: die »Beförderung« vom Abt zum Koadjutor kann durchaus auch eine Degradierung gewesen sein, oder zumindest dem Wunsch des *Pachomius* entsprungen sein, den *Theodor* »besser unter seiner direkten Aufsicht zu haben.«[143] Daß also *Pachomius* trotz des unbezweifelbaren Wunsches, *Theodor* zu seinem Nachfolger zu haben«, mit »niemandem über seine Nachfolge redete«, braucht nicht – wie *Steidle* meint – ein unlösbares Geheimnis des *Pachomius* gewesen zu sein. Vielmehr läßt sich dieser Widerspruch – geht man von unseren Ergebnissen aus – den tragischen Gewissenskonflikt erahnen, in dem der Ordensgründer gestanden haben muß, der einen jüngeren, organisatorisch hochbegabten Mitbruder hat, der mit der Spiritualität dieses Mitbruders aber ganz und gar nicht im Einklang steht.[144]

---

138 *Ruppert* bezieht sich hier auf die Bitte an *Theodor* in der Sterbestunde des Pachomius.
139 *Ruppert*, Gehorsam 223.
140 Nach Gründung aller Klöster verlegte *Pachomius* den Hauptsitz nach Pbow; dadurch wurde die Abtposition in Tabennesi frei.
141 Bo 78: CSCO 89 83,23–84,7 (= *Lefort* 139,15–25); Am 448,10–11.
142 *B. Steidle:* Der Heilige Abt Theodor von Tabennesi, a. a. O. 93.
143 Vgl. dazu *Ruppert*, Gehorsam 222.
144 Sicherlich in die richtige Richtung weist *Ruppert*, Gehorsam 222, wenn er schreibt: »Die zwei ungewöhnlich harten Bußen, die er [*Pachomius*] *Theodor* auferlegt, und die von den Viten ein wenig abgemildert werden, deuten doch wohl darauf hin, daß *Theodors* Charakter nicht ganz so harmlos war, wie die Viten es manchmal hinstellen. Das Übergehen des *Theodor* bei der Nachfolgedesignation könnte auch die bereits ausgesprochene Vermutung noch wahrscheinlicher machen, daß die Einsetzung des *Theodor* als

Vor dem Hintergrund geistlicher Unterschiede zwischen *Pachomius* und *Theodor* könnte dann aber auch deutlicher werden, wo denn im tiefsten die Ursachen für den apollonischen Aufstand lagen: wenn man Armut – nicht mehr wie *Pachomius* in allererster Linie aus der Solidarität mit den Brüdern heraus versteht, sondern – aus einem asketischen Rigorismus heraus begründet, dann ist ja nicht mehr einzusehen, warum nicht die einzelnen Klöster – unter Umständen auch gegeneinander – Vermögen erwerben können sollten; die einzelnen Mönche sind ja nach wie vor arm; der Zweck der asketischen Armut wäre also erfüllt.

Das würde aber bedeuten, daß *Theodor* den abtrünnigen Äbten des apollonischen Aufstandes innerlich viel näher gestanden wäre als der Gründerabt *Pachomius*. Eine Vermutung, die *B. Steidle* schon im Jahre 1948 einmal geäußert hat,[145] allerdings im Zusammenhang mit der Frage, ob *Theodor* nicht überhaupt den ganzen Aufstand angezettelt haben könnte, um wiederum an die Macht zu kommen. Wir müssen uns schließlich vor Augen halten, daß *Theodor* zunächst Abt in Tabennesi war, dann Koadjutor des *Pachomius* in Pbow, dann degradiert wurde, zwei Jahre in der Verbannung lebte, und erst im apollonischen Aufstand als einfacher Mönch wieder zu Hilfe gerufen und zum Koadjutor des *Horsiese* ernannt wurde.

Könnte man die Frage des Verhältnisses des *Theodor* zu den Äbten des apollonischen Aufstandes – zwar nicht in der Art einer direkten Komplizenschaft, wohl aber – in der Art einer relativ engen geistigen Verwandtschaft beantworten, so würden sich manche andere Fragen um das Verhältnis der beiden, *Pachomius* und *Theodor,* befriedigender klären lassen. Auch einige Fragen zum apollonischen Aufstand selbst würden sich dann eindeutiger beantworten lassen.

Pachomius und seine Vorstellung von der Solidarität

Wir können nun auf der Grundlage dieser breit angelegten Untersuchung den Versuch unternehmen, die Grundzüge einer pachomianischen Spiritualität herauszuschälen. Wir müssen uns dabei vor Augen halten,

---

Gehilfe in der Zentralleitung auch den Sinn gehabt hätte, die Stärke der etwas unausgeglichenen Persönlichkeit mehr unter die direkte Aufsicht des *Pachomius* zu bringen. Vielleicht hatte *Pachomius* im Laufe der Zeit doch Bedenken wegen der Eignung des *Theodor* bekommen und wollte verhindern, daß dieser mit seinem Ehrgeiz und seinem asketischen Rigorismus als Generalabt die ganze Koinonia präge. *Theodor* war eben zu verschieden von der demütigen und gütigen Art des *Pachomius*.«

145 *B. Steidle:* Der Zweite im Pachomiuskloster, in: Benediktinische Monatsschrift 24 (1947) 97–104; hier: 103.

daß es – wie sich gezeigt hat – erhebliche Unterschiede zwischen *Pachomius* und *Theodor* gab, und daß *Horsiese* den Grundanliegen der beiden in etwa gerecht zu werden versuchte.

Die Unterschiede zwischen *Pachomius* und *Theodor* sind – wie wir zeigen konnten – zu einem nicht unerheblichen Teil auf die völlig unterschiedliche Herkunft und den so gänzlich verschiedenen psychischen Reifungsprozeß der beiden Männer zurückzuführen.

Für *Pachomius* selbst müssen wir als unumstößliches, prägendes Erlebnis das Ereignis von Theben ansehen. Die Not der Armen ist der Ausgangspunkt seiner Spiritualität. Dabei handelt es sich in seinem Fall nicht um eine im Gefühl des Mitleids erlebte Not der anderen, sondern um eine am eigenen Leib erlebte Not, die durch das Handeln der anderen gelindert wurde. Sein erster Kontakt mit der Solidarität ist also nicht ein durchdachter, sondern ein emotional durchlebter. Er erlebte Solidarität nicht als eine zunächst gedachte und dann folgedessen praktizierte Hilfe für die Not anderer, sondern als eine von ihm selber am eigenen Leib erfahrene Hilfe von anderen.[146] Die Bedeutung und die emotional tiefe Verankerung, sowie die Normativität, die die Solidarität bei *Pachomius* erhalten sollte, müssen hier ihren Ursprung gehabt haben. Auch die Tatsache, daß sich die Forderung der Solidarität als Kennzeichen pachomianischer Geistigkeit durch alle Entwicklungsstufen des *Pachomius* durchhält, muß hier ihren Grund haben.

Sowohl durch Vorleben, als auch durch direkte oder indirekte Mahnungen, symbolische Handlungen und Anweisungen an seine Brüder, brachte er dann in seinem Leben immer wieder zum Ausdruck, worum es ihm letztlich geht: mit den Brüdern zusammen Bruder zu sein, für andere da zu sein, das ist das Grundprinzip seines Lebens, und von daher leiten sich erst alle weiteren Forderungen ab.[147]

Ein Leben auf der Grundlage dieses Prinzips der Solidarität bedeutet für *Pachomius* konkret:

---

146 Vgl. dazu auch die Berufungsgeschichte des anderen bedeutenden Mönchsvaters jener Zeit: *Antonius*. *Antonius* war ein wohlhabender Bürger, der sein Vermögen herschenkte; *Pachomius* war ein armer Rekrut, der von den – ihm bis dahin unbekannten – Christen Solidarität erlebte.

147 Auch *H. Bacht* hat diese Sorge um den Bruder, diese Verantwortung für den Nächsten als das entscheidende Spezifikum pachomianischer Spiritualität im Vergleich zu den zeitgenössischen Anachoreten herausgestellt. Vgl. dazu: *H. Bacht: Antonius* und *Pachomius. Von der Anachorese zum Coenobitentum*, in: *B. Steidle:* (Hrsg.): *Antonius Magnus Eremita*, Rom 1956, 66–107; ebenso auch: *Ruppert*, Gehorsam, 348.
Ein Anachoret sucht und findet ja sein persönliches Heil. Eine Sorge um den Mitbruder ist dem Einsiedler fremd (muß es ihm ja von seinem Ansatz her auch wohl sein). Er persönlich wählt für sich persönlich seinen persönlichen Weg zu seinem persönlichen Heil. Daher konnten auch die Anachoreten auf die sehr stark individualistisch geprägten Vorstellungen der zeitgenössischen Askese viel leichter eingehen als etwa *Pachomius*. (Vgl. dazu auch die Seiten 89–93).

(a) Das Wohl der Brüder ist Bezugspunkt seines Handelns und nicht ein abstraktes Ideal.

In seinen Katechesen lehrt *Pachomius*, daß Armut, die Kummer und böses Gerede zur Folge habe, keine Armut sei,[148] und daß Armut ein Mittel sei, um gegen den Bruderhaß und gegen den Streit anzukämpfen.[149] Auch in einer bildlich-mythischen Sprache muß *Pachomius* dieses Anliegen seinen Mönchen nahegebracht haben. Die Viten wissen von folgender Vision des *Pachomius* zu berichten: Unter den Brüdern des *Pachomius* lebten zwei Mönche, ein junger und ein alter. Von dem jungen heißt es, er fastete jeden Tag bis zum Abend, und wenn jemand ihm ein schlechtes Wort sagte, war er nicht verärgert, sondern dachte an seine eigenen Fehler. So lebte er gottesfürchtig und starb nach vier Monaten. Dann ist von jenem alten Mönch die Rede, der täglich ein Büßerhemd trug, und, wenn er überhaupt etwas zu sich nahm, dann nur Brot und Salz, der aber, wenn jemand etwas gegen ihn hatte, andere seinen Zorn spüren ließ, solange bis er dem anderen irgendetwas angetan hatte. Auch jener alte Mönch starb. *Pachomius* nun sah in einer Paradies-Vision auch die beiden Möche: den jüngeren sah er im Paradies in Ruhe und Frieden. Am Ende seines langen visionären Ganges durch das Paradies sah *Pachomius* auch den älteren Mönch, an einem wüsten Ort, an einen Baum gebunden wie einen Hund, ohne daß er davon loskommen konnte.[150]

Auch aus dieser mythischen Schilderung wird deutlich, wo für *Pachomius* der Bezugspunkt des Handelns lag: nicht in einem asketischen Ideal, sondern im friedlichen Zusammenleben der Brüder. Wenn es für *Pachomius* – ausweislich seiner Katechesen und ausweislich der Viten-Berichte über sein Leben – überhaupt noch einen zweiten Bezugspunkt für sein Handeln gab, dann war es die – wiederum mit der Solidarität zusammenhängende – Forderung, den Stolz unter allen Umständen zu meiden. So rief er den Brüdern, die, nachdem *Pachomius* den jungen *Theodor* mit dem Halten der Katechesen beauftragt hatte, aus Verärgerung darüber den Saal verlassen hatten, zu: »Wirklich, das schwöre ich denen, wenn sie sich nicht ändern und von ihrem Stolz umkehren, wird das Leben für sie ein einziges Leiden sein.«[151] Auch *Pachomius* selber war sehr verärgert darüber, wenn ihm mehr Ehre angetan wurde, als es einem Bruder, der unter den Brüdern solidarisch sein wollte, seiner Meinung nach zukam. Eine Frau hoffte durch *Pachomius* vom Blutfluß geheilt zu werden, wenn sie nur sein Gewand berührte. Als *Pachomius*

---

148 CSCO 159 4,8 (=CSCO 160 4,12).
149 Vgl. dazu S. 39.
150 Vollständig: Am 545,4–548,1; lückenhaft: S-7: CSCO 99 86,1–87,10 (= *Lefort* 44,5–45,3); vgl. dazu auch: *Lefort* 11,13–25.
151 Bo 69: CSCO 89 72,21–23 (= *Lefort* 132,3–6).

nach der tatsächlich erfolgten Heilung davon erfuhr, war er »sehr traurig«.[152]

Selbst Sünden der Unkeuschheit treten im Vergleich zu Sünden gegen die Solidarität bei *Pachomius* in den Hintergrund. Als *Pachomius* – offensichtlich wegen einer vorgefallenen Verfehlung gegen das sechste Gebot – in ein Kloster kam, sprach er zu den Mönchen »über alles, was dem Heil entgegensteht; nicht nur in bezug auf die Keuschheit, sondern auch über die anderen Versuchungen: Machtstreben, Zaghaftigkeit, Haß gegen den Nächsten und Liebe zum Geld.«[153] Bedenkt man den Anlaß des Besuches, so wird aus der massiven Nachschiebung der Sünden gegen die Solidarität wiederum deutlich, welchen beinahe absoluten Wert die Solidarität für *Pachomius* hatte.

(b) *Pachomius* ordnet sich – auch als Vorsteher der gesamten Gemeinschaft – wie ein Bruder anderen Brüdern unter.

Besonders deutlich wird dies in der Erzählung, als *Pachomius* einmal krank war und in das Krankenrevier gebracht wurde. Dort befand sich ein Bruder, der offensichtlich von den mit der Krankenpflege betrauten Brüdern nicht seinen Wünschen entsprechend behandelt wurde. Als der kranke Bruder sich daraufhin zu *Pachomius* tragen ließ, fuhr dieser die Krankenpflegebrüder an: »O ihr, die ihr auf die Person schaut[154] wo ist bei euch die Furcht Gottes: du sollst deinen Nächsten lieben, wie dich selbst.« Und weiter unten fährt er dann fort: »Nein, es gibt keinen Unterschied unter den Kranken!« Und erst nachdem der Bruder erhalten hatte, was er wünschte, war auch *Pachomius* bereit nun seinerseits etwas zu essen.[155] Die S-7-Vita betont ausdrücklich, daß *Pachomius* auch auf dem Sterbebett »behandelt wurde, wie alle anderen Brüder.«[156]

Als *Pachomius* einmal von Pbow nach Tabennesi ging – damals war dort *Theodor* Abt – setzte er sich dort unmittelbar nach seiner Ankunft, um wie die anderen Brüder auch Matten zu flechten. Da trat ein junger Bruder zu ihm und machte ihn darauf aufmerksam, daß man hier in

---

152 Alle folgenden Viten berichten dieses Ereignis. Von einer Verärgerung wissen zu berichten: S-5 41: CSCO 99 139,4–24 (= *Lefort* 240,28–241,13); S-4 41: CSCO 99 221,20–222,14 (= *Lefort* 297,22–298,8); Am 558,1–9 (Am erwähnt sogar, *Pachomius* sei »bis an sein Lebensende darüber traurig« gewesen).
Von einer Verärgerung des *Pachomius* darüber wissen nichts: G-1 41: *Halkin* 25,19–26,2 (= *Festugière* 181); G-2 36: *Halkin* 204,11–205,5 (= *Mertel* 58,32–59,15); Dion 34: *Cranenburgh* 164,34,1–166,34,18.
153 G-1 96: *Halkin* 64,12–22 (= *Festugière* 209).
154 *Pachomius* war gerade in diesem Augenblick etwas zu Essen gebracht worden.
155 Bo 48: CSCO 89 50,5–51,10 (= *Lefort* 114,26–115,23); S-4 48: CSCO 99 227,14–228,13 (= *Lefort* 301,29–302,22); S-5 48: CSCO 99 143,14–144,7 (= *Lefort* 244,34–245,27).
156 G-1 115: *Halkin* 75,10–20 (= *Festugière* 222); S-7: CSCO 99 92,2–19 (= *Lefort* 48,21–34); vgl. dazu S. 80, wo wir genauer auf diese Stelle eingehen.

Tabennesi nach einer Anweisung *Theodors* die Matten anders flechte.
»Sofort stand *Pachomius* auf und sagte zu dem Bruder: ›Komm, setz dich und zeig es mir!‹ Als der junge Bruder es ihm gezeigt hatte, setzte sich unser Vater *Pachomius* von neuem und arbeitete froh weiter, weil er den Stolz besiegt hatte.«[157] Ausdrücklich kommt Pachomius auf die Solidarität zu sprechen in jener Szene, als er den jungen *Theodor* mit dem Halten der Katechesen beauftragt hatte, und die älteren Brüder dagegen aufbegehrten. Nach dem kleinen Aufruhr sagte *Pachomius* zu den Brüdern: »Die Worte, die er uns sagte, sind das nicht die Worte des Herrn der Welt? Wir hören doch den Herrn sagen: wer ein Kind in meinem Namen aufnimmt, der nimmt mich auf. Übrigens habe ich mich selbst unter euch nicht immer so gehalten wie einer von euch?«[158]

Jegliche Besserstellung seiner Person lehnte *Pachomius* ab. Einmal begründete er dies so: »Das Evangelium legt uns doch auf, einander Diener zu sein, und nicht uns bedienen zu lassen.«[159] Als einmal ein Bruder ihm eine Last tragen helfen wollte, lehnte er es ab mit der Begründung: »Das kommt nicht in Frage, denn es steht über den Vorgesetzten geschrieben, daß er in allem den Brüdern gleich sein soll.«[160]

Aus demselben Grund lehnte *Pachomius* auch die Priesterweihe für sich und seine Brüder ab. Er wollte in seinem Kloster keinen geweihten Priester haben. Zur Eucharistiefeier kam sonntags ein Priester von auswärts ins Kloster.[161]

(c) *Pachomius* sieht im Dienst an den Brüdern sowohl den Sinn, als auch die Grenze asketischen Lebens.

Dies machte *Pachomius* deutlich, als ihn eines Tages *Theodor* fragte, warum die Mönche nicht alle sechs Tage der Karwoche fasteten, sondern

---

157 Bo 72: CSCO 89 73,27–74,14 (= *Lefort* 133,1–14); S-4 72: CSCO 99 238,29–239,14 (= *Lefort* 310,20–32); Am 441,5–442,6; G-1 86: *Halkin* 58,9–19 (= *Festugière* 204); G-2 79: *Halkin* 256,20–257,2 (= *Mertel* 108,33–109,7); Dion 47: *Cranenburgh* 212,47,28–39; *F. Ruppert*, Arbeit und geistliches Leben im pachomianischen Mönchtum, in: Ostkirchliche Studien 24 (1975) 8–12; hier: 5, bemerkt zu dieser Stelle: »offenbar betrachtete *Pachomius* es als einen Akt der Solidarität mit den arbeitenden Brüdern«.

158 Bo 69: CSCO 89 72,11–14 (= *Lefort* 131,19–23); S-4 69: CSCO 99 237,18–23 (= *Lefort* 309,13–15); S-10: CSCO 99 70a,22–27 (= *Lefort* 34,6) – sehr lückenhaft; Am 431,9; G-1 77: *Halkin* 52,17–18 (= *Festugière* 200); G-2 53: *Halkin* 223,3–224,12 (= *Mertel* 77,1–78,18); G-2 berichtet die Mahnrede des Pachomius zwar auch, jedoch viel ausführlicher und mit viel Bibelzitaten, aber ohne den entscheidenden Hinweis auf das Solidaritätsbeispiel des *Pachomius*.

159 Bo 98: CSCO 89 122,22–25 (= *Lefort* 166,8–9); Am 485,4–6.

160 Am 399,10–400,3; an dieser Stelle wird aus dem Text allerdings nicht ganz deutlich, wer mit »er« gemeint ist, *Pachomius* oder *Theodor*.

161 *Pachomius* wollte nicht, daß Neid und Ruhmsucht dadurch ins Kloster einzögen: Bo 25: CSCO 89 24,23–25 (= *Lefort* 96,10–12); G-1 27: *Halkin* 16,28–17,8 (= *Festugière* 178); Am 372,2–3.

lediglich die zwei letzten. *Pachomius* antwortete ihm: »Die Regel der Kirche ist, daß nur an den beiden letzten Tagen gefastet wird, damit wir die Kraft behalten, Dinge auszuführen, die uns aufgetragen sind ohne dabei in Schwäche zu verfallen, d. h. das dauernde Gebet, Nachtwachen, die Rezitation des Gesetzes Gottes und unsere Handarbeit, über die er uns in den Heiligen Schriften Anweisungen gibt, und die es uns erlaubt, unsere Hände den Bedürftigen auszustrecken.«[162] Asketisches Streben ist also für Pachomius eindeutig begrenzt. Es hat seine Grenze in den sonstigen Verpflichtungen des Mönchs. Besonders bedeutsam – da mit einer eigenen Begründung versehen – ist unter diesen Verpflichtungen die Handarbeit; und diese Handarbeit wiederum wird gerade mit der Solidarität begründet, »da sie es uns ermöglicht, unsere Hände den Bedürftigen auszustrecken.« Die Solidarität – mit den Bedürftigen – ist *Pachomius* also die Begründung und auch die Grenze asketischen Lebens.

(d) *Pachomius* wehrt sich entschieden gegen alle anders Motivierten Lebensformen und lehnt insbesondere jeden asketischen Rigorismus entschieden ab.

Ausgewogenheit und Maß sind danach die Kennzeichen pachomianischen Geisteslebens.[163] So hörte *Pachomius* einmal von einem Bruder, der ein Gelübde abgelegt hatte, an Ostern zu fasten, der dann aber krank wurde und sich nun auch als Kranker weigerte, an Ostern die erlaubten Speisen zu essen. Diesem Bruder riet *Pachomius:* »Alle Tage sind von Gott; der, der den Menschen geheißen hat, Ostern zu feiern, ist derselbe, der ihm auch die Krankheit geschickt hat. Sei ohne Furcht, es ist für dich keine Sünde, wenn du Speisen zu dir nimmst, die den Kranken erlaubt sind.«[164] Als er eines Tages mit einigen jüngeren Brüdern nach Tmouschons-Monchosis unterwegs war, schlug er diesen Brüdern vor, die Nacht durchzuwachen. Einer der Brüder aber schlief ein. Der Abt *Cornelios* von Tmouschons-Monchosis verspottete, als er davon erfuhr, diesen jungen Bruder, da dieser sich »von einem alten Greis besiegen« ließ. *Pachomius* witterte hinter diesem Spott offenbar eine Auffassung von Askese als Leistung. Darum lud er in der folgenden Nacht den

---

162 Bo 35: CSCO 89 38,2–20 (= *Lefort* 105,31–106,13); S-20: Le Muséon 54 (1941) 138 (= *Lefort* 20,5–7); Am 394,2–9.
163 *Lefort* IV: Kennzeichen pachomianischen Denkens sei die Einsicht, daß die Zahl und die Art der Übungen – oft bis zur Kauzigkeit gesteigert – sicherlich die höchst ungeeigneten Mittel zur Erlangung der Vollkommenheit seien. Vgl. dazu auch: *J. Leipoldt:* Pachôm, in: Bulletin de la Société d'Archéologie Copte 16 (1961/62) 191–229; hier: 226; *St. Schiwietz:* Das morgenländische Mönchtum, a. a. O. I 213.
164 Am 565,7–566,1.

Cornelius ein, mit ihm, *Pachomius*, durchzuwachen. Als dann *Cornelius* am anderen Morgen ziemlich ermattet nach dem Grund fragte, gab ihm *Pachomius* lapidar zur Antwort:»Ich wollte nicht, daß ein alter Greis dich besiegt.«[165]

Von einem anderen Bruder wird berichtet, der ausgedehnte asketische Übungen pflegte. Pachomius ermahnte ihn daraufhin, da er sah, daß der Bruder das »nicht für Gott machte, sondern vergänglichen Ruhmes wegen«.[166] *Pachomius* erinnerte diesen Bruder an die Stelle aus dem Johannes-Evangelium:»Ich bin nicht gekommen meinen Willen zu tun, sondern den Willen dessen, der mich gesandt hat.« Für diesen Bruder ordnete *Pachomius* an, daß er, wenn die anderen zum Essen gehen, mit ihnen gehen sollte; er solle auch zusammen mit ihnen essen; es brauche ja nicht bis zur vollen Sättigung sein, aber etwas solle er auf jeden Fall essen. Ein Weilchen befolgte dieser Bruder den Rat des *Pachomius,* fiel dann aber wieder in seinen alten asketischen Rigorismus zurück. Dieser Rigorismus wird in der Erzählung als ein Dämon geschildert, der erst nach gemeinsamen Anstrengungen von *Pachomius* und *Theodor* geheilt werden konnte.[167]

Besonders reizvoll im Umgang mit diesen sehr alten Zeugnissen christlichen Lebens ist es, feststellen zu können, wie wenig spekulativ durchdrungen – und darum original und lebensecht – die Begründungen für christliches Leben hier noch sind. Die Begründungen, die *Pachomius* für seine Forderung nach Solidarität seinen Brüdern darbot, wissen noch nichts von einer möglichen christologischen Begründung der Solidarität aus der in Christus verwirklichten Solidarität Gottes mit dem Menschen. (Das Konzil von Nicäa fand ja erst statt und das von Konstantinopel lag noch in weiter Ferne.) *Pachomius* weiß auch noch nichts von einer möglichen Begründung der Solidarität aus der Solidarisierung Jesu mit dem (abstrakten) Menschen an sich. Es fällt ins Auge, daß die sich eigentlich, von unserem Verständnis her geradezu anbietende Schriftstelle:»Was ihr dem Geringsten meiner Brüder getan habt, das habt ihr mir getan«,[168] in den pachomianischen Texten überhaupt nicht zitiert wird. Dieser Satz erforderte offenbar ein Maß an systematischer Durchdringung des Problems, um von der Solidarisierung Jesu mit allen Geringen der Welt die Forderung der Solidarität der Brüder untereinander abzuleiten, zu dem die Pachomianer nicht bereit oder nicht in der Lage waren. Der in seiner Transferleistung viel einfachere Satz:»Du sollst

---

165 Bo 59: CSCO 89 58,28–59,16 (= *Lefort* 122,5–20).
166 Bo 64: CSCO 89 64,10–12 (= *Lefort* 125,28–29).
167 Bo 64: CSCO 89 64,8–66,4 (= *Lefort* 125,26–126,33).
168 Mt 25,40.

deinen Nächsten lieben, wie dich selbst«[169] wird dagegen gerne zur Begründung für die Solidarität herangezogen.[170] Mit dieser direkten, jeder theologischen Abstraktion abgeneigten Begründung der Solidarität hängt es auch zusammen, daß *Pachomius* seinen Brüdern nie längere Ausführungen und Begründungen zum Thema Solidarität bietet. Ein ganz einfacher Satz aus dem Evangelium genügt: das gehört sich für einen Bruder. Eine Begründung soteriologischer Art etwa, da Christus uns ja alle erlöst habe, oder eine schöpfungstheologische Begründung, da Gott ja alle Menschen gleichermaßen geschaffen habe, wird man in den pachomianischen Texten vergeblich suchen. Die wechselseitige Beziehung der Brüder untereinander war für *Pachomius* eine nicht weiter zu hinterfragende Tatsache und hat zur Folge, daß für sein Verständnis ein Bruder für den anderen einstehen muß, daß Bruder nur der sein kann, der nicht mehr hat und nicht mehr sein will als der andere Bruder, der also den Stolz und die Ruhmsucht meidet,[171] und der – auch als Vorgesetzter – für seine Brüder einzustehen bereit ist.[172]

Ein wenig erahnen lassen zwei Gedanken, daß die pachomianische Solidaritätsforderung auch auf einem höheren Reflexionsniveau diskutiert werden könnte. Aber diese systematischen Weiterentwicklungen sind bei *Pachomius* nur andeutungsweise vorhanden. Die eine Andeutung einer systematischen Weiterführung finden wir, wenn *Pachomius* die Solidarität aus der Fehlerhaftigkeit und Sündhaftigkeit aller herleitet: keiner hat ein Recht – berücksichtigt er seine eigene Fehlerhaftigkeit – sich über andere zu beschweren.[173]

Eine weitere Andeutung intensiverer theologischer Durchdringung der Solidaritätsforderung findet sich bei *Pachomius* dort, wo er den Gedanken verarbeitet, daß die Beziehung zum Bruder etwas mit dem Verhältnis zu Gott zu tun habe.[174] Diese beiden weiterführenden theologischen Begründungen sind aber bei *Pachomius* nur sehr schwach ausgebildet; viel stärker ist der von der Praxis ausgehende Motivstrang, wonach es einfach eine – sicher im Konversionserlebnis des *Pachomius* verankerte – Forderung ist, für die anderen da zu sein, ihnen zu dienen, was *Pachomius* in der Forderung Jesu, den Nächsten zu lieben, ganz direkt wiedererkennt.

---

169 Mt 19,18.
170 Bo 48: CSCO 89 50,20–23 (= *Lefort* 115,9); S-5 48: CSCO 99 143,27–29 (= *Lefort* 245,14); S-4 48: CSCO 99 227,28–228,1 (= *Lefort* 302,10).
171 Vgl. dazu auch S. 39.
172 Vgl. in diesem Zusammenhang auch die Mahnung des *Horsiese* an alle Oberen, daß der Vorgesetzte sich mitschuldig mache an der Verfehlung eines Untergebenen, wenn sich der Vorgesetzte des Untergebenen nicht in allen Angelegenheiten der Untergebenen annimmt. (Vgl. dazu S. 45–46).
173 Vgl. dazu S. 40.
174 Vgl. dazu S. 38.

(e) Der Solidaritätsbegriff des *Pachomius*

Nach dem Gesagten kann das, was *Pachomius* unter Solidarität verstand, nicht in einem systematischen Begriff zusammengefaßt werden. Dazu ist die pachomianische Solidaritätsforderung zu wenig systematisch durchgearbeitet und viel zu direkt dem konkreten Leben in jenen Jahren, in jener Gegend verhaftet. Es ist lediglich der Versuch möglich, den Weg, den die pachomianische Solidaritätsforderung genommen hat, nachzuzeichnen und dabei aufzuzeigen, welche Transformationen diese Forderung bis zu ihrer endgültigen Ausformung durchgemacht hat. Wir glauben dabei zwei Elemente der pachomianischen Solidaritätsforderung unterscheiden zu können, die beide eine doppelte Transformation durchmachten:

Ausgangspunkt wird das Konversionserlebnis sein müssen. *Pachomius* erlebte einen Dienst am Notleidenden. Der Notleidende war er selbst; und dieser Dienst wird ihm aus dem Christentum begründet. (Dabei darf noch in Frage gestellt werden, ob der Heide *Pachomius* so genau wußte, was man unter Christentum zu verstehen habe.) Den *Dienst am Notleidenden* wollen wir als das erste Element pachomianischer Solidarität bezeichnen.[175] Dieser Dienst am Notleidenden hat für *Pachomius* – ausweislich der Viten – eine irgendwie geartete *Rückbindung an das Christentum*. Sicherlich nicht an ein Christentum auf hohem theologischem Reflexionsniveau, sondern an ein ganz schlichtes, unreflektiertes und ganz einfach aus normativen Sätzen der Heiligen Schrift abgeleitetes Christentum.[176] Ein Christentum also, das mehr als ein persönliches, emotional begründetes Verhältnis des Einzelnen zu besonderen Sätzen der Schrift, denn als rational begründetes Lehrgebäude zu verstehen ist. Diese Rückbindung an das Christentum in diesem Sinne sehen wir als das zweite Element pachomianischer Solidarität.

Diese beiden Elemente pachomianischer Solidarität erfahren im Laufe der persönlichen Entwicklung des *Pachomius* eine doppelte Transformation: besteht die Rückbindung an das Christentum zu Beginn noch in einer unreflektierten Bindung an konkrete Sätze aus der Heiligen Schrift, so kommt im Zuge der Entwicklung des *Pachomius* eine Bedeutung für das eigene Heil des *Pachomius* hinzu. *Pachomius* durchläuft also eine Entwicklung, die geprägt ist von der Spannung zwischen dem schlicht geforderten Dienst für den Nächsten und der Sorge für das eigene Heil; er kommt dabei zu dem Ergebnis, daß sein *eigenes Heil und der Dienst für die*

---

175 Vgl. dazu die Untersuchungen von *Ruppert*, Gehorsam 11–41.
176 Sätze aus der Heiligen Schrift sind *Pachomius* ganz einfach nicht mehr hinterfragbare Anordnung: ».. . Dinge auszuführen, die uns *aufgetragen* sind, .. . und die Rezitation des Gesetzes Gottes und unsere Handarbeit, über die es in der Heiligen Schrift *Anordnungen* gibt.

Notleidenden wechselseitig miteinander verbunden sind. Sein Ausgangs-punkt war der *Dienst am Nächsten* in Pesterposen.[177] Diesen Dienst gibt er auf, um in der Wüste *sein Heil* als Asketenschüler bei *Palamon* zu suchen.[178] Und aus der Wüste kehrt er wieder zurück als Mönchsvater, der die aus dem eigenen Heil begründete Forderung des Dienstes am anderen zur Grundlage seiner Klöster macht. Deutlich wird diese Transformation auch in den verschiedenen Träumen und Visionen. In der Taufnacht träumt *Pachomius,*[179] daß Tau *auf ihn* herabkommt und sich dann als Honig *für die anderen* ausbreitet.[180] Die Vision bei der Gründung von Tabennesi weist in dieselbe Richtung. Es wird ihm dort durch einen Engel mitgeteilt: »Es ist der Wille Gottes, den Menschen zu dienen.« Jenen Willen zu suchen, aber war gerade *Pachomius* in die Wüste gezogen.[181] Die zehn Jahre zwischen der Taufnacht und der Gründung von Tabennesi müssen wir als eine Zeit ansehen, in der gerade diese Spannung zwischen dem Ideal des Dienstes am anderen und dem Ideal der Heilsgewinnung für sich selber von *Pachomius* verarbeitet wurde.

Das Ergebnis dieser Entwicklung war die Forderung der Solidarität. Aus dem schlicht aus der Heiligen Schrift abgeleiteten Dienst am Mitmen-schen wird ein aus dem Willen Gottes und dem persönlichen Heil begründeter Dienst am Menschen: aus dem Sozialmotiv wird ein Solidaritätsmotiv.

Eine zweite Transformation erhielt dieses Ideal der Solidarität in den ersten Jahren in Tabennesi. *Pachomius* wurde von seinen ersten Schülern überhaupt nicht verstanden. Sie glaubten, einen »Dummen« gefunden zu haben, der gegen geringe Arbeit für sie den Haushalt führt und sie versorgt. *Pachomius* erkannte, daß er mit dem – rein materiell verstande-nen – Dienst für den Nächsten gerade diesem Nächsten keinen Dienst erwies; er mußte seine ersten Schüler fortschicken.[182]

Erst als *Pachomius* dann in einer, gewissermaßen zweiten Gründung von Tabennesi bewußt auch die Verantwortung für die *geistliche Entwicklung* der Brüder übernahm, entstand das Monasterium. Aus dem leiblichen Dienst wurde ein Dienst der Verantwortung für die geistliche Entwick-lung.[183] Mit dieser zweiten Transformation nun ist der Solidaritätsbegriff

---

177 Bo 8: CSCO 89 6,3–7,20 (= *Lefort* 83,10–84,14).

178 Bo 10: CSCO 89 7,20–8,7 (= *Lefort* 83,22–28).

179 Diesen Traum vergaß er später wieder, so daß ihn der Engel erst wieder daran erinnern mußte.

180 Bo 8: CSCO 89 6,17–24 (= *Lefort* 83,22–28).

181 S-3: CSCO 99 107,9–31 (= *Lefort* 60,25–61,18).

182 S-1: CSCO 99 6,14–24 (= *Lefort* 4,37–5,1).

183 *Ruppert,* Gehorsam 41, verlegt diese Entwicklung in die Zeit bei *Palamon.* Zur Verantwortung der Brüder füreinander äußert sich *Ruppert* in ähnlichem Sinn, S. 347–355.

entstanden, der zum tragenden Prinzip des Pachomianertums werden sollte:

das Brudersein, ausgeformt in einer gegenseitigen Verantwortung, die als Dienst am Bruder verstanden wird; und zwar sowohl auf materiellem, wie auch auf geistlichem Gebiet.
Dieser Dienst ist in der Heiligen Schrift begründet und heilsbedeutend für jeden Bruder selbst. Die so verstandene Solidarität ist Norm und Grenze pachomianischen Handelns.

(f) Folgerungen aus dem pachomianischen Solidaritätsbegriff

Kein Bruder kann demnach ohne – oder gar gegen – die anderen Brüder sein Heil durch asketische Höchstleistungen erwerben. Jeder asketische Rigorismus wird daher von *Pachomius* abgelehnt. Für alle Brüder gilt das gleiche Prinzip der Unterordnung untereinander, und darum auch das Prinzip der Gleichheit. Aus dieser, der Solidarität entsprungenen Gleichheitsforderung unter den Brüdern ergibt sich dann auch für *Pachomius* die Forderung der Armut. Die Ausgestaltung der Armutsforderung bei Pachomius gibt ganz deutlich zu erkennen, daß sie im Grunde genommen diesem geistlichen Prinzip entstammt.[184]
Im übrigen haben alle asketischen Bemühungen dort ihre Grenze, wo sie dem Mitbruder oder der Gemeinschaft nicht mehr dienen. Dadurch wird Askese bei *Pachomius* nicht etwa gering geachtet, sie wird lediglich durch die Solidaritätsforderung begrenzt. Ein Individualismus, wie er der klassischen Askese auf weite Strecken eigen ist, hat in der Vorstellung des *Pachomius* keinen Platz. Schließlich kann es aus diesem Solidaritätsverständnis heraus auch kein losgelöstes Heil des Einzelnen losgelöst vom Heil der Mitbrüder geben; ebensowenig ein vom Wohl des Gesamtverbandes losgelöstes Wohl des Einzelklosters.
Für diese das Zönobium letztlich konstituierende Solidarität gebrauchen die pachomianischen Schriften das Wort *Koinonia*.[185] Dieses Wort wurde dann auch logischerweise synonym für »Kloster« und »Ordensgemeinschaft«. Die Verwirklichung der *Koinonia* – in des Wortes doppelter Bedeutung, als solidarische Gemeinschaft und als eine ganz bestimmte Form des geordneten Zusammenlebens der Mönche untereinander – war oberstes Prinzip, von dem sich alle weiteren Normen und Vorschriften ableiteten. *Lefort* spricht von der *Koinonia* als »*le premier article du crédo de Pachôme et de ses premiers successeurs*«.[186]

---

184 Vgl. dazu S. 84–88.
185 Zum Gebrauch des griechischen Wortes »koinonia« in der profanen Umwelt des *Pachomius* vgl.: *M. San Nicolò:* Ägyptisches Vereinswesen zur Zeit der Ptolemäer und Römer, Bd. II, München 1915 ²1972, 199.
186 *L. Th. Lefort:* Einleitung zu CSCO 159, XIII.

Wenn *Koinonia* dieses Gewicht und diese Bedeutung hatte, dann wurde dieses Wort selbstverständlich im pachomianischen Sprachgebrauch zu mehr als einem Ausdruck für das Zusammenleben. In einem Gebet spricht *Pachomius* geradezu von einer Art Präexistenz der *Koinonia*[187], und ein Mönch, der um Aufnahme bat, sprach einmal davon, daß die »Koinonia dem *Pachomius* von Gott gegeben wurde«.[188]

---

187 Bo 108: CSCO 89 149,15–17 (= *Lefort* 186,22–23).
188 Bo 56: CSCO 89 55,16–19 (= *Lefort* 119,17–19).

4 Die Armut

Entwicklung und Formen der Armut bei Pachomius

Die für diesen Abschnitt vorgesehene Zusammenstellung der uns vorliegenden Nachrichten über die konkreten Armutsformen bei *Pachomius* beschränkt sich auf die Nachrichten aus den Viten. Nach den umfangreichen, vergleichenden Untersuchungen von *Veilleux* scheint es nicht mehr gerechtfertigt zu sein, Informationen aus den Viten und Informationen aus den Regeln auf die gleiche Stufe zu stellen. *Veilleux* legt dar, daß aus den Regeln ein anderer Entwicklungsstand des pachomianischen Mönchtums uns entgegentritt, als aus den Viten. Nach den Untersuchungen von *Veilleux* kann als gesichert gelten, daß die Regeln einen späteren Zustand des Pachomianertums als Hintergrund haben. Dies aber war gerade die Zeit, in der es über die Armut unter den Nachfolgern des *Pachomius* zum Streit kam.[1]

Es würde uns bei unserer Untersuchung darum wenig helfen, würden wir zur Basis unserer Untersuchungen ausgerechnet die Texte nehmen, die aus einer Zeit stammen, in der die Armut unter den Pachomianern schon strittig war. Die Formen der Armut bei *Pachomius* und den ersten Jüngern lassen sich also viel klarer aus den Viten erheben.

In dieser ersten, von den Viten erfaßten Zeit durchläuft die Armut bei *Pachomius* und den ersten Pachomianern, ausweislich der Viten, vier Stadien:

– die »Armut« des Einsiedlers *Pachomius* in Pesterposen,
– die »Armut« der beiden Asketen *Palamon* und *Pachomius,*
– die Armut der sich bildenden Mönchsgemeinde,
– die Armut des sich ausformenden Klosterverbandes.

Es fällt auf, daß in den ersten beiden Stadien von Armut des *Pachomius* selbst überhaupt nicht die Rede ist. In den hier zur Verfügung stehenden Texten wird nie davon gesprochen, daß *Pachomius* oder *Palamon* »arm« gewesen seien. Ganz im Gegenteil: *Pachomius* und *Palamon* scheinen durchaus ihr – wenn auch bescheidenes – Auskommen gehabt zu haben. »Arm« werden an den hier einschlägigen Stellen lediglich die »Armen« genannt, für die *Pachomius* – zunächst allein, später zusammen mit *Palamon* – Sorge trägt. »Er ließ sich dort nieder und baute etwas Gemüse und Dattelpalmen an für seinen Lebensunterhalt und für die Armen aus dem Dorf, oder für des Wegs kommende Fremde.«[2] Ebenso wird dann,

---

1 *Veilleux*, Liturgie, 131–133.
2 Bo 8 CSCO 89 6,5–9 (= *Lefort* 83,12–15).

als *Pachomius* zu *Palamon* wegzieht, berichtet, daß *Pachomius* seine Gemüsepflanzen und seine Dattelpalmen einem anderen Mönch übergeben habe, »damit dieser sich ein bißchen um das Gemüse und die Dattelpalmen kümmere, im Hinblick auf die Bedürfnisse der Armen«.[3] Auch noch in den Berichten über die Zeit bei *Palamon* sind die »Armen« die anderen. Die Viten berichten hierzu einen Ausspruch des *Palamon*: »Was über unseren Lebensunterhalt hinausgeht, geben wir den Armen nach der Mahnung des Apostels.«[4] Aufschlußreich ist auch der Wortgebrauch an diesen Stellen: Das dort verwendete Wort für »Armer – arm«, *heke*, bohairisch: *heki*, bedeutet[5] im Grunde genommen »Hungriger«. *Pachomius* und *Palamon* hatten also jeden Tag ihr Essen; sie betrachteten sich somit nicht als arm. Arm waren die, die nichts zu essen hatten, und für die *Pachomius* und *Palamon* sorgten.

Pachomius und *Palamon* haben für den eigenen – sicherlich sehr bescheidenen – Lebensunterhalt selbst gesorgt. Eine Nachricht, daß sich *Pachomius* in dieser ersten Zeit ausdrücklich der Armut verschrieben hätte, fehlt.

Was die Zeit in Pesterposen und bei *Palamon* betrifft, so war Armut kein Spezifikum pachomianischen Lebens; wohl aber die Sorge für die Notleidenden; ein Zusammenhang mit dem Erlebnis des *Pachomius* in Theben läßt sich hier sicher nicht leugnen.

Von der Armut als einer an die Pachomianer selbst gerichteten Forderung reden die Viten erst in der Zeit, als *Pachomius* sich daranmacht, mit seinen ersten Schülern das kleine Zönobium in Tabennesi zu gründen. »Sie hatten keinerlei Besitz außer dem Gesetz Gottes, denn von dem, was sie mit ihrer Hände Arbeit erwarben, teilten sie den Überfluß an die Bettler aus und behielten für sich nur das zum Leben unmittelbar Nötige. Sie waren außerordentlich arm in ihrer Kleidung,[6] so daß sie nicht einmal ihr Gewand wechseln konnten, sondern warten mußten, bis das, das sie trugen, gewaschen war.«[7] Auch in G-2 wird ähnliches berichtet[8]; wiederum fällt auf, daß von einer Armut der Pachomianer selbst zuerst im Zusammenhang mit der Kleidung die Rede ist.

Trotzdem war die Armut der Pachomianer in dieser Phase so, daß es sich einfach um äußerste Bescheidenheit in der Lebensführung handelte, und

---

3 Bo 10: CSCO 89 8,3–5 (= *Lefort* 84,22–24).
4 Bo 10: CSCO 89 9,10–11 (=Lefort 85,18–21); G-1 6: *Halkin* 5,6–8 (= *Festugière* 162); G-2 8: *Halkin* 174,10–14 (= *Mertel* 28,6–11); Dion 7: *Cranenburgh* 96,7,5–7; Am 347,8–9.
5 *W. Westendorf*: Koptisches Handwörterbuch, 1965/1977, 360.
6 Leider können wir keinen Wortvergleich mehr durchführen. Wo wir das Wort »arm« im Zusammenhang mit den Pachomianern erwarten würden, haben entweder die Texte eine Lücke (Bo und S-4) oder es fehlt im Text der hier genannte Satz (S-1, S-3).
7 G-1 14: *Halkin* 9,13–18 (=*Festugière* 165–166).
8 G-2 14: *Halkin* 180,14–20 (= *Mertel* 34–35).

daß sie »allen Überfluß an die Bettler abgaben«. Für sich selber aber konnten die Pachomianer dennoch einen Lebensstandard halten, der deutlich über dem der Bettler lag. Ansonsten wäre es ja nicht vorstellbar, daß ständig davon berichtet würde, wie die »armen« Pachomianer ihren Überfluß an die »armen« Bettler abgaben.

S-3 berichtet besonders deutlich davon, daß *Pachomius* vollkommen auf jegliche Sorge über den heutigen Tag hinaus verzichtet habe[9], trotzdem aber jederzeit an Bettler abgeben konnte, und dies auch tat.[10]

Während also der Lebensstil des *Pachomius* in den ersten beiden Phasen nicht als »Armut« bezeichnet wird, taucht diese Bezeichnung erstmals mit der Errichtung des ersten kleinen Zönobiums in Tabennesi für *Pachomius* selber auf, bezeichnenderweise im Zusammenhang mit der Kleidung. Jedoch war auch diese »Armut« noch derart, daß es im Gegensatz zu den »armen« Pachomianern arme Bettler gab, die von den »armen« Pachomianern jederzeit Almosen erhalten konnten.

Wirklich von Armut (der Form und der Begründung nach) ist ausdrücklich erst die Rede an den Stellen, an denen es in der vierten Phase um den Aufbau des Klosterverbandes geht.

Aus der Betrachtung dieser Stufen wird deutlich, daß Armut für *Pachomius* kein eigenständiges, sondern ein abgeleitetes Ziel war. Eine Bedeutung und einen Wert erhält die Armut für *Pachomius* erst im Zusammenhang mit der Klostergründung, also vom Zusammenleben der Brüder her.[11] Aus dieser Zeit berichtet das sehr alte S-1-Fragment: »Als es sich gab, daß die Brüder mit ihm zusammenlebten, gab er ihnen folgende Vorschrift: jeder hat sich zunächst selbst um seine Angelegenheiten zu kümmern. Aber sie gaben ihren Anteil für alles, was die materiellen Güter betraf, also Nahrung und Unterhalt für die Fremden, die Gastfreundschaft genossen. Denn sie aßen zusammen. Sie vertrauten ihm (erg.: Pachomius) ihre Einnahmen zur Verwaltung an. Das taten sie gern und freiwillig, denn er sorgte für sie. Und sie betrachteten ihn als einen zuverlässigen Mann, da er nebst Gott ihr Vater war.«[12]

---

9 S-3: CSCO 99 103b,7–16 (= *Lefort* 57,32–58,2): »Er übte sich ganz besonders und lebte in großer Entsagung. Darüberhinaus leistete er mit seinen Händen Arbeit, ohne von den Produkten seiner Arbeit etwas zurückzulegen, außer drei einzelnen Broten, die er in einem Krug aufbewahrte, der in dem Raum war, wo er seine Übungen ableistete.«

10 S-3: CSCO 99 103a,22–25 (= *Lefort* 58,6).

11 *B. Steidle:* Die Armut in der frühen Kirche und im alten Mönchtum, in: Erbe und Auftrag 41 (1965) 460–481: hier 480, weist darauf hin, daß die eigentliche Armutsforderung erst mit der Begründung der Zönobien auftritt und damit auch innerlich zusammenhängt. Vgl. dazu auch: *H. Bacht,* Das Armutsverständnis des *Pachomius* und seiner Jünger, in: *Bacht,* Vermächtnis 210, Anm. 117: »Der Fortschritt vom Lebensstil der Mönche, die in einer Anachoretensiedlung lebten zu dem der Zönobien besteht gerade in der Beachtung der evangelischen Armut.

12 S-1: CSCO 99 3,25–4,13 (= *Lefort* 3,12–21).

Ansatzpunkt für die Armut der Pachomianer ist also in dieser Phase das Zusammenleben der Brüder[13] und das gemeinsame Versorgtwerden von *Pachomius*. Jeder leistete dazu seinen Beitrag,[14] und *Pachomius* führte offensichtlich den Haushalt, auch in seiner Eigenschaft als Klostervorsteher.[15]

Diese Grundidee der frühen Armutsforderung bei *Pachomius* daß nämlich die Armut aus Gründen des Zusammenlebens der Brüder erforderlich sei,[16] scheinen die ersten Schüler des *Pachomius* sehr schwer begriffen zu haben. *Lefort* faßt die Erzählung in der sehr alten S-1-Vita wie folgt zusammen: »Zur Zeit der Ernte kamen Schüler, die gegen Bezahlung auf den Feldern arbeiten wollten. *Pachomius* bereitete das Essen und brachte es ihnen auf einem Gestell auf dem Rücken eines Esels. Nach Beendigung der Arbeit nahmen einige von ihnen den Esel, setzten sich auf seinen Rücken, während die anderen ihnen folgten und dem *Pachomius* zuriefen: ›Diener *Pachomius,* bring auf deinem Rücken das Geschirr ins Kloster.‹ *Pachomius* ertrug das über Jahre hinweg. Dann bricht das S-1-Fragment leider ab. Nach der Lücke stellt man fest, daß *Pachomius* präzise Regeln für das Gebet, für das Refektorium und die Arbeit aufgestellt hat.«[17] Erst als die Saboteure, die kräftige Burschen gewesen sein mußten, auch noch einen Streik ausriefen, jagte sie

13 Vgl. dazu: *B. Steidle:* Die Armut in der frühen Kirche, a. a. O. 468: »Die Mönche blieben anfangs wie die Einsiedler Eigentümer ihrer Einnahmen, gaben aber dem *Pachomius* das Verfügungsrecht darüber. Er sorgte im Namen aller für den Haushalt und das ›Notwendige‹.« Ähnlich auch: *H. Bacht,* Das Armutsverständnis des Pachomius a. a. O., 227: »Auf der vorzönobitischen Stufe bedeutet die bei der ›Profeß‹ geleistete Preisgabe des vorhandenen Besitzes, keineswegs, daß die Mönche auch künftig auf jeglichen Eigenbesitz verzichten müßten.«

14 *Steidle,* a. a. O. 467 betont immer wieder, daß durch die Gründung des Zönobiums vor allem und in erster Linie der einzelne Mönch von den oft drückenden Sorgen des Lebensunterhalts entlastet wurde.

15 Einen späteren Niederschlag aus dieser frühen Zeit, in der Abt und Koch noch in der Person des *Pachomius* vereinigt waren, finden wir in dem eigenartigen Gebrauch des Wortes *oikonomos* in den gesamten Viten-Texten. Diese Bezeichnung findet Anwendung sowohl auf rein technische, organisatorische und verwaltende Aufgabenbereiche, als auch auf Aufgabebereiche der geistlichen Leitung. So setzt z. B. *Pachomius* bei seinem Wechsel von Tabennesi nach Pbow den *Theodor* in Tabennesi als *oikonomos* ein: Bo 70: CSCO 89 73,3 (= *Lefort* 132,10); S-4 70: CSCO 99 283,7 (= *Lefort* 309,27); G-1 78: *Halkin* 52,24 (= *Festugière* 200); G-2 57: *Halkin* 227,21 (= *Mertel* 81,32); G-3 92: *Halkin* 293,5; vgl. dazu auch: *Ruppert,* Gehorsam 320–323; *Bacht,* Vermächtnis 115; *St. Schiwietz:* Das morgenländische Mönchtum a. a. O. I 178–183.

16 In diese Richtung weist auch *J. M. R. Tillard:* La pauverté religieuse, in: Nouvelle Revue théologique 102 (1970) 806–848. Gegen den in dieser Arbeit zu undifferenziert vorgenommenen Gebrauch von theodorischen und pachomianischen Texten wären zwar von den Forschungen *Veilleux'* her einige Einwände zu machen. Trotzdem können wir den Ergebnissen *Tillards,* ebd. 819–820 im Großen und Ganzen zustimmen: »Pauverté et Koinonia sont, on en a déjà la certitude, étroitement liées. Pas de vraie Koinonia sans vraie pauverté … Chez *Pachôme* l'accent sur la Koinonia marquait davantage le renoncement aux biens matériels.«

17 *L. Th. Lefort:* Sources pachômiennes, in: Le Muséon 67 (1954) 219.

Pachomius fort. In dieser, auch von *Lefort* für sehr ursprünglich gehaltenen[18] Erzählung wird – diesmal am Unverständnis der Schüler – deutlich, worum es *Pachomius* bei seiner Armutsforderung ging: um das geregelte Zusammenleben der Brüder untereinander. Da die hier erwähnten ersten Schüler dieses Zusammenleben nicht verstehen konnten oder wollten, mußte ihnen auch die Armutsauffassung des *Pachomius* fremd bleiben.

Dem Grundgedanken des gemeinsamen Lebens sollten darum auch die ersten Regeln dienen. Obwohl diese ersten Regelsätze in leicht verschiedenen Fassungen überliefert sind,[19] ist eine gemeinsame Tendenz doch unschwer zu erkennen: Gleichheit und Maß in Nahrung und Kleidung.[20] Gleichheit und Maß, sind die Prinzipien, die in der vierten Phase zur Ausformung des pachomianischen Klosterverbandes und auch zur Forderung der Armut an die Pachomianer selbst führen.

In der bohairischen Vita finden wir eine Bestätigung für diesen Grundsatz pachomianischer Armut: »Eines Tages geschah es, daß die Brüder zur Arbeit hinausgingen. Sie erzählten unserem Vater *Pachomius,* daß eine große Hungersnot und eine ansteckende Krankheit in der Welt draußen derart herrschten, daß wie Welt drohe, unterzugehen. Sobald er dies hörte, er fastete gerade den zweiten Tag, fastete er einen Tag weiter und sagte: ›Ich werde nicht essen, wenn meine Mitbrüder Hunger haben und kein Brot finden.‹ Während der ganzen Zeit, solange draußen der Hunger dauerte, war er sehr betrübt, kasteite sich durch Fasten und überreiches Beten entsprechend dem Wort des Apostels: wenn ein Glied leidet, leiden alle Glieder mit. Er betete sehr inständig zum Herrn, daß er das Wasser des Flusses ansteigen lassen, daß Regen auf die Erde komme, und

---

18 Ebd.
19 Bo 23: CSCO 89 23,12–18 (= *Lefort* 95,6–9): »Er stellte für sie nach der Heiligen Schrift Regeln auf, wie ein Gebäude ohne Stein des Anstoßes, also nützliche Anordnungen für ihre Seelen; und zwar: absolute Gleichheit in der Kleidung und in der Nahrung, sowie Angemessenheit im Schlaf.«
   G-1 25: *Halkin* 16,16–18 (= *Festugière* 171): »Also stellte er für sie Regeln auf nach einem Plan für ihre Seelen, entnommen aus der Heiligen Schrift; Vorschriften hinsichtlich der Kleidung: im rechten Maß; hinsichtlich der Nahrung: nach dem Prinzip der Gleichheit; und Angemessenheit für den Schlaf.«
   G-2: *Halkin* 190,8–10 (= *Mertel* 43,37–44,23): »Er stellte nun für sie in Regeln gewisse heilsame Vorschriften auf: einfache Kleidung, mäßige Nahrung und eine angemessene Erholung im Schlaf.«
   Dion 24: *Cranenburgh* 134,24,1–5: »Regulas igitur eis quas acceperat tradidit, scilicet ut haberent moderatum cibum, vilissimum vestimentum, somnum etiam competentem.«
20 Vgl. dazu auch: *P. Resch:* La doctrine ascétique des premiers maîtres égyptiens du 4ᵉ siècle, Paris 1931, 223: »Le trait principal de la doctrine de Pachôme sur tous ces points est la moderation.«
   R. Draguet: Le chapître de l'Histoire Lausiaque sur les Tabennésiotes dérive-t-il d'une source copte?, in: Le Muséon 57 (1944) 75 rühmt an *Pachomius:* »sa sagesse, la mesure la poudération et un sain réalisme«.

daß die Menschen Brot finden, essen und leben und den Herrn preisen und dadurch seinen Willen tun.«[21]

Das Prinzip der Solidarität als Begründung der Armutsforderung hielt sich zu Lebzeiten des *Pachomius* durch und taucht in verschiedenen Viten in verschiedenen Schichten immer wieder auf.

S-3 weiß zu berichten: »Es gab keinerlei Unterschied zwischen dem Vorsteher des Klosters und den Brüdern. Der Vorsteher hatte nicht einmal das Recht, quasi als sein eigener Vorgesetzter, ein neues Gewand sich zu holen. Dies war Sache des Hausverwalters,[22] dessen Haus der Klostervorsteher zugeteilt war.«[23] G-1 berichtet ähnliches von *Pachomius* selbst: »Er hatte nicht das Recht, für sich selbst irgendetwas unter Umgehung des Hausverwalters zu beschaffen.«[24] Das Zusammenleben der Brüder erforderte also die Einheitlichkeit, die Gleichheit und die Unterordnung; daraus dann resultierend: die Armut.[25]

Daß *Pachomius* für seine Person besonders strenge Maßstäbe hinsichtlich dieser Einheitlichkeit im Zusammenleben anlegte, haben wir schon erwähnt:[26] Er verwehrte es dem *Theodor,* ihm, dem erkrankten *Pachomius,* eine bessere Decke für sein Krankenlager zu bringen. Die Vita Ag[27] verlegt diese Szene in die Sterbestunde des *Pachomius.* Gegenüber der Darstellung in SBo ist Ag eindeutiger und klarer.[28] Die bohairische Vita berichtet: »Unter Vater *Pachomius* sagte zu ihm [*Theodor*]: ›Nimm diese Decke weg und decke mich mit einer Matte zu, wie alle Brüder und denk daran, daß der Herr mir Erleichterung bringen wird.‹ *Theodor* tat, wie ihm geheißen und brachte dann eine Handvoll

---

21 Bo 100: CSCO 89 125,1–18 (= *Lefort* 168,18–169,10); Am 487,4–9: Die Solidarität als Begründung der Armut wird hier erneut deutlich!

22 Die einzelnen Klöster waren wie kleine Dörfer organisiert. (Vgl. dazu S. 135). Für das ganze »Dorf« (= Kloster) war ein Abt bestellt. Die einzelnen Häuser des »Dorfes« (= Klosters) unterstanden je einem Hausverwalter. Der Abt als Vorsteher des »Dorfes« (= Klosters) wohnte selbst in einem der Häuser und unterstand somit einem Hausverwalter.

23 S-3: CSCO 99 102a,14–30 (= *Lefort* 57,10–61).

24 G-1 110: *Halkin* 72,3–5 (= *Festugière* 218).

25 Dieses unterscheidende Merkmal pachomianischer Armutsbegründung fällt auch im Vergleich zur Armutsbegründung des nahezu gleichzeitigen Anachoreten *Antonius* auf. Ist für *Antonius* die Stelle Mt 19,21 (»verkaufe alles, was du hast«) das auslösende Moment für den Beginn seines mönchischen Lebens, so taucht diese Stelle im gesamten pachomianischen Schrifttum ein einziges Mal auf; und da an einer Stelle bei *Theodor* (Katechese CSCO 159, 59,1–2 [= CSCO 160 60,4–5]) deren Sinn völlig unklar ist. Vgl. dazu auch: *Bacht*, Vermächtnis 119 Anm. 109: »Es gehört zu den besonderen Verdiensten des *Pachomius*, daß er mit solcher Klarheit die unabdingbare Rolle der *aequitas* und *uniformitas* als Strukturelement zönobitischen Lebens begriffen hat.«

26 Vgl. dazu S. 65; 58.

27 Die bislang unveröffentlichte arabische Vita in der Universitätsbibliothek in Göttingen.

28 Daraus läßt sich erneut entnehmen, wie dringend eine kritische Edition des arabischen Materials wäre; vgl. dazu S. 124/125, wo Näheres über die gemeinsamen Quellen für die bohairische (Bo) und die sahidischen Viten (S) als SBo erörtert wird.

Datteln, reichte sie ihm und sagte: ›Vielleicht kannst du ein wenig essen, mein Vater, denn bis jetzt hast du noch nichts gegessen.‹ Er nahm nicht an und sagte mit großer Traurigkeit: ›Wir haben den Auftrag, für die Bedürfnisse der Brüder zu sorgen, sollen wir daraus für uns selbst etwa persönlichen Nutzen ziehen? Wo ist da die Furcht Gottes? Hast du schon die Zimmer der Brüder untersucht, ob sich dort nicht etwa ein Kranker befindet! Danke ja nicht, daß die Dinge, die du mir gebracht hast [eine Handvoll Datteln] geringfügig waren. Wirklich, Gott ist gerecht und erforscht alle Dinge.‹«[29]

Viel deutlicher kommt des *Pachomius* Grundanliegen in der Göttinger Vita zum Ausdruck:[30] »Als nun unser Vater *Bahum* die Auswechslung des Kleides bemerkte, da erzürnte er über *Theodor* und sagte zu ihm: ›Was ist das für eine Ungerechtigkeit, die du getan hast, o *Theodorus!* Du willst wohl Zweifel hervorrufen unter den Brüdern, welche nun nach mir kommen und sagen werden: *Bahum* pflegte seine Bequemlichkeit zu verlangen, mehr als alle Brüder. Und ich werde unter dem Gericht vor dem Herrn sein; und jetzt ziehe ich es wieder aus, weil ich alle Zweifel bei mir machen [Sinn unsicher, möglicherweise: ›zerstreuen‹] will, bis ich gleich bin mit allen Brüdern in allen Dingen, damit will ich zu meinem Herrn Jesus Christus eingehen ohne Tadel.‹ Da zog *Theodorus* ihm das schöne Kleid wieder aus und brachte ihm ein anderes, geringer als für alle anderen Brüder.«[31]

Daß *Pachomius* damals wirklich sehr verärgert gewesen sein muß, bezeugen auch die Fassungen in anderen arabischen Viten: Nach Am sagt *Pachomius:* »O ihr Verrückten, du siehst, wo die Furcht Gottes ist, die sagt: du sollst deinen Nächsten lieben, wie dich selbst.«[32] In Av[33] wird auch aus diesem Satz deutlich, worum es Pachomius ging: »O ihr Heuchler, die ihr nach mir schielt, wo ist die Furcht Gottes...«[34] Mindestens zu Lebzeiten des *Pachomius* hat sich dieser Grundansatz der Armut in seinen Klöstern durchgehalten: die Solidarität der Brüder untereinander erfordert den Verzicht auf Reichtum und Besitz.[35] Die

---

29 Bo 47: CSCO 89 49,7–19 (= *Lefort* 114,2–14); S-4 47: CSCO 99 226,17–227,3 (= *Lefort* 301,7–18); S-5 47: CSCO 99 142,26–143,2 (= *Lefort* 244,12–23); S-10 CSCO 99 46a,1–47a,8 (= *Lefort* 26,6–24); G-1 51: *Halkin* 33,14–34,4 (= *Festugière* 186); G-2 41: *Halkin* 209,25–210,8 (= *Mertel* 63,26–34).

30 Nach *Veilleux,* Liturgie 62 haben wir in Ag die Vita des *Pachomius* in einem sehr ursprünglichen Zustand vor uns.

31 Universitäts-Bibliothek Göttingen, cod. arab. 116 fol. 119r, Z. 3–14.

32 Am 556,8.

33 Die unveröffentlichte arabische Vita aus dem Vatikan.

34 Bibliotheca Apostolica Vaticana, Rom, cod. arab. 172 fol. 31r, Z. 11.

35 Erst jüngst wies wieder *B. Steidle,* Per oboedientiae laborem. per inoboedientiae desidiam, in: Erbe und Auftrag 55 (1977) 428–435 und 56 (1978) 200–216; hier: 212, unter Bezugnahme auf *Ruppert* auf diesen Sachverhalt hin: »*Ruppert* zeigt in seinem beachtenswerten Buch, daß das erste zönobitische Mönchtum in seinem gemeinsamen

Forderung an seine Schüler, ihm ihr Vermögen zu übergeben war begründet in der Notwendigkeit des Zusammenlebens: »Und unser Vater *Pachomius* ernährte sie so wie es ihm möglich war, gemäß der Schrift: ein gerechter Vater nährt die seinen gut. Was er also von ihnen erhielt, nach dieser Regel, das verwaltete er gemäß dieser Regel. Wenn es vorkam, daß ihm einer einen Fisch brachte oder andere Lebensmittel, so nahm er sie an und bereitete sie für seine Brüder.«[36] Was über ihre Bedürfnisse hinausging, war für die Armen bestimmt.[37] Wir finden also zur Zeit des *Pachomius* keine spezifische, ausgeprägte Armutsforderung. Im Gegenteil manche Stellen vermitteln gar den Eindruck, als habe es in der frühen Zeit – zumindest nebeneinander – »Klostergut« und »Sondergut der Mönche« gegeben. Einerseits wissen die Viten zu berichten, daß einmal *Pachomius* dem gemeinsamen Besitz zwei schöne Matten entnimmt, um sie durch Brüder verkaufen zu lassen, als die Gemeinschaft keine Vorräte mehr hatte. Diese beiden Matten, so wird berichtet, habe »jemand mitgebracht, als er ins Kloster kam«.[38] Dies deutet auf einen Vermögensverzicht bei Klostereintritt hin. Andererseits finden es die Viten besonders erwähnenswert, daß die Brüder *Psenthbo* und *Psenapahi* ihr Vermögen, das sie vor Klostereintritt besaßen, dem *Pachomius* schenkten.[39] Dies scheint nicht unbedingt selbstverständlich gewesen zu sein, zumal es besonders erwähnt wird.

Auf die Tatsache, daß der Vermögensverzicht bei Klostereintritt nicht unabdingbare Voraussetzung gewesen sein muß, deuten auch die Fragen hin, die *Pachomius* anscheinend an neue Kandidaten zu richten pflegte. Er suchte im Gespräch mit ihnen festzustellen, »ob sie sich von ihren Eltern lösen und dem Herrn nachfolgen könnten«.[40] Von einem Verzicht auf Vermögen ist nicht die Rede. Erst die griechischen Viten formulieren an der entsprechenden Stelle um; so z. B.: »Er ermahnte sie, der ganzen Welt zu entsagen, damit sie so ihr eigenes Kreuz auf sich nehmen und dem Heiland folgen könnten.«[41]

Durch dieses Armutsverständnis, das das Problem nicht vor dem

---

Ursprung von ›der Grundidee der Koinonia, nämlich dem gegenseitigen Dienst in brüderlicher Liebe‹ wesentlich geprägt ist. Die berühmten Bibelstellen Joh. 6,38 und Phil. 2,8, die im späteren zönobitischen Mönchtum eine Rolle spielten, sind im ursprünglichen pachomianischen Schrifttum nicht zu finden.«

36 S-1: CSCO 99 4,24–5,11 (= *Lefort* 3,33–4,9).

37 S-5: CSCO 99 133a,20–30 (= *Lefort* 236,16–19); G-1 14: *Halkin* 9,13–15 (= *Festugière* 165–166); In Av (fol. 14r, Z. 1–3) ist vom Herschenken direkt nicht die Rede.

38 Bo 39: CSCO 89 41,12–19 (= *Lefort* 108,16–22).

39 Bo 56: CSCO 89 56,1–5 (= *Lefort* 119,24–28); Am 574,4–5; G-1 80: *Halkin* 54,3–14 (= *Festugière* 201); Av. fol. 35v deutet eher auf eine Verpflichtung hin.

40 Bo 23: CSCO 89 22,14–15 (= *Lefort* 94,14–16); S-3: CSCO 99 112b,10–13 (= *Lefort* 65,26); Am 369,10–370,1.

41 G-1 24: *Halkin* 15,1–5 (= *Festugière* 170); G-2 21: *Halkin* 188,2–5 (= *Mertel* 41,34–42,2); vgl. zur Entstehung der G-2 Vita oben S. 120.

Hintergrund der beiden Pole Armut und Reichtum sieht, erhält die Armutsforderung des *Pachomius* eine, weit über den reinen Verzicht auf Vermögen hinausgehende, geistliche Dimension. Armut als Akt der Solidarität bedeutet demnach, daß keiner mehr besitzt als der andere, und ist somit in erster Linie kein äußerlich sichtbarer, sondern ein inner-seelischer Vorgang. Denn arm nennen sich die Brüder nicht, weil sie weniger haben als andere (ganz im Gegenteil!)[42]. Arm nennen sie sich, weil sie sich hinsichtlich ihres Besitzes nicht unterscheiden.

Der Lebensstandard der Pachomianer

Das auffallende Auseinanderklaffen des Lebensstandards der »armen« Pachomianer und des Lebensstandards der Landbevölkerung aus der Umgebung wirft ein weiteres, deutliches Licht auf das Armutsverständnis des *Pachomius*.[43] Für den Lebensstandard der Pachomianer, der vor dem Hintergrund des Lebensstandards der Landbevölkerung zu sehen wäre, liegen und in den pachomianischen Quellentexten einige Informationen vor: In der bohairischen Vita wird berichtet, daß *Pachomius* den Leuten aus dem (vermutlich benachbarten) Dorf eine kleine Kirche baute; vermutlich deshalb, damit er und seine Brüder in der eigenen Kirche ungestört beten konnten. Dann heißt es in dem Bericht weiter: »Er übernahm auch die Opfergaben zu seinen Lasten, denn sie [die Leute aus dem Dorf] waren sehr arm.«[44] *Lefort* vermutet hier ein Zeugnis des alten Brauchs, Brot und Wein zur Eucharistiefeier selbst mitzubringen.[45]

Nach S-10 verspricht *Pachomius* einer von den Barbaren zerstörten Kirche 100 Maß Getreide, Bücher und andere benötigte Sachen zu schenken.[46] Nach diesen Informationen muß es sich bei *Pachomius* um einen vergleichsweise wohlhabenden Mann gehandelt haben.

Im *Liber Orsiesii* kommt *Horsiese* eigens auf den Lebensstandard der Mönche zu sprechen und ermahnt darin unermüdlich immer wieder, die Brüder sollten doch zur alten Ordnung zurückkehren; als alte Ordnung hinsichtlich der Kleidung legt er dann dar: »Es genügt doch, wenn wir das zu eigen haben, womit ein Mensch auskommen kann: zwei Leibröcke und dazu noch einen abgetragenen Schulterumhang aus Leinen, zwei Kukullen, einen Leinengürtel, einen Fellmantel und einen Stab.«[47] An anderer

---

42 Vgl. dazu S. 133–138.
43 Vgl. dazu S. 88.
44 Bo 25: CSCO 89 24,3–10 (= *Lefort* 95,23–28).
45 *Justin*, 1. Apol. 65.
46 S-10: CSCO 99 74b,5–75a,9 (= *Lefort* 35,27–36,2).
47 Lo 22: *Boon* 123,17–18 (= *Bacht* 113,7–9).

Stelle erwähnt er: »Wozu brauchen wir ein Palliolum über das uns Zustehende hinaus oder üppigere Mahlzeiten, oder ein besseres Bett, wo doch alles für den gemeinsamen Besitz zubereitet ist, und nichts härter ist als das Kreuz Christi.«[48]

Dieselbe Anzahl von Kleidungsstücken, lediglich in veränderter Reihenfolge, nennen auch die Regeln und *Hieronymus*.[49] Aus den unten noch zu schildernden Lebensumständen der Landbevölkerung ist kaum zu entnehmen, daß sie auch nur annähernd in der Kleidung sich mit dem Lebensstandard der Pachomianer, der hier genannt wurde, messen konnten. Eine Bemerkung in der bohairischen Vita verstehen wir in dieselbe Richtung: »Es gab unter ihnen keinerlei Sorgen dieser Welt.«[50]

Diese hier zusammengetragenen Angaben bewerten, heißt feststellen, daß der Lebensstandard, den *Pachomius* für seine Mönche festgelegt hatte, für unsere Begriffe mehr als primitiv war, »aber man darf eben nicht mit unseren Maßstäben messen, sondern muß ihn vergleichen mit dem, was in der damaligen Zeit üblich war. Dann muß man zugeben, daß *Pachomius* keineswegs die Kräfte des Einzelnen überfordert hat. Statt, wie es von manchen Anachorten berichtet wird, in schmutzstarrenden Gewändern einherzugehen, wandern seine Mönche regelmäßig zur Kleiderwäsche (Praecepta 67–70).«[51] Auch in anderem Zusammenhang gibt *H. Bacht* diesen Sachverhalt richtig wieder: »... übrigens lebte man in den Pachomiusklöstern – gemessen an den asketischen Vorstellungen der Anachoreten oder auch am Lebensstil der Bevölkerung, aus denen sich die Mönche meistens rekrutierten – ausgesprochen gut. Werden doch täglich – außer in der Quadragesima – zwei Mahlzeiten und zwar mit gekochten Speisen angeboten.«[52] Oder: »Der hier für die Pachomianer

---

48 LO 21: *Boon* 123,6–7 (= *Bacht* 109,6–111,2).

49 Praecepta 81: *Boon* 37; *Hieronymus*, Praefatio: *Boon* 6, Nr. 4. Auch wenn es sich bei den Informationen aus den Regeln um spätere Zeugnisse handelt, deren Wert für die frühe pachomianische Zeit eingehend geprüft werden muß, so können wir diese Informationen doch hier heranziehen, da sie nur die Aussagen des *Horsiese* bestätigen, und *Horsiese* wiederum auf einen »alten Zustand« Bezug nimmt. Zu den Namen der einzelnen Kleidungsstücke vgl.: *Ph. Oppenheim: Das Mönchskleid im christlichen Altertum*, Freiburg 1932; vgl. hierzu die Kritik von *L. Th. Lefort:* in: Revue d'Histoire Ecclesiastique 28 (1932) 851–853; *R. Draguet:* Le chapître XXXII, in: Le Muséon 57 (1944) 95–111; *St. Schiwietz: Das morgenländische Mönchtum* a. a. O. I, 215f. *Pachomius* selbst trug lediglich eine Tunika und gelegentlich ein Büßerhemd: S-3: CSCO 99 102,1 (= *Lefort* 57,4–8).

50 Bo 104: CSCO 89 134,27–28 (= *Lefort* 176,6); dieselbe Information – allerdings mit leichten Ergänzungen – berichtet: S-3a: CSCO 99 261a,34–261b,2 (= *Lefort* 320,16); einen ähnlichen Text allerdings ohne die hier genannte Stelle haben die griechischen Viten: G-1 59: *Halkin* 40,19–41,4 (= *Festugière* 190–191); G-2 49: *Halkin* 218,12–22 (= *Mertel* 72,6–20).

51 *Bacht*, Vermächtnis 220.

52 *Bacht*, Vermächtnis 109, Anm. 90; vgl. dazu auch: *St. Schiwietz: Das morgenländische Mönchtum* a. a. O. I, 209–214.

genannte Bekleidungsstandard« liegt »weit über dem, was sich die Armen des Landes zu jener Zeit leisten konnten. Man erkennt deutlich, daß für *Pachomius* die zönobitische Armut nicht identisch ist mit ›Bettelarmut‹.«[53] Wenn nun aber einerseits die Mönche aus der Landbevölkerung mit einem recht niedrigen Lebensstandard kamen, und andererseits in einen Klosterverband eintraten, dessen Lebensstandard relativ hoch lag, und wenn dies alles offensichtlich unter der strengen Armutsforderung geschah, dann läßt sich dieser Widerspruch doch nur dahingehend aufheben, daß Armut in den Augen des *Pachomius* und seiner ersten Jünger ihr Wesen eben nicht im Hergeben von Besitz hatte, sondern in der Unterordnung unter die Gemeinschaft hinsichtlich der Verfügungsgewalt über eventuelles Eigentum und hinsichtlich der Verpflichtung zur Arbeit[54], und damit verbunden: in der Verantwortung füreinander.

Die Motivierung der Armut bei Pachomius

Tamburrino ist zuzustimmen, wenn er feststellt, daß »in der Entwicklung des monastischen Lebens die tatsächliche Lebensordnung vorausgeht.«[55] Darum schien es sinnvoller, mit einer Beschreibung der Entwicklung der tatsächlichen Lebensordnung der Armut bei *Pachomius* zu beginnen, und erst jetzt nach der begrifflichen Formulierung und Begründung der Armut zu suchen. Wir haben uns dabei bewußt zu bleiben, daß gerade diese Motivierung der Armut ihren Niederschlag in der späteren Zeit, also nicht in erster Linie in den Äußerungen des *Pachomius* selbst gefunden hat, d. h. daß dieser Versuch bruchstückhaft bleiben muß.

Zur Frage der Motivierung des asketischen Lebens im frühen Mönchtum haben sich in den letzten Jahren mehrere Forscher von unterschiedlichen Ansätzen her geäußert. *Ruppert* beschäftigte sich mit der Motivierung der Gehorsamsforderung,[56] *Nagel* untersuchte die Motivierung der Askese im Allgemeinen,[57] während *Bacht* ausdrücklich von der Motivierung der Armut handelt, allerdings in einer Art Anhang zu seiner Studie.[58] Die Unterscheidung zwischen *Pachomius* und seinen Nachfolgern ist für *Bacht* unerheblich, was sich schon aus dem Titel seiner Arbeit ergibt. Er

---

53 *Bacht,* Vermächtnis 113, Anm. 97.
54 *Bacht,* Vermächtnis 117, Anm. 106; *K. Heussi:* Der Ursprung des Mönchtums, Tübingen 1936, 122–129.
55 *P. Tamburrino:* Koinonia, a. a. O. 6.
56 *Ruppert,* Gehorsam 376–411 und 428–454.
57 *P. Nagel:* Die Motivierung der Askese in der alten Kirche und der Ursprung des Mönchtums, Berlin 1966.
58 *H. Bacht:* Das Armutsverständnis des Pachomius, a. a. O. 240–243.

sieht insgesamt neun Motive für die Armutsforderung. Daß er als Belege für diese neun Motive ausschließlich *Horsiese*-Zitate anführt, läßt vermuten, daß eine auf *Pachomius* selber konzentrierte Untersuchung zu einer anderen Motivübersicht kommen dürfte. Soweit unsere Untersuchung erkennen läßt, findet sich an keiner Stelle des originären pachomianischen Schriftgutes eine ausdrückliche Begründung des *Pachomius* selbst, warum er arm ist, bzw. die Armut von seinen Jüngern fordert. Für *Pachomius* war – nach allem, was wir bisher festellen konnten – das Erlebnis von Theben[59] das entscheidende Motiv, zunächst und ausdrücklich für seine Konversion zum Christentum, einschlußweise aber auch für sein Leben in Armut, bzw. das, was *Pachomius* darunter verstand. Dieses Sozial-Motiv taucht wieder auf in seiner ersten Begegnung mit dem Asketen *Palamon*, wie sie die G-1-Vita überliefert:[60] »Wenn sie sich müde arbeiteten, so geschah dies nicht für sich selber, sondern weil sie um die Armen besorgt waren.« Die bohairische Vita berichtet dieses Motiv innerhalb einer Rede des *Palamon*: [Wir verrichten Handarbeit], »damit uns der Schlaf nicht übermanne, und für die leiblichen Bedürfnisse. Was über unsere leiblichen Bedürfnisse hinausgeht, geben wir den Armen, gemäß der Mahnung des Apostels: ›nur erwarten sie, daß wir an ihre Armen denken‹ (Gal 2,10).«[61] Sollte mit dieser anderen Reihenfolge auch eine andere Motivierung angedeutet sein? Dies hätte dann wohl nicht nur für die – direkt angesprochene – Handarbeit, sondern auch für die Armut Bedeutung. In der S-4-Vita wird die Handarbeit nicht mehr vom Sozial-Motiv her begründet. Dort heißt es über *Pachomius* und *Palamon*: »Sie quälen ihren Körper, um für das Gebet wach zu sein.«[62]

Wegen der direkteren Erzählweise, des häufigeren Wechsels in die direkte Rede und des insgesamt lebendigeren Eindrucks, den die Erzählung in G-1 vermittelt, neigen wir dazu, in diesem Fall anzunehmen, daß G-1 den ursprünglicheren Text überliefert.

In der Auseinandersetzung zwischen dem Sozial-Motiv und dem Motiv der reinen Beschäftigungstherapie,[63] für die uns die hier angeführten unterschiedlichen Beschreibungen ein und desselben Vorgangs ein Beispiel liefern, scheint für *Pachomius* während seiner Zeit bei *Palamon* dann doch das Sozial-Motiv den Sieg davongetragen zu haben. Trotz aller asketischer Tendenzen bei *Palamon* hielt sich bei *Pachomius* das wie

---

59 Vgl. dazu *Ruppert*, Gehorsam 11–17.
60 G-1: *Halkin* 5,7 (= *Festugière* 162).
61 Bo 10: CSCO 89 9,9–10 (= *Lefort* 85,17–20).
62 S-4 10: CSCO 99 215a,20–23 (= *Lefort* 294,17–20).
63 Es wird dort berichtet, daß *Pachomius* und *Palamon* Sand in Körben von einer Düne zur anderen trugen: S-4 10: CSCO 99 215a,10–215b,22 (= *Lefort* 294,12–27).

immer geartete Dienen für die Menschen als wesentliches Motiv für das Mönchtum und damit auch für die Armut durch.[64] Schon *Heussi* hatte darauf aufmerksam gemacht: »Das entscheidende Motiv lag zweifellos in der Sorge des Mönchsvaters für das Heil der ihm anvertrauten Seelen.«[65] *Steidle*[66] und *Bacht*[67] schließen sich diesem Urteil an. Daß *Pachomius* unter »Heil der Seele« etwas anderes verstand, als der Asket *Palamon,* sieht man nicht zuletzt daraus, daß *Pachomius* ja nach sieben Jahren den von ihm sehr geachteten *Palamon* verließ, um seine eigenen Wege zu gehen.[68]

Einen Hinweis darauf, daß in *Pachomius* in jenen Jahren bei *Palamon* eine innere, tiefgreifende Wandlung vor sich gegangen sein muß, finden wir in der arabischen Vita. Dort wird als Grund für des *Pachomius* Weggehen zu *Palamon* ganannt: »die Menschenmenge [in Pesterposen] störte ihn.«[69] Während es nach der Zeit bei *Palamon,* als *Pachomius* sein Kloster, im Gegensatz zu den Vorstellungen seines leiblichen Bruders *Johannes,* größer bauen wollte, in derselben Vita heißt: »er wollte größer bauen, wegen der Menschenmenge, die zu ihm kommen würde.«[70]

Dieses als typisch pachomianisch zu bezeichnende Motiv, das aus dem reinen Sozial-Motiv und dem Motiv des Dienstes an der eigenen Seele entsprungen war, finden wir – von welcher Seite wir die Texte auch betrachten – immer wieder vor: die Solidarität. Sie war auch für die Armut das entscheidende Motiv bei *Pachomius.*

Die Zeugnisse aus den späteren Regeln fügen wir mit Vorbehalt an[71]; die Stellen, an denen das hier aufgezeigte pachomianische Motiv noch durchschimmert, wollen wir jedoch nicht unterschlagen. *H. Bacht* führt einige solcher Stellen an: »Auch die elementare Begründung der Armutsforderung als Freiwerden von der Last des Stofflichen *(hýle)*[72] und als konkrete Christusnachfolge ist nichts, was *Pachomius* erst zu finden brauchte. Aber neu ist, wenn er die Armutsforderung darüber hinaus aus dem Gesetz der Uniformität begründet. Das wird in *Praecepta* 81 sichtbar, wo die Forderung erhoben wird, daß jeder nur das in Haus und Zelle bewahren darf, ›quae in commune monasterii lege praecepta sunt‹. Nicht der aszetische Eifer als solcher darf den Ausschlag geben,

---

64 Vgl. dazu S. 70–72.

65 *K. Heussi:* Der Ursprung des Mönchtums, Tübingen 1936, 123.

66 *B. Steidle:* Der Oberen-Spiegel, a. a. O. 38.

67 *Bacht,* Vermächtnis 153, Anm. 182.

68 *Palamon* spricht Bo 10: CSCO 89 8,17–20 (= *Lefort* 85,4): »Die Schrift mahnt uns an vielen Stellen, ... daß *wir unsere Seele retten.*« Auf die Abgrenzung des *Pachomius* gegenüber der Askese kommen wir im nächsten Abschnitt zu sprechen.

69 Am 346,1–4 (vgl. auch: Bo 10: CSCO 89 7,23 (= *Lefort* 84,16).

70 Am 361,6–7 (vgl. auch: G-1 15 und S-3 (= *Lefort* 61,28–29).

71 Vgl. dazu S. 74

72 Dieses Motiv stammt nach unseren Untersuchungen ja gerade nicht von *Pachomius;* vgl. dazu S. 93–97.

sondern dies Gesetz des klösterlichen Lebens, dem sich alle unterstellt haben. Darum darf der einzelne nicht das Bessere hergeben, um Geringeres einzutauschen. (*Praecepta* 98).«[73] Ähnliche Motive finden wir auch in *Praecepta ac Leges* 3: Die Oberen sollen, statt die Mönche mit einem Übermaß von Arbeit und Kasteiungen zu belasten, darauf sehen, daß »Friede und Eintracht unter ihnen herrsche, daß sie sich willig den Ältesten unterordnen, indem sie ihrem Rang gemäß sitzen, wandeln und stehen und miteinander in Demut wetteifern«. Ähnliche Gedanken fanden wir ja auch schon im *Liber Orsiesii*[74].

Selbstverständlich tauchen auch schon bei *Pachomius* neben diesem Hauptmotiv der Solidarität unter den Brüdern weitere Motive auf. Diese anderen Motive haben aber entweder nicht die Bedeutung wie das Solidaritätsmotiv, oder sie sind in irgend einer Art mit dem Solidaritätsmotiv wieder verbunden.

Pachomius erklärt einem jungen Mann aus Alexandrien, daß es nach seiner, des *Pachomius* Meinung unmöglich sei, ohne Mäßigung im Essen die Reinheit des Körpers zu bewahren.[74] Solche asketischen Anklänge sind aber – wie gesagt – sehr selten. Wo diese asketischen Tendenzen zu stark werden, greift *Pachomius* sofort ein, setzt Grenzen und bindet die asketische Motivierung wieder an der Motivierung der Solidarität an.[75] Solch eine – zwar symbolisch durchgeführte – Rückbindung an die Solidarität finden wir in einer auf den ersten Blick recht eigenartigen Erzählung: Als *Pachomius* einmal krank war, bereitete man ihm ein Essen aus gekochtem Gemüse. Als er das Essen sah, bat er den *Theodor,* ihm einen Krug Wasser zu bringen. *Pachomius* goß das Wasser über das Gemüse und durchmengte es so lange, bis sich alles Fett abgesetzt hatte. Dann bat er den *Theodor,* das Wasser über seine, des *Pachomius* Hände zu gießen und anschließend schüttete *Pachomius* das Wasser Theodor vor die Füße. Als *Theodor* nach Ende dieser Prozedur fragte, was das nun alles solle, deutete *Pachomius* seine Handlungsweise symbolisch: »Als ich das Wasser über das Gemüse gegossen habe, habe ich seinen Wohlgeschmack zerstört, damit dieser in mir keine Fleischeslust hervorrufe. Du hast mir das Wasser über die Hände gegossen, wie wenn du sie waschen würdest. Gut. Du hast mir die Hände gewaschen, also habe ich dir die Füße gewaschen. Das habe ich getan, um nicht verdammt zu werden. Denn du warst mein Diener, also muß ich der Diener aller

---

73 *H. Bacht:* Antonius und Pachomius, in *S. Frank:* Askese und Mönchtum in der alten Kirche, Wiesbaden 1975, 183–229; hier: 209.

74 Bo 89: CSCO 89 104,28–105,10 (= *Lefort* 153,29–154,2); Am 475,6; G-1 94-95: *Halkin* 63,5–64,11 (= *Festugière* 208–209) weiß zwar auch von jenem Alexandriner zu berichten, überliefert aber diesen Gedanken nicht.

75 Vgl. dazu die Episode, in der *Pachomius* einen übermäßig fastenden Bruder dringend bittet, in Zukunft an den gemeinsamen Mahlzeiten teilzunehmen; vgl. dazu S. 69.

sein.«[76] Pachomius verzichtet in dieser symbolischen Handlung auf den »Wohlgeschmack der Speise«; ein asketisches Motiv. Da er krank ist bedeutet dies erst recht eine Steigerung der asketischen Bemühung. Doch das Ergebnis seiner asketischen Übung – in dieser Geschichte das auf dem Wasser schwimmende Fett, also der »Wohlgeschmack der Speisen« – verwendet er um einen wechselseitigen Dienst am Mitbruder zu vollziehen: *Theodor* an ihm und er an *Theodor*. Der Verzicht auf den »Wohlgeschmack der Speisen« reicht *Pachomius* nicht. Er schüttet das Wasser nicht weg, sondern gestaltet damit – wohl weil er krank ist lediglich symbolisch – einen wechselseitigen Bruderdienst. Verzicht auf Speisen hat in dieser Erzählung also seinen Sinn nur darin, daß mit diesem Verzicht ein Akt der Solidarität gesetzt werden kann.[77]

Da wir aus dem Munde des *Pachomius* keine direkte und eindeutige Begründung für die Armutsforderung überliefert haben, waren wir auf diese indirekte Beweisführung aus dem Verhalten des *Pachomius* angewiesen. Ergänzend halten wir es noch für erwähnenswert, daß an keiner Stelle in den pachomianischen Texten davon die Rede ist, daß *Pachomius* oder seine Mönche gebettelt hätten.[78] Ein durch das Prinzip der Solidarität geordneter Umgang (und nicht der völlige Verzicht darauf) mit den irdischen Gütern war das Ziel des *Pachomius*. Und die Ermöglichung dieses so gearteten Umgangs mit den irdischen Gütern war für ihn die Begründung der Armutsforderung.

Pachomius – ein Asket?

J. Leipoldt kann noch ganz unbefangen, wie selbstverständlich, eine durchgehende, kaum gebrochene Linie des Zusammenhangs ziehen von den vorchristlichen Asketen über die Asketen der Urgemeinde zu den Anachoreten und schließlich zum Mönchtum allgemein.[79] Aus allem, was

---

76 Bo 61: CSCO 89 60,1–19 (= *Lefort* 122,32–123,14); G-1 64: *Halkin* 43,1–13 (= *Festugière* 193).

77 Vgl. dazu *Ruppert,* Gehorsam 355.

78 Weitere Episoden, die in unsere Richtung zu weisen scheinen, können wir allerdings nur mit Vorbehalt anführen, da sie den späteren Paralipomena entstammen: *Pachomius* ließ eine Kirche, die ihm zu prächtig gebaut schien, wieder einreißen: G-2 46: *Halkin* 215,1–20 (= *Mertel* 68,22–69,2); da diese Episode aus den Paralipomena stammt, fehlt die Parallele in G-1. Ein Bruder, der zur Zeit der Hungersnot durch günstige Beziehungen Getreide kaufte und ein andermal Schuhe aus der Klosterwerkstatt zu preiswert verkaufte, wurde bestraft: G-2 73: *Halkin* 247,4–251,12 (= *Mertel* 100,14–104,4). Die Parallelstellen in den Paralipomena finden sich: Paral. 7: *Halkin* 157,29–158,5 bzw. Paral. 21–23: *Halkin* 147,16–150,22.

79 *J. Leipoldt:* Griechische Philosophie und frühchristliche Askese, in: Verhandlungen der Sächsischen Akademie der Wissenschaften, philosophisch-historische Klasse, Heft 106, 4 Berlin 1960, 54: »Noch einen letzten Fortschritt erzielte die christliche Askese in der

wir bisher über die Motive des *Pachomius* erhoben haben, will uns scheinen, daß dies so einfach nicht möglich ist. Daher in diesem Abschnitt die Frage: war *Pachomius* nun eigentlich ein Asket, oder müßte man das, was *Pachomius* wollte mit einem anderen Begriff denn Askese umschreiben?

(a) Askese zur Zeit des *Pachomius*

Das Wort »Askese« entstammt der profanen Gräzität und hat ursprünglich die Bedeutung von *gymnázesthai* im Sinne der körperlichen Übung. Die Philosophen gebrauchen dieses Wort dann im moralischen Sinn. In der Bedeutung einer systematischen Tugend- und Willenserziehung in ihrer Ähnlichkeit mit der militärischen und sportlichen Disziplinierung des Körpers und Willens. So begegnet uns das Wort schon bei *Aristoteles,* wenn er meint, daß »eine gewisse Übung in der Tugend sich dann ergeben dürfte, wenn man mit guten Menschen zusammenlebt.«[80]

Solche asketischen Forderungen im engeren Sinn – also bewußte und freiwillig gewählte Enthaltsamkeit und Verzicht auf an sich sittlich erlaubte Genüsse – tauchen um die Zeitenwende in verstärktem Maß im Mittelmeerraum auf.[81] Sie entstammen sowohl den jetzt in großem Ausmaß in Erscheinung tretenden östlichen Mysterienreligionen, als auch der Popularphilosophie des spätantiken Hellenismus.

Weder in der griechisch-römischen Religion der klassischen Zeit, noch im Judentum hatten asketische Forderungen eine wesentliche Rolle gespielt.[82] Ganz anders hingegen in den orientalischen Religionen; und hier besonders in der Religion Ägyptens.[83] In den orientalischen Mysterienreligionen war das asketische Element lebendig in der Weise, daß die Beobachtung entsprechender Enthaltungsregeln sowohl ein Beweis frommer Gesinnung, als auch als ein Mittel zur Erlösung gewertet wurden.

---

alten Welt, den bedeutungsvollsten und zukunftsreichsten. Den Übergang vom Einsiedlertum zum Kloster, in dem die Mönche nach strenger Regel gemeinsam lebten.«

80 Nikomachische Ethik X 9,7 1170a 11.

81 Auf die nicht unerheblichen Schwierigkeiten zu definieren, was unter Askese eigentlich zu verstehen sei, haben hingewiesen: *H. Strathmann:* Geschichte der frühchristlichen Askese I, Leipzig 1914, 8–12; *G. Kretschmar:* Ein Beitrag zur Frage nach dem Ursprung frühchristlicher Askese, in: Zeitschrift für Theologie und Kirche 61 (1964) 27–67; hier: 27.

82 *H. Strathmann:* a. a. O. 158: »Namentlich was den Intensitätsgrad betrifft, besteht ein großer Abstand zwischen der gewisse Ansätze zum Asketischen nun eben nicht völlig entbehrenden römischen Religion und dem aus Asien auftauchenden und die griechisch-römische Welt überflutenden Mysterienwesen, wo dunkle Riten mit höchst angespannter Askese sich vereinen, um die Gott-, Offenbarungs- und Lebensdurstigen zu dem ersehnten Ziele hinzuführen.«

83 Ebd. 238: »Es gibt keine Religion des Altertums, die in dieser Beziehung mit der Ägyptischen auch nur entfernt konkurrieren könnte.«

Dieses Moment der Selbsterlösung, bzw. der Beschleunigung der Erlösung durch Beobachtung bestimmter asketischer Forderungen ist ein deutliches Unterscheidungsmerkmal zwischen den Mysterienreligionen einerseits und der klassischen griechisch-römischen Religion und dem Judentum andererseits; aber auch das Verbindungsglied zur Gedankenwelt des Neupythagoräismus, wo um der Offenbarung und der Erlösung willen die durch Askese zu erwirkende Reinhaltung der Seelen gefordert wird.[84]

Von anderen Ansätzen her kommt die neuplatonische Philosophie zu demselben Ergebnis:[85] Die alles durchdringende platonisch-stoische Popularphilosophie verbreitete ein sittlich-religiöses Ideal, das an die Stelle der klassischen Lebensbejahung und Weltfreudigkeit den Verzicht und die Vernichtung setzte um des höheren Wohles der Seele willen. Der Gedanke, das geistige Selbst in Unabhängigkeit von allen, aus der Sinnlichkeit sich ergebenden Strömungen zu behaupten, forderte geradezu als Konsequenz des Neuplatonismus die Askese, die auch im Neuplatonismus dann ihre geistige Höhe und ihren zusammenfassenden Abschluß erleben sollte.[86]

Eng verbunden mit diesen neuplatonischen Gedanken waren die in der Stoa in Erscheinung getretenen Motive. *Musonios* z. B. vertritt die Auffassung, daß solch eine Askese »um so nötiger sei, als die Seelen der Menschen vorher (d. h. von vornherein) verdorben« seien. Man müsse ja auch den Leib gewöhnen Kälte, Hitze, Durst, Hunger und hartes Nachtlager zu ertragen. Die Seele müsse lernen, nicht vor dem zu fliehen, was nur böse scheine.[87]

War es bei den Mysterienreligionen vor allem der Gedanke, daß die Askese ein geeignetes Mittel zur Erlösung und zum Empfang von Offenbarungen sei, so war es bei der spätantiken Philosophie die dualistische Auffassung von der Bosheit der Materie, die dem Menschen die Enthaltung von der Welt, von bestimmten Speisen und von der Ehe abforderten. Die leiblichen Bedürfnisse und die damit zusammenhängenden Gefühle waren so weit als möglich zurückzudrängen.[88]

---

84 Ebd. 310.
85 Vgl. dazu: *Phaidon* 82b 8 ff.: »Keinem ist vergönnt, zu den Göttern einzugehen, wenn er nicht das Leben eines Philosophen geführt hat, und sich nicht ganz rein ins Jenseits begibt. Nur der Freund der Erkenntnis vermag es, und dies ist auch der Grund, meine Gefährten *Simmias* und *Kebes*, warum sich die wahrhaften Philosophen aller vom Leib herrührenden Begierden enthalten, warum sie fest bleiben, und sich nicht den Lüsten hingeben.«
86 *H. Strathmann:* a. a. O. 319.
87 *Diogenes Laertios* 6,22 f.
88 Vgl. zum Ganzen: *R. Arbessman:* Das Fasten bei den Griechen und Römern (RGVV 21,1 Gießen 1929); *A. J. Festugière:* Culture ou Sainteté, Paris 1961; deutsch: Ursprünge christlicher Frömmigkeit, Freiburg 1962, 102–106.

Für das AT bestimmend war die positive Grundhaltung zur Schöpfung, die die Welt und ihren Reichtum als Gabe Gottes bejahte. Auch die Frömmigkeit des palästinensischen und hellenistischen Judentums zur Zeit Jesu ist ihren Grundzügen nach unasketisch. Jesus selbst kannte zwar asketische Bestrebungen, unterschied jedoch deutlich zwischen Form und Sinn der Askese[89]. Er selbst kann kaum in den Umkreis asketischer Strömungen eingeordnet werden.[90] Auch das NT insgesamt hat sich von asketischen Strömungen der Umwelt eindeutig distanziert.[91]

Von zwei Seiten her fanden asketische Strömungen dann doch Eingang in das Leben der urchristlichen Gemeinden. War es im Raum der syrisch-palästinensischen Urgemeinde vor allem die sich dort herausbildende Auffassung, wonach die Ankunft des Reiches Gottes durch asketische Bemühungen beschleunigt werden könnte, was zur Ausbildung zunächst einer Zweistufenethik (einfache Forderungen für die »normalen« Christen und asketische Höchstforderungen für die »vollkommenen« Christen) und in deren Gefolge zur Umformung der neutestamentlichen Botschaft in eine stark asketisch geprägte Lebensordnung führte,[92] so war es im Raum der alexandrinischen Philosophenschule vor allem der Einfluß des – schon erwähnten – spätantiken Hellenismus, der aus der Botschaft Jesu eine Forderung nach asketischer Lebensführung erwachsen ließ.[93]

Die Armutsforderung der Asketen ist zu sehen nicht nur auf dem Hintergrund der religiös-philosophischen Lage der Zeit, sondern auch auf dem Hintergrund der wirtschaftlichen und sozialen Verhältnisse. Besonders die Latifundien, die Zusammenballung des Besitzes und der Luxus der Weltstädte (insbesondere Rom und Alexandrien) geben den Horizont ab, vor dem die Asketen der Spätantike den Verzicht auf Reichtum predigen.

Marc Aurel lehrt die Wertlosigkeit der irdischen Güter: Ehre und Unehre, Reichtum und Armut, Leben und Tod sind völlig indifferent, weder gut noch böse.[94] Er mahnt, mit bescheidensten Verhältnissen in Kleidung, Wohnung, Bett, Sklaven und Tisch zufrieden zu sein.[95] Nach *Musonios* gewährt der Reichtum bloß Lust an Speise, Getränken und geschlechtlicher Ausschweifung, nicht aber edle Freude und Leidlosig-

---

89 E. *Schweizer:* Das Evangelium nach Matthäus, Göttingen ²1973, 90–91.
90 K. H. *Schelkle:* Theologie des Neuen Testaments, Band III: Ethos, Düsseldorf 1970, 164–175.
91 Ebd. 175.
92 G. *Kretschmar:* Ein Beitrag zur Frage nach dem Ursprung der frühchristlichen Askese, in: Zeitschrift für Theologie und Kirche 61 (1964) 27–67; hier: 30–41.
93 P. *Nagel:* Die Motivierung der Askese in der alten Kirche, a. a. O. 13.
94 *Marc Aurel* 2,11; 4,39; 5,10; 9,1.
95 *Marc Aurel* 2,3; 6,30.

keit.[96] *Seneca* sieht in allen irdischen Dingen Eitelkeit.[97] Von *Demokrit* erzählt *Seneca,* daß er auf Reichtum verzichtet habe, weil er ihm bloß hinderlich gewesen sei.[98]

Mit der Forderung nach Armut untrennbar verbunden war für den Asketen die Frage, wovon er dann leben solle. *Diogenes* scheint als erster die Frage so beantwortet zu haben, daß der wahre Philosoph vom Betteln lebe. Er argumentiert:»Die Götter haben alles; die Weisen sind Freunde der Götter; was Freunde besitzen, ist ihnen gemeinsam; also gehört alles den Weisen.«[99] Die zweite Möglichkeit wäre – wie *Leipoldt* aufzeigte – die Führung eines gemeinsamen Lebens unter der Voraussetzung, daß sich genügend Wohlhabende daran beteiligen.[100] Seit *Euripides* ist der Gedanke volkstümlich, daß die Götter bedürfnislos seien. *Diogenes* meint:»Für die Götter ist wesentlich, daß sie nichts brauchen; für die, die den Göttern ähnlich sind, daß sie nur wenig brauchen.«[101]

Asketisch ausgerichtete Armutsforderungen entdecken wir auch innerhalb des Christentums. *Origenes* – geprägt von der hellenistischen Philosophie – sieht in Christus in erster Linie ein Vorbild des freiwilligen Verzichts.[102] Die Abtötung des Sinnlichen versteht er als Kreuzesnachfolge.[103] So begründet *Origenes* auch die Armut. Entsagung ist für ihn das Hauptmotiv:»Hören wir, was Christus seinen Priestern vorschreibt: ›wer nicht allem entsagt, was er besitzt, kann mein Jünger nicht sein.‹ Ich zittere, wenn ich das sage ... Was tun wir? Wie können wir diese Worte lesen und dem Volk erklären, die wir nicht nur unserem eigenen Besitz nicht entsagen, sondern auch das erwerben wollen, was wir nie hatten, bevor wir zu Christus kamen.«[104] Daß er dies nicht nur gelehrt, sondern auch selbst in äußerster Strenge verwirklicht hat, weist sein Leben aus.

Im Unterschied zur rein asketisch begründeten Armutsforderung finden wir aber in christlichen Werken noch ein weiteres Motiv: eine soziale Begründung der Armutsforderung. Das Hebräer-Evangelium sieht im Wort Jesu an die Reichen eine rein soziale Verantwortung. Der Jüngling soll nicht deshalb seinen Besitz den Armen geben, um zur Nachfolge frei zu sein, sondern wegen der Erfüllung des christlichen Liebesgebotes, das den Besitzverzicht zu Gunsten der Armen mit einschließt.[105]

---

96 *Musonios* ed. *Hense* 93,10.
97 *Seneca* Ep. 23,1; 23,5; De brev. vitae 17,4.
98 *Seneca* Gespräche I 6,2.
99 *Diogenes Laertios* VI 37 und 72.
100 *J. Leipoldt:* Griechische Philosophie und frühchristliche Askese, a. a. O. 8.
101 *Diogenes Laertios* VI 105.
102 *W. Völker:* Das Vollkommenheitsideal des Origenes, Tübingen 1931, 215.
103 Ebd. 218.
104 *Origenes,* Gen. Hom. 16,5F Lev. Hom 15,7; vgl. auch: *Clemens,* Quis dives salvetur? 11,1–4; 12,1–6.
105 *J. Leipoldt:* Der soziale Gedanke in der alten Kirche, Leipzig 1952.

Diese soziale Motivierung der Armut begegnet uns ebenfalls bei *Cyprian* von Karthago. Er mußte als Bischof von Karthago zu einer Zeit, da Hungersnot und Pest wüteten die Reichen seiner Gemeinde beschwören, ihr Vermögen zur Unterstützung der Armen zu verwenden. Mit fadenscheinigen Gründen suchten sie ihren Geiz und ihre Habsucht zu rechtfertigen. *Cyprian* hält ihnen die entsprechenden Schriftstellen vor Augen.[106]

Trotz der Schwierigkeiten, den Begriff »Askese« klar zu definieren, und trotz der übermäßigen Fülle von asketischen Tendenzen und Erscheinungsformen innerhalb und außerhalb des Christentums zeichnen sich aber Gemeinsamkeiten ab: in der Begründung asketischer Strömungen spielt der philosophische Dualismus zwischen Leib und Seele eine ganz hervorragende Rolle. Durch asketische Übungen gilt es, alle leiblichen Bedürfnisse so weit als möglich zurückzudrängen.

Ein weiteres wesentliches Moment aller asketischen Strömungen ist die verbreitete Auffassung, durch die asketischen Bemühungen die Verbindung zu den Göttern, den Erhalt von Offenbarungen, oder die Ankunft des Reiches Gottes beschleunigen zu können. Damit verbunden ist schließlich ein ausgeprägter Individualismus bzw. ein Streben nach persönlicher Vollkommenheit.[107]

Vor diesem Hintergrund entwickelte *Pachomius* seine Lebensweise. Die asketischen Formen des Christentums hatten sich schnell ausgebreitet. *Chitty* behauptet, daß der Ort Scheneset-Chenoboskion zur damaligen Zeit ein Zentrum religiös-asketischen Lebens gewesen sei.[108]

(b) War *Pachomius* ein Asket?

Formen und Begründungen inner- und außerchristlicher, aus der Askese herkommender Armutsforderungen unterschieden sich grundlegend von der Armut, wie wir sie bei *Pachomius* in Begründung und Form gefunden haben.[109]

---

106 *Cyprian*, Über gute Werke und Almosen, 9–26.

107 *J. Herwegen:* Väterspruch und Mönchsregel, 5.

108 *D. J. Chitty:* The Dessert a City. Introduction to the History of Egyptian and Palestinian monasticism under the Christian Empire. Oxford 1966, 8; vgl. dazu: *Ruppert*, Gehorsam, 19.

109 Auch wenn die Darstellung zeitgenössischer asketischer Strömungen in der Umwelt des *Pachomius* notgedrungen sehr knapp und summarisch ausfallen mußte, so dürfte doch klar geworden sein, daß die – schon zitierte – durchgehende Linie, die *Leipold* (vgl. dazu S. 88) »vom Einsiedlertum zum Kloster« zieht, so nicht gerechtfertigt ist. Daß für einen Anachoreten, der sein persönliches Heil sucht, die Askese eine hervorragende Möglichkeit darstellt, sieht *Leipold* sicher richtig. Der Unterschied findet sich aber gerade zwischen der Anachorese und dem Zönobitentum: insbesondere der zur Askese gehörende Individualismus ist *Pachomius* völlig fremd. Hier ist einer der wesentlichen Unterschiede zu sehen.

Eine asketische Armut konnten nur Leute verwirklichen, die dem Reichtum entsagen konnten; ihn also zuvor hatten. Dies war bei *Pachomius* und seinen Jüngern nicht der Fall. Auch die andere Form asketischer Armut, das Betteln, wird von *Pachomius* nicht berichtet. Ebensowenig läßt sich für *Pachomius* die für asketische Armutsforderungen kennzeichnende Abwertung des Stofflichen nachweisen. Selbstzerstörung oder Negation des Körperlichen sind *Pachomius* unbekannt. In den Viten wird uns beispielsweise überliefert, für wen *Pachomius* betete. An diesen Stellen in den Viten sind aufgezählt: die Mönche, die Eheleute, dann alle Menschen, und zwar zunächst diejenigen, die begonnen haben, das Gute zu tun, ohne daß sie es vollenden konnten, wegen der eitlen Sorgen der Welt. Für sie betet *Pachomius,* »daß der Herr ihnen die Mittel gebe, das Gute zu tun dadurch, daß er sie aus allen Sorgen dieser eitlen Welt löse, mit Ausnahme der wenigen, *die der Körper* erfordert.«[110] Eine einzige Stelle, die Anklänge an philosophische Askese vermuten lassen könnte, spricht von der »Reinerhaltung«, nicht aber der Vernichtung des Körpers.[111] Auch eine Überwindung des Stofflich-Körperlichen ins Pneumatisch-Geistige hinein ist bei *Pachomius* nicht bekannt. Es ist lediglich eine einzige Stelle im *Liber Orsiesii,* an der wir einen Anklang an den Topos vom *angelikos bios* finden.[112] Im Gesamt des pachomianischen Schriftgutes spielt er kaum eine Rolle.[113] *H. Bacht* stellt daher fest: »Daß stoische Ideen mitschwingen mögen, ist nicht ausgeschlossen. Aber wo immer die Quellen liegen mögen, wichtiger ist die Feststellung, daß der Skopus der pachomianischen Askese betont positiv ist und nichts von einem Kult der Selbstzerstörung an sich trägt.«[114]

Pachomius geht es – wie schon *Tamburrino* vermerkte[115] – in erster Linie um das konkrete Leben, genauer um das konkrete Zusammenleben der Brüder. Begriffliche Ausformulierungen kommen bei ihm – wenn überhaupt – immer erst hinterher.[116] Die philosophische Askese geht in aller Regel den umgekehrten Weg: von der (reinen) Lehre zur Lebensordnung. »Was die Geschlossenheit des Systems anlangt«, so schreibt *A. Bremond,* »so erscheint der Stoizismus weit überlegen. Das Mönchtum der Wüste aber ist Leben ... Ohne jeden Anspruch zu erheben, eine

---

110 Bo 101: CSCO 89 126,17–23 (= *Lefort* 170,3–6).
111 Vgl. dazu S. 87.
112 LO 19: *Boon* 120,26–28 (= *Bacht* 99,8–10).
113 Vgl. dazu: *H. Bacht:* Zur Typologie des koptischen Mönchtums, in: *K. Wessel* (Hrsg.): Christentum am Nil, Recklinghausen 1964, 142–157; *S. Frank:* Angelikos Bios, Münster 1964, 124–130.
114 *Bacht,* Vermächtnis 109, Anm. 88.
115 Vgl. dazu S. 84.
116 *St. Hilpisch:* Der Heilige Pachomius, in: Benediktinische Monatsschrift 22 (1946) 125: »Seine Regel enthält knappe, praktische Anweisungen, die ohne Reflexion gegeben werden. Sie läßt auf einen nüchternen Mann der Praxis schließen.«

Lehre zu bieten, wurde daraus ein wunderbares System angewandter Psychologie.«[117]

Die gesamten pachomianischen Texte weisen in dieselbe Richtung: immer ordnet *Pachomius* an, regelt er, regt er an, schreibt er vor, tadelt usw., dann erst setzt er sich – wie es immer wieder heißt – und versucht seinen Brüdern die Sache zu erklären.

Ein weiterer Unterschied besteht in der Bewertung der Leistung. Für den Asketen ist es eine persönliche Leistung, wenn er auf dem Weg der Tugend Fortschritte erzielen kann. *Pachomius* dagegen hat gegen jedes Leistungsdenken eine deutlich sichtbare Abneigung. Es genügt ihm, wenn bloß der Verdacht aufkommt, und schon ist er mit Konsequenzen auf dem Plan.[118] So etwas kann und will er offenbar nicht einreißen lassen. Auf die kluge Ausgewogenheit und das Maß seiner Vorschriften haben wir ebenfalls schon hingewiesen.[119] Der für die philosophische Askese kennzeichnende Hang zur Radikalität ist *Pachomius* vollkommen fremd. Immer wieder überrascht *Pachomius* seine Brüder – und auch seine heutigen Leser – wenn er vor jeder Gefahr der Übertreibung warnt. Dies wird im Unterschied zu seinem alten Meister *Palamon* deutlich. Von *Palamon* wird berichtet: »Am Tage der Freude (Ostern) sagte der Alte nach der Kommunion zu ihm [*Pachomius*]: ›Da heute das Fest der Christen ist, geh und bereite mir etwas zu essen.‹ Als *Pachomius* die Mahlzeit bereitete, goß er Öl über das zerstoßene Salz, das ihre Nahrung bildete (manchmal auch wild gewachsenes Gemüse ohne Öl und Essig; oft vermengen sie das Salz mit Asche). Als alles bereitet war, lud er den Alten zum Mahl ein. Dieser kam und sah das Öl im Salz. Da schlug er die Hände vors Gesicht, begann zu weinen und sagte: ›Der Herr wurde gekreuzigt und ich esse Öl!‹ Da der andere ihn schüchtern drängte, doch etwas zu essen, willigte er mit knapper Not ein, sich zu setzen und die gewöhnliche Nahrung zu sich zu nehmen, nachdem er den Inhalt des Napfes weggeworfen hatte.«[120] Bei diesem Asketen *Palamon* blieb

---

117 *A. Bremond:* Der Mönch und der Stoiker, in: *S. Frank* (Hrsg.): Askese und Mönchtum, Wiesbaden 1975, 91–92.

118 Vgl. dazu S. 67: Die Lehre, die *Pachomius* dem Abt *Cornelios* von Tmouschons-Monchosis erteilt; *Cornelios* sieht offenbar das Nachtwachen als eine Art Wettkampf, bei dem man gewinnen und verlieren kann.

119 Vgl. dazu S. 78.

120 G-1 7: *Halkin* 5,16–26 (= *Festugière* 163). Zu den Fastenübungen der Asketen vgl. auch: *Hieronymus,* Ep. 22,34 Bd. I 150,3–8: »Wahrlich, sie pflegen um die Wette zu fasten: was ein Geheimnis sein sollte, machen sie zur Siegesmeldung. Alles an ihnen ist gekünstelt: die flatternden Ärmel, die zu großen Schuhe, die zu schwere Tunika, die häufigen Seufzer – aber es gibt Besuch von Jungfrauen, Verleumdung des Klerus, und wenn ein Festtag kommt, stopft man sich mit Essen voll bis zum Erbrechen.« *Hieronymus* spricht hier über syrische Asketen. Vgl. dazu auch: *P. Nagel:* Die Motivierung der Askese in der alten Kirche, a. a. O. 66; *A. J. Festugière:* Ursprünge der Frömmigkeit, Freiburg 1963, 117–118.

Pachomius sieben Jahre, dann aber setzte er sich ab und begann sein eigenes Leben auf einer anderen Grundlage. Im Vergleich zu den stoischen Asketen schließlich fällt die große Bedeutung auf, die bei *Pachomius* die Gefühle spielen. Es wäre für einen stoischen Asketen undenkbar, daß er in einem derartigen Ausmaß geweint hätte, wie dies von den Pachomianern immer wieder berichtet wird.[121] Von einem Sich-Schämen über die Tränen kann bei den Pachomianern nicht die Rede sein.

Während für einen (christlichen oder philosophischen) Asketen das Betteln eine große Rolle spielte[122], wird an keiner einzigen Stelle in den pachomianischen Texten berichtet, daß die Pachomianer für ihren Lebensunterhalt gebettelt hätten. Im Gegenteil: als einmal ein reicher Mann den Brüdern Weizen schenken will, erklären sie zunächst, daß sie bezahlen wollten. Erst nach umständlichen Erklärungen des Spenders sind sie bereit, das Geschenk anzunehmen.[123] In einem Gespräch mit *Theodor* äußerte sich *Pachomius* abfallend über die, die sich vor lauter Fasten nicht mehr selber versorgen können und sich dann bedienen lassen müssen, und die dann gehässig, kleinmütig und rachsüchtig werden.[124] Auch ein Zusammenschluß Wohlhabender, wie das bei den philosophischen Asketen üblich war, läßt sich bei Pachomius nicht finden.[125] Die normale Handarbeit schließlich, die *Pachomius* als wesentliches Element seiner Armut ansieht, ist für einen philosophischen Asketen nicht denkbar.

Indem die philosophischen Asketen den Reichtum rundweg als unnötig, nicht wichtig oder gar böse betrachteten, ist dies von *Pachomius* nicht zu sagen: seine Klöster besitzen ja (zwar bescheidenes) Eigentum. Und auch schon aus der Zeit vor dem Armutsstreit haben wir Zeugnisse, wonach Mönche des *Pachomius* mindestens zeitweise ihr Vermögen noch als Mönche verwalteten. Es geht *Pachomius* also nicht um eine Abwertung des Vermögens, sondern bloß um den rechten Umgang mit dem Vermögen: geordnet durch seine Vorstellungen von der Solidarität.[126]

Wir können also festhalten, daß das, was Pachomius wollte, mit dem Begriff »Askese« nicht zu umschreiben ist.[127] Es war etwas anderes und

---

121 Vgl. dazu: *B. Steidle:* Das Lachen im alten Mönchtum, in: Benediktinische Monatsschrift 20 (1938) 271–280.
122 Vgl. dazu S. 92.
123 Bo 39: CSCO 89 (= *Lefort* 108,16–109,16); S-5 39: CSCO 99 137,10–138,12 (= *Lefort* 239,6–240,2); S-3 39: CSCO 99 220,1–16 (= *Lefort* 296,14–27) – diese Stelle ist lückenhaft; für den überlieferten Teil jedoch stimmt sie mit anderen Informationen überein; Am 553,9–554,9; G-1 39: *Halkin* 24,7–19 (= *Festugière* 180).
124 Bo 35: CSCO 89 38,15–20 (= *Lefort* 106,10–12).
125 Vgl. dazu S. 137.
126 Vgl. dazu S. 82.
127 Es gibt z. B. Asketen, die *Pachomius* wieder wegschicken muß, weil sie zwar für das

hatte mit dem, was den Asketen am Herzen lag, wenig zu tun.[128] Grundlage der pachomianischen Armutsforderung war die Solidarität.[129] Diese Erkenntnisse machen uns erneut darauf aufmerksam, woran die Diskussion um die (nachweisbaren oder nicht nachweisbaren) außerchristlichen Einflüsse auf das Mönchtum in erster Linie leidet: untersucht man außerchristliche Einflüsse auf »das Mönchtum«, oder die genuin christlichen Quellen »des Mönchtums« und wirft dabei so verschiedene Dinge wie Anachoretentum, Mönchtum der sketischen Wüste und Pachomianertum unbesehen in einen Topf, so wird man nie erwarten können, diese Frage eindeutig zu klären. Hier gälte es vielmehr zu unterscheiden und die doch zum Teil sehr gegensätzlichen Grundprinzipien zu beachten.

Sogar innerhalb des Pachomianertums bedarf es – wie wir zeigen konnten – einer sehr genauen Unterscheidung zwischen den Gedanken und der Spiritualität eines *Pachomius* und denen eines *Theodor.* Wer diese Unterschiede nicht berücksichtigt – oder, weil er vor Veröffentlichung der Veilleux'schen Arbeiten schrieb, nicht berücksichtigen konnte – tut sich natürlich sehr leicht, wenn er aus einem undifferenzierten Gemisch aus Regeln und den verschiedensten Teilen der Viten so ziemlich alles nachweisen kann, sowohl, daß *Pachomius* ein alles Stoffliche verachtender Asket war, als auch ein Mann, der mit solchen Tendenzen nicht das Mindeste zu tun hatte. Der folgende Abschnitt will zu dieser Differenzierung einen kleinen Beitrag leisten.

Askese und Armut bei Theodor

Nicht einmal innerhalb des pachomianischen Koinobitentums ist es gerechtfertigt, von einem einheitlichen Phänomen auszugehen. Die Unterschiede klangen schon mehrfach an.[130] Der redaktionskritische Befund des Armutsstreits legte die Vermutung nahe, daß zwei einander entgegengesetzte Armutsauffassungen vorhanden waren. Unsere gesamte Untersuchung bestätigte diese Zweiheit, wobei die eine Richtung eher von *Pachomius,* die andere Richtung mehr

---

asketische Leben taugen, zum gemeinsamen Leben aber nicht fähig sind. Vgl. dazu: Bo 107: CSCO 89 145,17–23 (= *Lefort* 183,25–184,1).
128 Vgl. dazu: *J. Stelzenberger:* Frühchristliche Sittenlehre und die Ethik der Stoa, München 1933, 291: »Die ursprüngliche Regel des Mönchsvaters *Pachomius* wird jedenfalls eher den Geist der Heiligen Schrift, als den eines Philosophen geatmet haben.«
129 *F. Wulf:* Charismatische Armut im Christentum, in: Geist und Leben 44 (1971) 16–31; hier: 18.
130 Vgl. dazu S. 36–38; 47–49; 62.

von *Theodor* vertreten wurde.[131] Im Hauptwerk des *Horsiese* tauchen beide Motivstränge nebeneinander auf.

Grundlegender Unterschied war die gänzlich verschiedene Herkunft des *Theodor*.[132] Seine anders gelagerte Spiritualität wird uns ganz klar vor Augen gestellt in jenem bereits zitierten Dialog, in dem sich *Theodor* nach der Dauer des Fastens in der Karwoche erkundigt: »Während der Fastenzeit suchte er unseren Vater *Pachomius* auf und fragte ihn: ›Wenn doch die Heilige Woche sechs Tage hat, an denen unser Heil gewirkt wurde, warum muß man dann nicht an den vier (ersten) Tagen fasten, über die beiden letzten hinaus?‹ Er antwortete ihm: ›Die Regel der Kirche ist, daß wir an den letzten beiden Tagen fasten, damit wir die Kraft behalten, die Dinge auszuführen, die uns aufgetragen sind, ohne dabei in Schwäche zu fallen, d. h. das dauernde Gebet, Nachtwachen und die Rezitation des Gesetzes Gottes und die Handarbeit, über die es für uns in den Heiligen Schriften Anordnungen gibt, und die es uns erlaubt, unsere Hände den Bedürftigen auszustrecken.‹«[133] In Bo 33 bittet *Theodor* den *Pachomius*, ihm zu sagen, daß er, *Theodor,* mit Sicherheit Gott schauen werde, da ja sonst das ganze Klosterleben keinen Ertrag bringe. *Pachomius* antwortet dem *Theodor,* er solle die Gedanken des Hasses, der Bosheit, der Eifersucht, des Neides, der Mißachtung des Nächsten und der eitlen Ruhmsucht so schnell als möglich meiden, dann werde er Gott schauen.[134]

Dieses – typisch asketische – Motiv der Leistung, für die man dann auch etwas erhält, taucht bei *Theodor* immer wieder, im Gegensatz zu *Pachomius,* auf. Bo 32 berichtet, daß *Theodor,* nachdem er ins Kloster zu *Pachomius* gekommen war, »sich asketischen Übungen hingab, um nicht geringer als die anderen Brüder angesehen zu werden.«[135]

Für *Theodor* stellen wir auch an den hier genannten Stellen eine Spiritualität fest, die Askese als eine (je härter desto besser) zu übende Enthaltsamkeit zum Beispiel von Speisen ansieht, die eigene asketische Leistungen mit den asketischen Leistungen des Nächsten vergleicht und der Auffassung ist, durch dieses asketische Mönchsleben die Anschauung Gottes zu erwirken.

---

131 Diese Grundspannung *Theodor/Pachomius* könnte durchaus etwas mit der Spannung Pachomianertum/Gnosis zu tun haben. Für einen Zusammenhang sprechen die Herkunft des *Theodor* aus der gehobenen Schicht, der Verlauf des Philosophen-Gesprächs von Panopolis-Akhmîm, die dort zu Tage tretenden Kenntnisse des *Theodor,* und die Tatsache, daß *Pachomius* von diesen Kenntnissen des *Theodor* wußte. Näheres S. 144.

132 Vgl. dazu S. 52–56.

133 Bo 35: CSCO 89 38,2–20 (=*Lefort* 105,31–106,13); S-20: Le Muséon 54 (1941) 138 (=*Lefort* 20,5–7); Am 394,2–9.

134 Bo 33: CSCO 89 36,20–24 (=*Lefort* 104,27–29); mit geringfügigen Änderungen auch: S-10: CSCO 99 41a,7–14 (=*Lefort* 24,8–10).

135 Bo 32: CSCO 89 35,7–9 (=*Lefort* 104,1–2); Am 406,1.

Ob hinter der folgenden Erzählung ein – vielleicht manchmal tragischer – Aufbruch dieses Gegensatzes steht, vermuten wir zwar, beweisen wird es sich jedoch nie lassen: In Bo 62 sagt *Theodor* zu einem Bruder, der Streit mit *Pachomius* hatte und deshalb das Kloster verlassen wollte: »Ich leide noch mehr [unter *Pachomius*] als du. Trotzdem wollen wir uns gegenseitig Mut machen und es noch einmal mit ihm probieren.«[136] Diese Andeutung des *Theodor,* daß er selber unter *Pachomius* leide, wird in allen Viten als eine pädagogische List des *Theodor* dargestellt, mit der er den Bruder zum Bleiben bewegen wollte. Es könnte aber auch – nach allem, was wir bisher über die Unterschiede der beiden Männer feststellten – ein Körnchen Wahrheit in diesem Satz stecken: »Ich leide unter ihm.«

Dieser Unterschied der beiden Männer – der beiden wohl auch Leid und Sorgen bereitet haben mag – läuft immer wieder auf dasselbe Unterscheidungskriterium zu: *Theodor* kommt eindeutig von asketischen Tendenzen her und kann sich nie ganz davon lösen; er übersieht dabei immer wieder das, worum es *Pachomius* geht, die Solidarität unter den Brüdern und das friedliche Zusammenleben der Brüder als erstes Ziel mönchischen Lebens. Diese unterschiedliche Schwerpunktsetzung läßt sich bis in den Schülerkreis des *Theodor* hinein verfolgen. Die geistliche Bruchlinie zwischen Solidarität und Askese wird immer wieder genau an den Stellen in den Viten sichtbar, an denen *Veilleux* einen Wechsel von VBr nach VTh nachweisen konnte. So bricht z. B. in der bohairischen Vita in den Kapiteln 33–35 eine deutlich erkennbare asketische Tendenz durch. Beim Lesen der Vita fragt man sich unwillkürlich, wo denn der eigentliche pachomianische Ansatzpunkt der Solidarität geblieben ist. Vergleicht man aber die Ergebnisse der Veilleux'schen Untersuchungen mit diesem Befund, so klärt sich alles auf: Nach *Veilleux* verläuft in der bohairischen Vita die Trennungslinie zwischen VTh und VBr nach Kapitel 29.[137] Überraschend ist es zu sehen, wie Erkenntnisse von Forschern, die vor *Veilleux* schrieben, im Lichte der Veilleux'schen Arbeiten, plötzlich deutlicher und klarer sich darstellen: *Bacht* schreibt, daß »*Pachomius* die Trennung von der Welt nicht so radikal verstanden wissen will, wie es der Mentalität der meisten Anachoreten entsprach«, und fügt dann einschränkend hinzu: »zwar berichtet die Vita von seinem Lieblingsschüler *Theodor,* der im jugendlichen Alter gegen den Willen der Eltern sich *Pachomius* angeschlossen hatte, gegenüber seiner Mutter ein ähnlich

---

136 Bo 62: CSCO 89 60,27–61,5 (=*Lefort* 123,23–25); S-10: CSCO 99 50a,1–50b,22 (=*Lefort* 28,1–22); Am 409,4–9; G-1 66: *Halkin* 44,5–6 (=*Festugière* 193); G-2 52: *Halkin* 221,17–25 (=*Mertel* 75,26–37).
137 *Veilleux,* Liturgie 80.

schroffes Verhalten, wie es von einigen Anachoreten erzählt wird.«[138]
Geht man, wie wir meinen richtig, davon aus, daß *Theodor* bei weitem
stärker als *Pachomius* zu asketischen Tendenzen neigte, so erübrigt sich
diese Einschränkung: es ist ganz klar, daß *Theodor* die Trennung von der
Welt radikaler sieht, als *Pachomius.*

Wenn *Nagel* die asketische Ausrichtung des pachomianischen Mönchtums nachweisen will,[139] ist es nach unseren Überlegungen unmöglich,
daß er Zitate aus dem VBr-Korpus verwenden kann. Und in der Tat
verwendet *Nagel* jedesmal VTh-Stellen.[140] Die asketische Grundhaltung
des *Theodor* ist nicht zu übersehen, auch wenn wir nicht unbedingt so weit
gehen wollen, wie *M. van Molle,* der der Auffassung ist, *Theodor* habe die
Absichten des *Pachomius* regelrecht verbogen.[141]

Von dieser seiner eher asketischen Grundhaltung her hat *Theodor* dann
auch logischerweise ein anderes Verhältnis zur Armut. Er scheint – im
Gegensatz zu *Pachomius*[142] eine prinzipielle Abneigung gegen jeglichen
Reichtum gehabt zu haben. Als einmal ein Schiff, das den Brüdern
gehörte, zu Bruch ging, hielt *Theodor* den Brüdern folgende Katechese:
»Heute sind einige unter euch traurig, weil sie erfahren haben, daß das
Schiff unterging. Aber haben wir nicht die Reichtümer, die wir von
unseren Eltern erhielten, freudig im Namen Jesu Christi hingegeben, als
wir noch in der Unkenntnis waren. Nun gut, betrüben wir uns über das,
was man uns weggenommen hat, nachdem wir doch die wahre Weisheit
vom Herrn empfangen haben. Wir lesen und rezitieren fortlaufend die
Schriften und wir haben noch nicht das Wort des Ijob bemerkt: ›Der Herr
hat's gegeben, der Herr hat's genommen. Wie es dem Herrn gefiel, so
kam es. Der Name des Herrn sei gepriesen.‹ Und wenn der Augenblick
gekommen ist, Söhne des gerechten Ijob zu werden, und den Herrn zu
preisen in der Prüfung, die er uns schickt, auf, meine Brüder, seien wir
nicht kleinmütig und sprechen wir nicht Unwissenheit dem zu, was Gott
uns zu unserer Prüfung schickt. Gehört doch alles, was in der Kongregation ist nicht uns, nicht unseren Eltern dem Fleische nach, die in der Welt
sind, sondern unserem Herrn Jesus Christus, der uns zusammengeführt
hat. Wenn er es uns läßt für unsere Bedürfnisse, so sind es von ihm her
Almosen und Liebesgaben, die er uns liebenswürdigerweise überläßt.

---

138 *H. Bacht:* Antonius und Pachomius, a. a. O. 71.

139 *P. Nagel:* Die Motivierung der Askese in der alten Kirche, a. a. O. 69.

140 Ebd. 12, 25, 105; vielleicht würde *Nagel* heute auch anders schreiben.

141 *M. van Molle,* Essay de classement chronologique des premières règles de vie commune
en chrétienté, in: Vie Spirituelle. Supplement 21 (1968) 108–127; vgl. auch ebd.
394–424.

142 Vgl. dazu S. 96.
Ähnlich auch *J. B. Raus:* De sacrae oboedientiae virtute et voto, Paris 1923; er
unterscheidet einen anachoretisch-aszetischen und einen zönobitisch-sozialen Gehorsam.

Wenn er es uns aber nimmt, bedenken wir das, so geschehe sein Wille an uns, und wir wissen sicher, daß uns nichts widerfahren wird, was uns unnütz ist. Meine Brüder, wir müssen uns über nichts betrüben, das uns widerfährt, sondern wir sollen uns betrüben über die Unwissenheit unserer Seelen und wir sollen den Willen des Herrn tun. Er wird für uns sorgen in allem, wie geschrieben steht: suchet zuerst das Reich Gottes und seine Gerechtigkeit. Alles andere wird euch dann dazugegeben werden.«[143]

Reichtum an sich haben oder nicht haben, ist unwichtig. Die Weisheit, die Erkenntnis (Gnosis?) Gottes ist wichtiger. Alles andere ist Nebensache. So heißt es auch über seine Einstellung zum Vermögenserwerb der Klöster[144]: »Er war traurig, wenn unter dem Vorwand des Unterhalts und der zeitlichen Bedürfnisse die Klöster an Ländereien, Vieh, Schiffen, kurz an Gütern reich wurden, weil er wußte, daß die Füße vieler vom rechten Weg abgleiten werden wegen der Güter und der eitlen Sorgen der Welt.«[145]

Aus dieser generellen Ablehnung des Reichtums heraus lehnt *Theodor* es auch ab, mit dem Schiff zu fahren. Ein gewisser Zug von Resignation spricht aus dem folgenden Bericht über den alten *Theodor*. Die Brüder waren auf der Heimfahrt von Alexandrien und benützten ein Schiff. »Apa *Theodor* ging den Weg zu Fuß bis in den Süden, weil er es ablehnte, eines der Schiffe zu benutzen, die die Klöster erworben hatten. Er wollte nämlich nicht, daß man solche Dinge in den Klöstern habe.«[146]

Von solch einer asketischen Grundeinstellung her konnte *Theodor* dann auch den Armutsstreit nicht von der Wurzel herlösen: er kommt von der asketischen Armutsforderung her und setzt am Gehorsam an. Wo der eigentliche Grund für die Armutsforderung war, und wo im Armutsstreit das Problem lag, konnte er nicht erkennen.

---

143 Bo 183: CSCO 89 161,15–162,18 (= *Lefort* 195,13–196,6).
144 *B. Steidle:* Die Armut in der frühen Kirche, a.a.O. 468, schreibt dieses Zitat irrtümlicherweise nicht *Theodor,* sondern *Pachomius* zu.
145 Bo 197: CSCO 89 191,14–26 (= *Lefort* 216,30–217,1); ein kleiner Anklang in diese Richtung enthält auch: G-1 146: *Halkin* 92,13–14 (= *Festugière* 241).
146 Bo 204: CSCO 89 201,27–202,1 (= *Lefort* 224,9–12); S-3b: CSCO 99 296a,25–29 (= *Lefort* 345,3–4).

5 Die Folgen

Ursachen des Armutsstreits

Sehr kurze Zeit nach dem Tod des ersten Klostergründers in der Kirchengeschichte, *Pachomius,* entstand im ersten Klosterverband der Geschichte eine diesen Klosterverband im Lebensnerv bedrohende Auseinandersetzung. Wir konnten zeigen, daß es bei dieser Auseinandersetzung um Fragen ging, die mit dem Erwerb, dem Umgang und mit der Beurteilung von Vermögen zusammen hingen.[1] Einzelne Äbte hatten sich zusammengeschlossen, um eine relative Unabhängigkeit vom Mutterkloster Pbow auf finanziellem Gebiet zu erreichen. Sie wollten für ihre Klöster selber Vermögen erwerben.[2] Warum sie dies taten, und warum sie dies erst fünf Jahre nach dem Tod des *Pachomius* taten, war unsere Frage. Eine genaue und direkte Auskunft dazu konnten wir aus den von uns untersuchten Texten nicht entnehmen. Zwar wird in Am und G-1 zu Beginn des Armutsstreits erwähnt, daß die Anzahl der Brüder zugenommen habe und daß dadurch die Ansammlung von Vermögen stattgefunden habe, was wieder in letzter Konsequenz zum Armutsstreit geführt habe.[3] Da diese Begründung aber nur an dieser einen einzigen Stelle gegeben wird, muß sie auf ihre Beweiskraft hin untersucht werden.

Gegen diese Behauptungen sprechen mehrere Argumente. Zu Lebzeiten des *Pachomius* war es zu derartigen Auseinandersetzungen nicht gekommen, obwohl die Mönchsgemeinde doch zu Lebzeiten des Pachomius wesentlich stärker gewachsen war, als in den fünf Jahren nach seinem Tod. In den gut 20 Jahren, in denen *Pachomius* die *Koinonia* leitete, wuchs der Verband von zwei Einzelpersonen (*Pachomius* selbst und sein leiblicher Bruder *Johannes*) auf insgesamt elf Klöster an. Es wurden in dieser Zeit gegründet: Tabennesi, Scheneset-Chenoboskion, Pbow, Tmouschons-Monchosis, Pesterposen, Tbewe, Tse und das Kloster Phnoum. Die beiden Frauenklöster waren an Tabennesi und Pbow angeschlossen. Aus der Regierungszeit des *Horsiese* aber sind uns keine Klosterneugründungen, oder auch nur wesentliche Erweiterungen bestehender Klöster überliefert.

Alle Mönche in den Klöstern wurden auch schon zu *Pachomius'* Zeiten ernährt. Wir besitzen sogar Informationen, wonach es unter den

---

1 Vgl. dazu S. 24.
2 Vgl. dazu S. 31; 33.
3 G-1 127: *Halkin* 80,35–37 (= *Festugière* 227); Am 666,34.

Mönchen des *Pachomius* keinerlei Sorgen dieser Welt gab.[4] Es läßt sich darüber hinaus zeigen, daß der Lebensstandard eines Pachomianermönchs um einiges über dem Lebensstandard der Bevölkerungsschicht lag, aus der die Mönche zum größten Teil kamen.[5] Darüberhinaus besitzen wir Nachrichten, wonach die Klöster auch schon zu Pachomius' Zeiten Besitz hatten.[6] Trotzdem war es zu Lebzeiten des *Pachomius* zu keiner derartigen Auseinandersetzung über dem Umgang mit dem Vermögen gekommen; auch nicht zum Versuch eines Abtes, für sein Kloster separat Vermögen zu erwerben. Die Stelle in Am/G-1 möchte insinuieren, daß sich nach dem Tod des *Pachomius* außer der Anzahl der Brüder und der damit zusammenhängenden Versorgungsprobleme nichts geändert habe, und daß also dieser mit dem Anwachsen der Brüderzahl zusammenhängende Vermögenserwerb die letzte Ursache für das Aufkommen des Streits gewesen sei.

Dies könnten wir – obwohl wir gerade zeigen konnten, daß die Anzahl der Brüder und das Vermögen der Klöster zu den Zeiten des *Pachomius* wesentlich stärker gewachsen war als zu Zeiten des *Horsiese* – noch akzeptieren, wenn auf der anderen Seite als gesichert gelten könnte, daß insbesondere das geistliche Klima und die Spiritualität der führenden Köpfe der *Koinonia* seit der Zeit des *Pachomius* unverändert gleich geblieben wäre.

Wir vermuteten[7], daß zur – noch nicht einmal nachgewiesenen – Personen- und Vermögensvermehrung der *Koinonia* noch eine geistliche Veränderung hinzugekommen sein muß, die die zu Lebzeiten des *Pachomius* geübte Form des Umgangs mit Vermögen in Vergessenheit geraten oder unwichtig erscheinen ließ, dadurch eine neue, andersgeartete Form des Umgangs mit Vermögen provozierte, und diese neue Art des Umgangs mit Vermögen dann die Vermögensansammlun gen bei den einzelnen Klöstern entstehen ließ, und dann, nachdem so das Problem offenkundig wurde, den Armutsstreit hervorrief.

Dazu konnten wir zeigen, daß das Armutsideal des Pachomius sich grundlegend von asketischen Armutsforderungen unterschied;[8] daß *Pachomius* in einem geistlichen Umfeld lebte, das mit seiner Spiritualität wenig zu tun hatte, wollen wir im Kapitel VI zeigen; wir werden dabei sehen, daß gnostische Gemeinschaften in unmittelbarer zeitlicher und räumlicher Nachbarschaft zu den pachomianischen Klöstern existierten,

---

4 Bo 104: CSCO 89 134,27–28 (= *Lefort* 176,6); vgl. dazu S. 83.
5 Vgl. dazu S. 137.
6 Vgl. dazu S. 81; die Mönche *Psenthbo* und *Psenapahi* brachten ihr nicht gerade geringes Vermögen ins Kloster mit.
7 Vgl. dazu S. 26.
8 Vgl. dazu S. 96.

und daß *Pachomius* sich von solchen Gemeinschaften deutlich absetzen mußte.[9] Da *Theodor* sich von diesen fremden Strömungen nicht in demselben Maß unterschied und absetzte, wie *Pachomius,* legt sich die Vermutung nahe, daß es auch innerhalb des pachomianischen Verbandes Strömungen gab, die mit der Spiritualität des Gründerabtes nicht übereinstimmten.

Diese, von uns dem Bereich der Askese zugeordneten Strömungen sahen in der Armut vor allem die Dimension der Entsagung den Gütern der Welt gegenüber,[10] während für *Pachomius* das Wesen der Armut im Kloster vor allem darin bestand, daß sich die Brüder hinsichtlich des Besitzes nicht unterschieden.[11] Diese, dem *Pachomius* im Grunde genommen fremden Tendenzen könnten – der direkte Nachweis wird sich nicht führen lassen, wir sind also auf indirekte Beweisführung angewiesen – nach dem Tod des *Pachomius,* (die bedeutende Rolle, die *Theodor* in dieser Zeit wieder spielen sollte, spricht dafür), mehr und mehr Einfluß auf das Zusammenleben der Mönchsgemeinde genommen haben. Damit aber hätte sich die spirituelle Gesamtrichtung der Mönchsgemeinde, vor allem was die Frage der Armut betrifft, so wesentlich geändert, daß wir unmöglich nur noch das Anwachsen der Zahl der Brüder und die Vermehrung des Vermögensbestandes als Grund für den Ausbruch des Streits ansehen können. Einen persönlich armen Mönch, dessen Kloster durch des Mönchs persönliche Armut reich geworden ist, kann sich *Pachomius* nicht vorstellen[12], weil dies seinen wesentlichen geistlichen Grundprinzipien widerspricht. Wenn nun dennoch gerade dies geschehen ist, daß nämlich die Klöster sich hinsichtlich des Besitzes unterscheiden wollten, so kann das nicht ohne Änderung auf dem Gebiet der geistlichen Begründung der Armut vor sich gegangen sein.

Probleme asketischer Armutsbegründung

Armut war für *Pachomius* kein Grundprinzip mönchischen Lebens. Vielmehr war Armut für ihn eine aus dem Zusammenleben der Brüder geforderte und abgeleitete Lebensform. Die Solidarität der Brüder untereinander war sein Ziel; und diese erforderte den Verzicht auf Besitz. Kein Bruder konnte und sollte ohne – oder gar gegen – die anderen

---

9 Vgl. dazu S. 140–145.
10 Vgl. dazu S. 91–93.
11 Vgl. dazu S. 82.
12 Vgl. dazu S. 48.

Brüder sein Heil durch asketische Höchstleistungen erwerben, (auch nicht durch asketische Armuts-Höchstleistungen).[13]

Für *Pachomius* bedeutete Armut nicht Negierung von Besitz, sondern, durch die Solidarität geordneten Umgang mit dem Besitz. Armut war für *Pachomius* eingebettet in und bezogen auf das Zusammenleben der Brüder. Durch die Ableitung der Armutsforderung aus der Solidaritätsforderung erreichte *Pachomius* eine Rückbindung der Armut wie des Besitzes an das Wohl der Mitbrüder.[14] Eine vom Wohl der *Koinonia* losgelöste Armut der Brüder, also eine asketische Armut, war *Pachomius* fremd. Für ihn konnte sich, da er die Armut aus der Solidarität ableitete, die Armut selbst nie als ein Wert an sich vom Wohl der gesamten Mönchsgemeinde loslösen und selbständig machen.

Wer durch besondere asketische (Armuts-)Höchstleistungen den Bruder oder die Gemeinschaft in Gefahr brachte, sei es, daß er den Mitbruder betrübte, oder beschämte, oder sei es, daß er durch eigene Entsagung den weltlichen Gütern gegenüber seinem Mitbruder bzw. seinem Kloster allein die Verantwortung für den Umgang mit dem Vermögen aufbürdete, verfehlte sich gegen die Solidarität und somit gegen das Ziel, wozu die von ihm geübte Armut ja eigentlich nur der Weg sein sollte.

Eine aus asketischer Entsagung heraus begründete Armutsforderung mußte hingegen solche Überlegungen nicht anstellen. Eine durch asketische Entsagung begründete Armutsforderung hat ihr Ziel und ihren Zweck schon erreicht, wenn auf Vermögen, bzw. Güter dieser Welt verzichtet wird. Die Entsagung an sich ist der Endpunkt der Askese. Fragen darüber hinaus stellt ein Asket nicht. Durch eine asketische Begründung der Armut wird also notgedrungen die entscheidende Frage, wie denn mit den Gütern dieser Welt umzugehen sei, ausgeklammert. Der Asket entsagt den Gütern ein Umgang mit ihnen bedeutet ihm nichts. Die Frage, was mit den Gütern dieser Welt geschehen soll, die auch nach der Entsagung durch den Asketen noch vorhanden sind, wie sie verteilt, wie sie verwaltet, oder wie sie gebraucht werden sollen, ist gerade vom asketischen Standpunkt aus uninteressant.

In einer derartig großen Gemeinschaft, wie es die Mönchsgemeinde am oberen Nil war, wurde dann die Frage virulent, wie denn – nachdem der einzelne Mönch auf dem Reichtum verzichtet hat, also Entsagung geleistet hat – die dadurch noch lange nicht aus der Welt verschwundenen materiellen Güter, die zur Versorgung und zur Aufrechterhaltung des relativ hohen Lebensstandardes nötig waren, verwaltet werden, und wie mit ihnen umgegangen werden solle. Eine von der Askese her begründete

---

13 Vgl. dazu S. 72.
14 Vgl. dazu S. 87.

Armutsforderung bleibt die Antwort auf diese Frage schuldig; im Gegensatz zu einer von der Solidarität her begründeten Armutsforderung. Ohne die Begründung der Solidarität verliert die Armut ihre Einbindung in das Gesamt der Gemeinschaft, und es kommt zur persönlichen Entsagung auf seiten des Mönches und damit zwangsläufig zur Ansammlung von Vermögen auf Seiten des Klosters. Genau diesen Vorgang meinen wir im pachomianischen Armutsstreit gefunden zu haben. Die Armut, die *Pachomius* lebte und forderte, war eindeutig nicht asketisch ausgerichtet. Auch wenn *Horsiese* als ein wesentliches Moment der Armut anführt, daß der Mönch alle Dinge, die ihm erlaubterweise zustehen, von seinem Oberen erhält (und also gerade nicht darauf verzichtet[15]), kann hierin keine asketische Armutsbegründung gesehen werden.

Wird die Armut des einzelnen Mönchs asketisch begründet, dann ist die Ansammlung von Reichtum beim Kloster wesentlich leichter möglich, als wenn die Armut aus der Solidarität heraus begründet wird, wie dies bei *Pachomius* geschah. Wir sehen in dieser Änderung der Begründung die entscheidende Ursache für das Entstehen des Armutsstreits.

Theodors Armutsbegründung und ihre Folgen

Sehr starke, von der Askese herkommende Strömungen konnten wir – im Gegensatz zu *Pachomius* – bei *Theodor* feststellen.[16] Aus der Solidarität leitete *Theodor* nie – weder in Worten noch durch Handlungen – die Armutsforderung ab. Für ihn sind die irdischen Güter Objekte der Entsagung; und die Entsagung ist für ihn wesentliche Forderung mönchischen Lebens. Ähnlich wie bei *Origenes*[17] und der philosophischen Askese finden wir in den Gedanken *Theodors* den freiwilligen Verzicht und die Abtötung des Sinnlichen als Kernpunkt.

Schon das Eigentum an sich ist *Theodor* ein Dorn im Auge. Im 4. Teil seiner 4. Rede während des Armutsstreits bemängelt *Theodor* gerade, daß die Oberen gesagt haben sollen: »Dieses Kloster gehört mir; dies Ding gehört mir.«[18] Keinen einzigen Schritt ist *Theodor* bereit, von seiner asketischen Armutsforderung abzurücken: er kann mit seiner asketischen Vorstellung von Armut noch vereinbaren, daß jemand zwar Reichtum besitzt, aber diesen Reichtum nicht gebraucht. Dieses Zuge-

---

15 Vgl. dazu S. 46.
16 Vgl. dazu S. 97–101.
17 Vgl. dazu S. 92.
18 Vgl. dazu S. 131; 150.

ständnis macht er auf den Einwand einiger der aufständischen Äbte hin, daß es ja auch in den Heiligen Schriften Heiligengestalten gegeben habe, die reich gewesen seien. *Theodor* muß das notgedrungen zugeben, kann diese Heiligen dann aber noch in sein asketisches Armutsideal einordnen, indem er die Unterscheidung zwischen Reichtum haben und Reichtum benützen trifft, und damit zu verstehen gibt, daß jegliches Benützen des Reichtums in seinen Augen schon ein Abweichen vom ursprünglichen Armutsideal ist.[19]

Eine Ausnahme nur kann *Theodor* sich in diesem Idealbild vorstellen; unter einer Bedingung kann der Reichtum akzeptiert werden, daß nämlich vom Reichtum Almosen gegeben werden. Auch dieses Argument findet sich in seiner 5. Rede. *Theodor* macht hier den Reichtum des *Abraham* verständlich mit der Begründung, *Abraham* habe damit sicherlich viel Almosen gegeben.[20] Wir finden also bei *Theodor* eine fast nur asketische begründete Armutsforderung.[21] Lediglich Angesichts der Einwände der aufständischen Äbte läßt *Theodor* auch noch das soziale Motiv anklingen. Dieses soziale Motiv haben wir aber gerade für *Pachomius* als eine Vorstufe seiner Solidaritätsforderung aufzeigen können.[22] *Theodor* steht also mit seiner Forderung der Armut auf einer früheren Stufe, die *Pachomius* im Laufe seiner Entwicklung auch durchgemacht, dann aber in der Solidaritätsforderung aufgehoben hat. Soweit war *Theodor* ganz offensichtlich nicht vorgestoßen.

Wenn nun also Gedankengut, das *Theodor* nahestand, nach dem Tod des *Pachomius* auf die *Koinonia* Einfluß gewann, was nach unseren Untersuchungen eher anzunehmen als auszuschließen ist, dann wird deutlich, daß unter diesem Einfluß die Armut auch anders begründet wurde, und daß in der Veränderung dieser geistlichen Grundströmung der Gemeinschaft die wesentlichste Ursache für das Entstehen des Armutsstreits zu suchen ist.

Theodors Unfähigkeit zur Lösung des Konflikts

Für eine an *Pachomius* ausgerichtete Spiritualität hat das äußere Wachstum der Klöster allein noch keine verheerenden Auswirkungen. Für einen solidarischen Armutsbegriff ist Eigentum weder gut noch böse.

---

19 Vgl. dazu S. 100; 131; 153.
20 Vgl. dazu S. 132; 153.
21 Sogar noch an der einzigen Stelle in seinen Reden, an der *Theodor* ein klein wenig einen Gedanken der Solidarität anklingen läßt – als er nämlich davon spricht, daß *Mose* lieber zusammen mit seinem Volk litt, als die leichte Freude der Sünde zu genießen – bezeichnet *Theodor* dieses Verhalten des *Mose* als Entsagung. Vgl. dazu: S-5: CSCO 99,191,1–4 (= *Lefort* 281,14–17); S-3b: CSCO 99 285a,1–5 (= *Lefort* 335,5–7).
22 Vgl. dazu S. 70 und S. 85.

Der einzelne kann Eigentum behalten, wenn er es nur in Solidarität mit seinen Brüdern verwaltet. Eine Zunahme des Vermögens gibt ihm lediglich die Möglichkeit, solidarischer zu sein, d. h. mehr Menschen am Nutzen seines Reichtums teilhaben zu lassen. Unter der Forderung der Solidarität verwaltetes Vermögen kann nie in dem Maß anwachsen und sich auch nie bei Einzelpersonen oder Kollektivpersonen ansammeln, wie ein Vermögen, auf das aus asketischen Motiven verzichtet wird. Für den asketischen Armutsbegriff gibt es keine Möglichkeit des Umgangs mit den irdischen Gütern: ein Asket übt Entsagung. Was aus den irdischen Gütern selbst wird, ob sie sich bei einer Kollektivperson ansammeln, oder bei einer fremden Einzelperson, ist nicht mehr Gegenstand der Überlegungen im asketischen Armutsbegriff.

Die eigentliche Frage, die es also im Armutsstreit zu beantworten gegolten hätte, wenn der Armutsstreit an seinen Wurzeln hätte gelöst werden sollen, wäre die gewesen, wie mit den, für die Versorgung dieser großen Zahl der Brüder notwendigen Vermögen umzugehen sei. Wollten die Pachomianer ihren vergleichsweise hohen Lebensstandard halten, so waren sie auf den Besitz und die Verwaltung von materiellen Gütern angewiesen. Daß hierauf eine Antwort notwendig und auch möglich war, konnte der stark von asketischen Tendenzen geprägte *Theodor* nicht sehen. Für ihn gab es keinen anderen Grund für die Armut, als die Entsagung; daß die Gemeinschaft aus anderen Gründen irdische Dinge braucht, konnte er bis ins hohe Alter hinein nicht sehen.

Viele hundert Kilometer legte er noch im hohen Alter zu Fuß zurück, um nicht ein Schiff benutzen zu müssen, dessen Besitz durch das Kloster mit seinem Armutsideal nicht zu vereinbaren war.[23] Eine andere Antwort als die asketische Armutsforderung konnte *Theodor* auch im Armutsstreit nicht sehen.

Pachomius hat oft versucht, *Theodor* diesen dritten, echt pachomianischen Weg, der zwar den Umgang mit Vermögen ermöglicht, diesen Umgang aber über die Solidarität an das Wohl der Brüder zurückbindet, nahezubringen; wie wir gesehen haben, ohne Erfolg.[24] Für *Pachomius* war das Ziel ein durch das Prinzip der Solidarität geordneter Umgang mit den irdischen Gütern. Dieses Prinzip der Solidarität gab *Pachomius* die Möglichkeit, die schon aufgezeigten negativen Folgen des asketischen Armutsideals in Grenzen zu halten. *Theodor* stand diese Rückbindungsmöglichkeit nicht zur Verfügung. Als sich darum im Armutsstreit die negativen Folgen des asketischen Armutsideals zeigten: arme Mönche und durch die Armut der Mönche zu Wohlstand gekommene Klöster, die

---

23 Bo 197: CSCO 89 191,14–26 (= *Lefort* 216,30–217,1); vgl. dazu S. 101.
24 Vgl. dazu S. 60; 67; 80; 88; 98.

– teilweise gegeneinander – Vermögen an materiellen Gütern zusammentrugen, konnte er dieser Eigendynamik nur Einhalt gebieten, indem er in letzter Not an die Loyalität *Pachomius* gegenüber appellierte und auf den Gehorsam, den die Äbte ihm, als dem Koadjutor des *Horsiese,* schuldeten, rekurrierte.[25] Unter diesen Umständen wird verständlich, warum *Theodor* in seinen Reden während des Armutsstreits weder ausführlich auf die Armut zu sprechen kam, noch eine erneute, aus der Solidarität begründete Darlegung der Armut bot, sondern – auch wenn man spätere Erweiterungen durch Redaktoren in Rechnung stellt – schon selbst mit starkem Nachdruck auf die Autorität und den Gehorsam abhob.[26]

Welche Frage hier eigentlich angesprochen war, konnte er von seinem Armutsverständnis her nicht sehen, und natürlich erst recht keine Antwort geben. Er begründete die Armut zum Schluß nur noch als Gehorsam dem Ideal des *Pachomius* gegenüber, ohne anscheinend dieses Ideal des *Pachomius* in seinen Grundzügen verstanden zu haben.[27] Im Augenblick erreichte er dadurch eine Befriedung; auf lange Sicht aber mußte dieses Problem: armer Mönch im reichen Kloster, wenn es nicht durch die Solidarität an die Gemeinschaft zurückgebunden wurde, wieder aufbrechen.[28]

Schlußfolgerungen

Die Pachomianer hätten die Möglichkeit gehabt, die Armut aus asketischen Motiven heraus zu verwirklichen; dann wäre der Hauptzweck ihres Armseins durch die Entsagung des einzelnen Mönchs den Gütern dieser Welt gegenüber erfüllt worden. Konsequent durchgehalten hätte dies eine Bettelarmut bedeutet. Gerade dies aber war nicht das Ideal des *Pachomius.*[29]

Pachomius sah das Wesen der Armut begründet durch die Gleichheit und die Solidarität der Brüder untereinander. Er hatte so die Möglichkeit für seine Mönche einen zwar bescheidenen, aber deutlich über dem Niveau der Landbevölkerung liegenden Lebensstandard zu verwirklichen. Dazu war Vermögen, dazu waren irdische Güter notwendig. Die Art und Weise des Umgangs damit legte *Pachomius* – in Abhebung von asketischen Tendenzen – in der Solidaritätsforderung fest.

---

25 Vgl. dazu S. 30; 32.
26 Vgl. dazu S. 132–133.
27 Vgl. dazu S. 101.
28 Vgl. dazu S. 33.
29 Vgl. dazu S. 84.

Nach dem Tod des *Pachomius* wurde die Armutsbegründung aus der Solidarität offensichtlich Schritt für Schritt durch eine Armutsbegründung aus der Askese ersetzt; die Konsequenz der Senkung des Lebensstandardes und unter Umständen des Bettelns aber nicht gezogen. Die Gemeinschaft blieb in dieser eigenartigen Zwitterstellung: einerseits die Begründung aus der asketischen Armutsforderung, andererseits die Formen der solidarischen Armutsforderung. So brauchte man einerseits Vermögen und irdische Güter, andererseits setzte sich immer mehr die Begründung aus der Entsagung gerade diesen irdischen Gütern gegenüber durch; es kam zu einer Vermehrung der irdischen Güter und gleichzeitig zu einer, durch die asketische Begründung verminderten Umgangsbereitschaft und -fähigkeit diesen Gütern gegenüber.

Die so auftauchenden Fragen mußte dann ein in den Solidaritätsmotiven so wenig bewanderter Mann wie *Theodor* angehen. Da ihm das nötige Instrumentarium zu Beantwortung der anstehenden Fragen nicht zur Verfügung stand, konnte seine Mission nicht von Erfolg begleitet gewesen sein.[30]

So meinen wir deshalb, nachgewiesen zu haben, daß – in Abwandlung eines Zitats von *Steidle*[31] – nicht mit dem Wachsen des Besitzes der gute Geist schwand, sondern mit dem Schwinden des guten Geistes der Besitz wuchs.

Ein Ausblick

Der Armutsstreit, der in der Kirche des 20. Jahrhunderts ausgetragen wird, geht nicht mehr mit der Gründung eines neuen Ordens einher, auch nicht mit der Gründung einer strengeren Observanz eines schon bestehenden Ordens; der Armutsstreit in der Kirche des 20. Jahrhunderts geht mit dem Verlust der Glaubwürdigkeit der Kirche in den Augen der Menschen einher; verbunden mit dem lautlosen Auszug von ganzen Generationen.

F. Wulf hat mit eindringlichen Worten dieses Problem aufgezeigt.[32] Wer, wie das 2. Vatikanische Konzil es im Ordensdekret, Art. 13 tut, die Armut als eine der wichtigsten Formen der Nachfolge Christi aufzeigt, auf der anderen Seite aber in den wirtschaftlichen und sozialen Verhältnissen des 20. Jahrhunderts leben will, befindet sich mitten in diesem Armutsstreit: wie ist die Armut heute zu verwirklichen, wie ist die Armut heute zu verstehen?

---

30 Vgl. dazu S. 34.
31 *B. Steidle:* Der »Oberen-Spiegel« im Testament des Abtes Horsiesi, a. a. O. 24.
32 *F. Wulf:* Charismatische Armut im Christentum. Geschichte und Gegenwart, in: Geist und Leben 44 (1971) 16–31.

Die klassischen Armutsformen der Vergangenheit führen heute oft zu mehr als kuriosen Ergebnissen: »Die Armut der strengsten Orden der Kirche kann in einer Zeit, da die Landwirtschaft die Klöster nicht mehr ernährt, nur dadurch aufrechterhalten werden, daß der Generalprokurator des Ordens das jährliche Defizit der einzelnen Klöster kapitalwirtschaftlich, aus dem Handel mit Wertpapieren deckt.«[33]
Solche »kuriosen Formen der christlichen Armut« gilt es nicht als unwahrhaftig zu tadeln, noch als kautzig zu verspotten; wem das Problem der Verwirklichung der christlichen Armut in unserer Zeit ein Anliegen ist, der wird nach den tieferen Gründen und Ursachen solcher kurioser Armutsformen fragen müssen.

Dies Beispiel ist lediglich besonders kraß. Es ist jedoch im Grunde genommen nicht viel kurioser als die Situation der Kirche in Deutschland verglichen mit der Situation der Kirche in der Dritten Welt.[34] Der Verlust an Glaubwürdigkeit geht im einen wie im anderen Fall mit solcherlei Art von Kuriosität Hand in Hand.

Die Frage des heutigen Armutsstreits lautet darum – kein Haar anders als im pachomianischen Armutsstreit – was denn unter christlicher Armut zu verstehen sei. Mit der Beantwortung dieser Frage steht die Glaubwürdigkeit – und damit letztlich alles – auf dem Spiel. Die Glaubwürdigkeit einer reichen Kirche, die Glaubwürdigkeit des Ordenslebens, die Glaubwürdigkeit eines jeden einzelnen Christen.

Hinter der klassischen Antwort auf die Frage, was unter christlicher Armut zu verstehen sei, steht eine – so eigenartig das auch klingen mag – Überbewertung der materiellen Güter. Den irdischen Gütern, dem Reichtum, dem Geld, wird eine große Macht zugesprochen: Reichtum kann – nach dieser Auffassung – das monastische Ideal, das echte Christentum verderben und zerstören. Eine große – fast dämonische – Macht, die der Reichtum in diesen Vorstellungen hat. Lediglich als ein Beispiel unter vielen haben wir oben *Steidle* zitiert,[35] der die Auffassung vertritt, das Wachsen des Reichtums, also das Wachsen einer toten Sache, habe den Geist der Klöster, also ein lebendiges Element zerstören können. Unzählige weitere Beispiele solcher Auffassungen ließen sich anführen: »Mit dem Anwachsen der materiellen Güter wird es für den Einzelmönch immer schwerer, ›ein Herz zu sein‹ mit seinen Brüdern, nehmen Eifer und Friede ab.«[36]
Wenn – wie es die hinter diesem Gedanken stehende Auffassung tut – den

---

33 Ebd. 27.
34 Nicht um zu tadeln, oder zu urteilen, sei dies hier gesagt, sondern lediglich, um auf ein Problem aufmerksam zu machen.
35 Vgl. dazu S. 110.
36 *F. Wulf,* a. a. O. 26 nennt noch weitere Beispiele.

materiellen Gütern eine derartige Bedeutung, Wirksamkeit und Kraft zugesprochen wird, dann kann gegen die daraus resultierenden verheerenden Folgen nur angegangen werden, wenn man diese beinahe dämonischen Kräfte »wie die Pest« zu meiden sucht. Unversehens hat somit die Tendenz zur Dämonisierung der irdischen Güter die Forderung der Askese hervorgebracht; und die mit den Augen der Askese betrachtete Entwicklung des monastischen Lebens bestätigt die These von der dämonischen Kraft und Wirksamkeit des Reichtums.

Die asketische Betrachtung der Kirchengeschichte bestätigt die zerstörerische Kraft der toten Materie und begründet somit den asketischen Verzicht auf die irdischen Güter und umgekehrt.

Aus der vorurteilslosen Betrachtung dieses *circulus vitiosus* wird die geschilderte »kuriose Form der Armut« verstehbar. Vielleicht ist vor diesem Hintergrund auch gar keine andere Lösung des Problems vorstellbar. Es wäre müßig, zu fragen, wo in diesem Kreis Ursache und Wirkung sind. Es genügt, diesen Zirkel zu erkennen, um einzusehen, daß eine Aufsprengung dieses Zirkels für die Glaubwürdigkeit des Christentums im 20. Jahrhundert von überragender Bedeutung ist.[37]

Unsere Arbeit läßt eine Stelle dieses Kreises für die Aufsprengarbeiten als besonders geeignet erscheinen: die aus der Antike stammenden asketischen Tendenzen sind nicht genuiner Bestandteil der christlichen Botschaft.[38] Es gab eine Zeit, in der das Christentum davon unberührt war.[39] In diese Zeit zurück reichen wir bei der Beschäftigung mit dem pachomianischen Armutsideal. Christliche Armut muß also nicht aus einer asketischen Einstellung den irdischen Gütern gegenüber begründet werden. Sie kann zwar so begründet werden. Es gab aber eine Zeit, in der christliche Armut anders begründet wurde; wichtig ist lediglich die Feststellung, daß christliche Armut nicht notwendigerweise aus asketischen Motiven heraus, aus der Entsagung den irdischen Gütern gegenüber begründet werden muß. Es gab auch Christen, die vor jener Zeit lebten, es gab auch Christen, die in Armut lebten, ohne damit gleichzeitig den irdischen Gütern eine dämonische Kraft und der Askese die einzige Heilungsmöglichkeit dagegen zuzusprechen.

Der Nachweis, daß das Ideal der christlichen Armut in der Kirchengeschichte in einer bestimmten Zeit von einem bestimmten Mann anders als heute gängig verstanden wurde (mehr konnte und wollte unsere Arbeit

---

37 Es sei nur darauf aufmerksam gemacht, daß die Aufsprengung dieses Zirkels nicht nur geboten, sondern von der biblischen Schöpfungstheologie her auch begründet ist; vgl. dazu: *M. von Galli:* Kirche der Armen, in: Orientierung 29 (1965) 174–176.

38 Vgl. dazu *P. Stockmeier:* Glaube und Paideia. Zur Begegnung von Christentum und Antike, in: Theologische Quartalschrift 147 (1967) 432–452.

39 Ob das gut war oder nicht, steht hier nicht zur Debatte; lediglich die Tatsache soll festgehalten werden.

nicht leisten) kann als ein Anstoß dienen, den die Glaubwürdigkeit des Christentums heute bedrohenden Armutsstreit anzugehen.

Was aus solchen Anstößen eines Tages werden kann, war nicht mehr Thema dieser Arbeit. Einige Leitlinien seien darum hier nur noch angedeutet:

Die Verkündigung der Nachfolge Jesu in Armut läßt sich heute in den Industrieländern fast nicht mehr ohne innere Verkrampfungen vornehmen, wenn man Armut asketisch motiviert und als Verzicht auf irdische Güter interpretiert. Aber auch die Christen des 20. Jahrhunderts haben wohl einen Anspruch darauf, daß ihnen die Botschaft Jesu an die Armen so verkündet wird, daß diese Forderung heute einleuchtet und vor allem als nachvollziehbar erscheint. Je nach dem, was in der Verkündigung der Armut unter Armut verstanden und verkündet wird, wird diese Botschaft beim heutigen Menschen ankommen oder belächelt werden.

Menschen, die heute in der Welt leben und versuchen, die spezifisch christlichen Forderungen zu verwirklichen, haben einen Anspruch darauf, daß ihnen diese Forderungen so dargelegt werden, daß sie darin eine echte und genuine Lebensmöglichkeit entdecken und nicht bloß eine durch vielerlei Kompromisse entstandene Verwässerung eines »an sich richtigen«, aber leider im konkreten täglichen Leben nicht vollkommen zu verwirklichenden asketischen Ideals. Für Menschen, die heute »mitten in der Welt« versuchen, Christ zu sein, darf nicht das Gefühl entstehen, »eigentlich« sei ja der Rückzug aus der Welt, die Entsagung den irdischen Gütern gegenüber, die wahre christliche Form; aber im Sinne einer »Zweistufenethik« könne der, der halt in der Welt leben muß, seine Armut durch regelmäßiges Hergeben von kleineren Beträgen (auch Spenden genannt) gerade so noch verwirklichen.

Für die in der Welt lebenden Christen wird die Echtheit und Ernsthaftigkeit der christlichen Armut unter dieser notwendigen Konsequenz aus der asketischen Armutsbegründung leiden.

Welche Folgen die aus der »Emotion des Gebens« gespeiste Armut auf entwicklungspolitischem Gebiet hat, zeigt *M. Kämpchen* in seinem beachtenswerten Artikel auf.[40] Er spricht von zweierlei Arten der Armut, einer Armut, die ihr Wesen im Hergeben sieht, und einer Armut, die aus der Solidarität mit den Armen kommt. (Genau jene beiden Formen der Armut, die wir schon für das 4. Jahrhundert aufzeigen konnten.) Aus seiner Erfahrung aus mehreren Indien-Aufenthalten her kommt *Kämpchen* zu dem Schluß: Die Armut aus der *Emotion des Gebens* »tut auf lange Sicht den Armen keinen Dienst und verschenkt die Möglichkeit, zu

---

40 *M. Kämpchen:* Die Armut der Armen teilen. Betrachtungen in Indien, in: Orientierung 41 (1978) 38–40.

Hause echte Bewußtseinsbildung zu betreiben.«[41] Die Probleme der heutigen Welt können nicht durch materielle Armut (und schon gar nicht geistige Armut) gelöst werden, wenn unter Armut im Sinne der Askese Verzicht verstanden wird.

Ganz ähnliche Konsequenzen zeigt *U. Adams*[42] für die Not »vor unserer Haustüre« auf. »Der Weg, den Armen zu helfen«, schreibt sie, »geht nicht über die vollen Hände, die schenken und die Köpfe, die belehren. Er geht über leere Hände und wache Aufmerksamkeit, die bereit ist, zu empfangen. Nicht um das Teilen und Hergeben eines Wissens und Besitzes geht es. Die Armen werden dadurch nur beschämt. Um das Teilen und Annehmen ihrer Armut geht es. So können sie ihre Würde zurückerhalten.«[43] Auf diesen wichtigen Aspekt bei der Verwirklichung des christlichen Armutsideals hat uns schon *Pachomius* hingewiesen. Der geneigte Leser wird unschwer festgestellt haben, daß die vorliegende Arbeit von einer gewissen Sympathie des Verfassers für »seinen Helden« durchzogen ist. Es scheint notwendig, darauf hinzuweisen, daß diese Sympathie, oder sogar vielleicht Verehrung, nichts unwissenschaftliches an sich hat; war sie doch zu Beginn der Arbeit überhaupt noch nicht vorhanden: sie ist Produkt einer wissenschaftlichen Auseinandersetzung mit der Person des Mönchsvaters. *Pachomius* sprach über 1600 Jahre hinweg mit einer Eindringlichkeit, einer Klarheit und einer Aktualität, die uns allen – wie gezeigt – noch viel zu sagen hat.

---

41 Ebd. 40.
42 *U. Adams:* Karriere nach unten. Ein Weg für Ordensleute und andere Christen, in: Geist und Leben 52 (1979) 201–217.
43 Ebd. 213/214.

6 Die Einzelheiten der Quellenforschung

Überblick über die Quellenlage

Pachomius kann mit Fug und Recht als der Gründer des christlichen Mönchtums bezeichnet werden.[1] Es nimmt daher Wunder, daß sich die historische Wissenschaft innerhalb der Theologie jahrhundertelang so wenig Mühe um brauchbare Editionen seiner Werke und seiner Viten gegeben hat.

Bis in unser Jahrhundert waren die Kirchenhistoriker angewiesen auf eine einzige edierte Vita: die 1680 von *D. Papebroch* in den *Acta Sanctorum* veröffentlichte griechische Vita. *Papebroch* edierte diese Vita zusammen mit einer von ihm *Paralipomena* genannten Sammlung griechischer Anekdoten über *Pachomius* und einem Brief des Bischofs *Ammon* über das Leben der Pachomianer.[2] Andere Viten waren bis in jüngste Zeiten hinein unbekannt.

Eine wahre Fülle dagegeen existierte von lateinischen Handschriften der Regeln und Briefe des *Pachomius,* sowie des Testaments des *Horsiese.*[3] Diese einseitige Quellenlage, daß nämlich fast nur die Regeln und Briefe, nicht jedoch die Viten bekannt waren, blieb nicht ohne Folgen für das Bild, das sich zumindest der Westen über *Pachomius* und seine Klostergründungen machte; auch in der Wirkungsgeschichte des pachomianischen Gedankengutes hat diese einseitige Ausfiltrierung der Quellen sich ausgewirkt.

Den Grundstein zu einer, wissenschaftlichen Ansprüchen genügenden, Quellenedition legte *Amélineau* im Jahre 1889 mit der Veröffentlichung einer im bohairischen Dialekt geschriebenen koptischen Vita des *Pachomius.*[4] Es folgte im Jahre 1895, ebenfalls besorgt von *Amélineau,* die Edition von koptischen Bruchstücken einiger im sahidischen Dialekt

---

1 *Lefort,* IV–V.
2 Acta Sanctorum Maii. Collecta, digesta, illustrata a *Godefrido Henschenio* et *Daniele Papebrochio* e Societate Jesu. Tomus tertius. Subjunguntur Acta Graeca ad eosdem dies pertinentia, Antwerpen 1680. Vita Pachomii 788–814; Paralipomena 814–825; Epistula Ammonis 827–835. Die Seitenzahlen beziehen sich auf die für diese Arbeit vorliegende venezianische Druckausgabe von 1738.
3 Vgl. dazu die Übersicht bei *Boon* XXI.
4 E. *Amélineau:* Vie de Pakhôme. Texte memphitique et traduction, in: ders.: Monuments pour servir à l'Histoire de l'Egypte chrétienne au IVe siècle. Annales du Musée Guimet 17, Paris 1889, 1–334.

geschriebenen Viten.[5] Für die koptischen Viten insgesamt besorgte dann *Lefort* in den Jahren 1925–1941 in mühevoller Kleinarbeit die kritischen Ausgaben.[6]

Die Edition der insgesamt sechs, teils mehr, teils weniger von einander abhängigen griechischen Viten besorgte im Jahre 1932 *F. Halkin*,[7] nach Vorarbeiten von *F. Nau* aus dem Jahre 1908.[8] Hinzu kommt für die griechischen Viten ein von *R. Draguet* innerhalb der *Historia Lausiaca* als pachomianischer Vitenteil identifiziertes Textstück,[9] sowie in jüngster Zeit eine aus der Regierungszeit des Kaisers *Michael IV Paphlagonios* stammende Kurzfassung der zweiten griechischen Vita.[10] Die von *Dionysius Exiguus* ins Lateinische übersetzte griechische Vita wurde 1969 von *H. Cranenburgh* kritisch ediert.[11]

Die arabisch erhaltenen Zeugnisse über *Pachomius* und die Pachomianer sind so etwas wie ein »Sorgenkind« der pachomianischen Forschung. *Lefort* bezeichnete 1933 das arabische Vitenmaterial als einen »richtigen Urwald«,[12] eine Bezeichnung, an der sich nach *Veilleux* bis heute nichts geändert hat.[13] *P. Peeters* kündigte zwar in den Dreißigerjahren den Versuch an, ähnlich den Arbeiten von *Halkin* für das griechische und *Lefort* für das koptische Material, seinerseits für die arabischen Texte eine kritische Edition zu erstellen, er hat den Versuch jedoch zwischenzeitlich wieder aufgegeben. Folgende arabische Handschriften einer Pachomiusvita sind zur Zeit bekannt:

– eine Hs. aus dem 14. Jh. in der Vatikanbibliothek in Rom; dort die Nr. 172 (=Av);
– eine Hs. aus dem 16. Jh. in der Universitätsbibliothek in Göttingen; dort die Nr. 116 (=Ag);
– eine Hs. aus der Zeit vor 1350 in der Nationalbibliothek in Paris; dort die Nr. 261 (=Ap);
– eine Hs. aus dem 13. Jh. im Makarios-Kloster im Wadi Natroun (Sigel nicht gebräuchlich);[14]

---

5 *E. Amélineau:* Vies de Pakhôme. Monuments pour servir à l'histoire de l'Egypte chrétienne aux IVe et Ve siècle. Mémoires publiés par les Membres de la mission archéologique française au Caire, tome IV fasc. 2, Paris 1895, 521–611.

6 *L. Th. Lefort:* Sancti Pachomii Vita bohairice scripta. CSCO 89, Löwen 1925, Neudruck 1953; *ders.:* Sancti Pachomii Vitae sahidice scriptae. CSCO 99, Löwen 1933, Neudruck 1952; später reichte *Lefort* dann in Le Muséon noch einige Fragmente nach: Vies de S. Pachôme (nouveaux fragments), in: Le Muséon 49 (1936) 219–230 und Glanures pachômiennes, in: Le Muséon 54 (1941) 111–138; die gesamte Arbeit beschreibt *Lefort* in: Vies coptes, a. a. O. VII (zitiert als: *Lefort*). Zur Handschriftenlage äußert er sich: ebd. LXII–LXX.

7 *F. Halkin:* Sancti Pachomii Vitae ediderunt Hagiographi Bollandiani ex recensione F. Halkin. Subsidia Hagiographica 19, Brüssel 1932.

8 *F. Nau:* Histoire de S. Pachôme, in: Patrologia Orientalis 4 (1908) 409–511.

9 *R. Draguet:* Un morceau grec inédit des Vies de Pachôme apparié à un texte d'Evagre en partie inconnu, in: Le Muséon 70 (1957) 267–306.

10 *F. Halkin:* La Vie abrégée de Saint Pachôme dans le ménologe impérial, in: Analecta Bollandiana 96 (1978) 367–381.

11 *H. van Cranenburgh:* La Vie Latine de Saint Pachôme traduite du grec par Denys le Petit. Subsidia Hagiographica 46, Brüssel 1969 (zitiert als: Dion).

12 *Lefort* in der Rezension von: *Halkin:* Sancti Pachomii Vitae, in: Revue d'histoire ecclésiastique 29 (1933) 424–429; hier: 425.

13 Vgl. *Veilleux*, Liturgie, 50.

14 Durch Vermittlung eines befreundeten Lehrers an der deutschen Schule in Kairo konnte

- eine nicht näher bezeichnete Zahl von Hss. in nicht näher genannten ägyptischen Bibliotheken[15];
- im Jahre 1891 wurde in Kairo eine Edition mehrerer arabischer Hss. versucht; die wenigen erstellten Exemplare sind aber heute verschollen (= Ac);
- drei jüngere Hss. im Britischen Museum in London (Or 4523 aus dem Jahre 1816) und in der Nationalbibliothek in Paris (4783 aus dem Jahre 1886 und 4784 aus dem Jahre 1839);
- der von *Azis Suryal Ateya* erstellte Katalog der Hss. des Sinai-Klosters[16] erwähnt unter den Nummern 356, 411, 536 und 541 ebenfalls arabische Hss., die sich mit *Pachomius* beschäftigen;
- einige arabische Fragmente in der Vatikanbibliothek in Rom, deren Veröffentlichung *R. Draguet* vorbereitet.[17]

Alles in allem etwa ein gutes Dutzend arabischer Handschriften, deren systematische Untersuchung oder gar kritische Publikation auf lange Sicht nicht zu erwarten ist.

P. Ladeuze war 1898 noch der Meinung, daß es einmal eine eigene arabische Vita des *Pachomius* gegeben haben müsse.[18] Heute herrscht jedoch eher die Auffassung vor, daß es sich bei den arabischen Manuskripten entweder um Übersetzungen einer koptischen Vorlage (Av und Ag), oder um Übersetzungen einer griechischen Vorlage (Ap, Ac, Hs. des Wadi Natroun) handelt, oder um eine Kompilation der beiden (die jüngeren Hss. in London und Paris).

Trotz dieses trostlosen Zustandes wußte sich die pachomianische Forschung zu behelfen. Wenn es sich bei Av und Ag um Übersetzungen koptischer Texte handelt,[19] sind wenigstens die koptischen Vorlagen durch die Arbeiten von *Lefort* zugänglich. Die Parallelstellen zu Av hat *Lefort* in der französischen Übersetzung der koptischen Viten angemerkt. Die Handschriften, die einen griechischen Text übersetzen, haben nach heute gängiger Auffassung G-3 als Basis. Für diese Gruppe ist also ein indirekter Zugriff über *Halkin* möglich. Die jüngeren Handschriften sind publiziert. *W. E. Crum* glaubt nachweisen zu können,[20] daß *Amélineau* bei seiner Edition einer arabischen Vita[21] die drei Handschriften aus London und Paris verwendet haben muß.

Durch freundliches Entgegenkommen der Bibliotheca Apostolica Vaticana in Rom und der Niedersächsischen Staats- und Universitätsbibliothek in Göttingen konnten Xerokopien der unveröffentlichten Viten Av

---

ich diese Information wenigstens teilweise überprüfen. Falls eine meinerseits geplante Reise ins Makarios-Kloster wichtige Erkenntnisse erbringen sollte, werde ich darüber wieder berichten.

15 *Lefort* XVII.

16 *A. S. Atiya:* The arabic manuscripts of Mount Sinai, Baltimore 1955.

17 Vgl. *Veilleux*, Liturgie 53.

18 *P. Ladeuze:* Etude sur le cénobitisme pakhômien, Löwen–Paris 1898, 52.

19 Dies ist bis jetzt immer noch eine, wenn auch begründete Annahme. Da wir nur wenige Stellen mit dem koptischen Text vergleichen konnten (die allerdings deutliche Unterschiede aufwiesen), wagen wir darüber jetzt noch kein Urteil.

20 *W. E. Crum:* Theological texts from coptic papyri, Oxford 1913.

21 *E. Amélineau:* Vie de Pakhôme. Texte arabe et traduction, in: ders.: Monuments pour servir à l'Histoire de l'Egypte chrétienne au IVe siècle. Annales du Musée Guimet 17, Paris 1889, 336–711 (zitiert als: *Amélineau*, Am).

und Ag für diese Untersuchung verwendet werden. Eine Beschäftigung mit den unveröffentlichten arabischen Viten kam insoweit in Frage, als diese an entscheidenden Stellen vom koptischen Text abwichen.[22] An modernen Übersetzungen liegen für die Viten lateinische, französische, englische, deutsche und holländische Übersetzungsarbeiten vor. Ins Lateinische übersetzte *Lefort* die bohairische Vita.[23] Ins Französische übersetzte *Lefort* alle koptischen Viten und Viten-Fragmente.[24] *Festugière* übersetzte die erste griechische Vita ins Französische.[25] *Amélineau* veröffentlichte die arabische Vita zusammen mit einer französischen Übersetzung.[26] Ins Englische übersetzte *Athanassakis* die erste griechische Vita[27] und ins Deutsche übersetzte *Mertel* die zweite griechische Vita.[28].

Die koptischen Fragmente der Werke des *Pachomius* und seiner Nachfolger hat *Lefort* in mühevoller Kleinarbeit zusammengetragen und 1956 veröffentlicht.[29] Es handelt sich bei dieser Edition vor allem um Katechesen der drei Mönchsväter *Pachomius, Theodor* und *Horsiese*. Ältere Editionen der Katechesen stammen von *Budge*[30] und *Amélineau*.[31]

Die koptischen Fragmente der Regeln gab erstmals *Lefort* in den Jahren 1921–1935 heraus.[32] *Boon* übernahm Teile dieser Ausgaben als Anhang in seine *Pachomiana Latina* und fügte eine lateinische Übersetzung bei.[33] Ebenso übernahm *Lefort* seine bisherigen Editionen in seine *Œuvres de S. Pachôme et de ses disciples*.[34] Zur Frage der Zuschreibung eines Teils

22 Herrn Dr. *Heinz Halm* vom Orientalischen Seminar der Universität Tübingen danke ich für die Mithilfe beim Übersetzen der arabischen Texte.

23 *L. Th. Lefort:* S. Pachomii Vita bohairice scripta. Interpretatus est *L. Th. Lefort,* CSCO 107, Löwen 1936; zu der 1979 edierten holländischen Übersetzung vgl. Quellenverzeichnis S. 159.

24 *L. Th. Lefort:* Les Vies coptes de S. Pachôme et de ses premiers successeurs. Bibliothèque du Muséon 16, Löwen 1943. Neudruck 1966 (zitiert als: *Lefort*).

25 *A. J. Festugière:* La première Vie grecque de Saint Pachôme. Introduction critique et traduction. Les Moines d'Orient 4.2, Paris 1965 (zitiert als: *Festugière*).

26 *Amélineau,* siehe Anm. 21.

27 *A. Athanassakis:* The Life of Pachomius. Vita prima Graeca. Translated by *A. Athanassakis.* Introducted by *Birger A. Pearson,* Missoula, Montana 1975.

28 *H. Mertel:* Das Leben unseres Heiligen Vaters Pachomius. Deutsche Übersetzung der griechischen Vita durch Gymnasiallehrer *H. Mertel.* Bibliothek der Kirchenväter, Bd. 31, München–Kempten ²1918, 789–899.

29 *L. Th. Lefort:* Œuvres de S. Pachôme et de ses disciples. CSCO 159, Löwen 1956 (zitiert als: CSCO 159).

30 *E. A. W. Budge:* Coptic Apocrypha in the dialect of Upper Egypt. Coptic Texts Bd. III, London 1913, Neudruck 1977, 146–176.

31 *E. Amélineau:* Vies de Pakhôme. Monuments pour servir à l'Histoire de l'Egypte chrétienne aux IVᵉ et Vᵉ siècle, tome IV, a. a. O. 612–614, 616–619; siehe Anm. 5.

32 *L. Th. Lefort:* La Règle de S. Pachome (étude d'approche), in: Le Muséon 34 (1921) 61–70; La Règle de S. Pachôme (2ᵉ étude d'approche), ebd. 37 (1924) 1–28; La Règle de S. Pachôme (nouveaux documents), ebd. 40 (1927) 31–64; La Règle de S. Pachôme (nouveaux documents coptes), in: Le Muséon 48 (1935) 75–80.

33 *A. Boon:* Pachomiana Latina. Règle et épîtres de S. Pachôme, épître de S. Théodore et liber Orsiesii. Texte latin de S. Jérôme. Bibliothèque de la Revue d'Histoire Ecclesiastique 7, Löwen 1932, 155–168 (zitiert als: *Boon).*

34 Zitiert als: CSCO 159; siehe Anm. 29.

der Regeln an *Pachomius* oder *Horsiese* äußerte sich *Bacht* im Jahre 1962.[35] Von den Briefen des *Pachomius* sind einige Stellen als koptische Zitate erhalten und einige Briefe im mehr oder weniger vollständigen koptischen Text. Die Edition der Kölner Handschriften der koptischen Texte besorgten *A. Hermann* und *A. Kropp,*[36] die koptische Handschrift aus der Chester-Beatty-Sammlung gab *H. Quecke* heraus.[37] Die koptischen Zitate stellte *Quecke* im Anhang seiner griechischen Briefedition zusammen.[38]
Die koptischen Texte übersetzten *Lefort*[39] und *Amélineau*[40] *ins Französische. Budge* hat seine *Coptic Apocrypha* ins Englische übertragen.[41] Für die Briefe des *Pachomius* können wir auf die deutsche Übersetzung von *H. Quecke* zurückgreifen.[42]
An äthiopischen Texten wurden bislang lediglich mehrere äthiopische Versionen der Regeln des *Pachomius* ediert.[43] Von dieser Edition existiert eine von *E. König* gefertigte Übersetzung ins Deutsche.[44] Eine auf weiteren Handschriften beruhende Übersetzung ins Schwedische fertigte *O. Löfgren* im Jahre 1948.[45] Ins Englische übersetzte die Regeln *G. H. Shoode.*[46]
Als Originale in griechischer Sprache sind von den Werken der Pachomianer lediglich Briefe des *Pachomius* (Brief 1–3, 7. 10. 11) erhalten, die *Quecke* ediert hat.[47]
Die lateinischen Originale entstammen alle der Feder des heiligen *Hieronymus.* Im Jahre 404 machte er sich – von Freunden gebeten – daran, eine ihm überbrachte Sammlung von griechischen pachomianischen Texten ins Lateinische zu übersetzen. Das griechische Original ging zwischenzeitlich verloren. Die von *Hieronymus* übersetzten Texte enthal-

---

35 *H. Bacht:* Ein verkanntes Fragment der koptischen Pachomiusregel, in: Le Muséon 75 (1962) 5–18.

36 *A. Hermann/A. Kropp:* (Hrsgg.): Demotische und koptische Texte. Papyrologia Coloniensia II. Wissenschaftliche Abhandlungen für Forschung des Landes Nordrhein-Westfalen. Köln und Opladen 1968, 69–84.

37 *H. Quecke:* Ein neues Fragment der Pachombriefe in koptischer Sprache, in: Orientalia N.S. 43 (1974) 66–82.

38 *H. Quecke:* Die Briefe Pachoms. Griechischer Text der Handschrift W 145 der Chester-Beatty-Library, Regensburg 1975, 111–118.

39 *L. Th. Lefort:* Œuvres de S. Pachôme et de ses disciples, traduite par *L. Th. Lefort.* CSCO 160, Löwen 1956, Neudruck 1964 (zitiert als: CSCO 160).

40 *E. Amélineau:* Vies de Pakhôme. Monuments pour servir à l'Histoire de l'Egypte chrétienne aux IVᵉ et Vᵉ siècle, tome IV, a. a. O. 612–619, siehe Anm. 5.

41 *E. A. W. Budge:* a. a. O. 352–382, siehe Anm. 30.

42 *H. Quecke:* Briefe Pachoms in koptischer Sprache. Neue deutsche Übersetzung, in: Zetesis Album Amicorum, Antwerpen–Utrecht 1973, 659–663.

43 *A. Dillmann:* Chrestomathia Aethiopica, Leipzig 1866, 57–69.

44 *E. König:* Die Regeln des Pachomius aus dem Äthiopischen übersetzt und mit Anmerkungen versehen, in: TheolStudKrit 51 (1878) 323–337; vgl. dazu auch: *O. Löfgren:* Zur Textkritik der äthiopischen Regeln I, II, in: Le Monde Oriental 30 (1936) 171–187.

45 *O. Löfgren:* Pakomius' etiopiska klosterregler. I svensk tokning, in: Kyrkohistorisk Årsskrift 48 (1948) 163–184.

46 *G. H. Shoode:* The Rules of Pachomius, translated from the Ethiopic, in: Presbyterian Review 6 (1885) 678–689.

47 *H. Quecke:* Die Briefe Pachoms, a. a. O.

ten die Regeln des *Pachomius,* elf Briefe des *Pachomius,*[48] den Osterfestbrief des *Theodor* und das Testament des *Horsiese,* den sogenannten *Liber Orsiesii.* Das gesamte hieronymianische Korpus gab *Boon* im Jahre 1932 heraus.[49] Übersetzungen der Boonschen Edition besorgten *P. Deseille* ins Französische,[50] *H. Bacht* ins Deutsche,[51] *O. Schuler* übersetzte einen »Oberen-Spiegel« genannten Teil des *Liber Orsiesii* ins Deutsche[52] und *B. Steidle* übersetzte den Osterfestbrief des *Theodor* ins Deutsche.[53] Eine Übersetzung des *Liber Orsiesii* ins Spanische stammt von *M. de Elizalde.*[54]

Nicht unerwähnt darf die handschriftliche Überlieferung der pachomianischen Quellentexte bleiben. Durch eine beeindruckende Fülle von Zeugen belegt sind die lateinischen Texte.[55] Lateinische pachomianische Handschriften finden sich vor allem in Westeuropa (z. B. München, Köln, Würzburg, Erlangen, Brüssel, London, Florenz, Admont, Escorial). Diese lateinischen Handschriften enthalten vor allem die Regeln des *Pachomius,* Briefe der Mönchsväter und den *Liber Orsiesii;* aber keine Viten.[56]

Im Vergleich zu dieser überdurchschnittlich guten handschriftlichen Bezeugung der Regeln und des *Liber Orsiesii* fällt die äußerst schwache Bezeugung der Viten besonders auf. Insgesamt existieren von der G-1-Vita je eine Handschrift in Florenz und Athen und Fragmente in Mailand. Von der G-2-Vita, die allerdings – wie *Lefort* glaubt nachweisen zu können[57] – nicht urpachomianisch ist, existieren Handschriften in Rom, Paris, Oxford, Jerusalem und auf dem Berg Athos.

Noch schlechter ist es um die Bezeugung der koptischen Handschriften bestellt. Hier existieren fast nur Fragmente- und die über West- und Osteuropa verstreut.[58]

Wenn der heutige Zustand des Handschriftenmaterials Rückschlüsse

---

48 Die Briefe des *Pachomius* sind in einer Art »Geheimsprache« oder »mystischen Sprache« geschrieben, deren Entzifferung auch durch die Entdeckung griechischer und koptischer Texte bislang nicht gelungen ist.

49 *Boon,* siehe Anm. 33; eine ältere Ausgabe der Regeln stammt von: *P. B. Albers,* S. Pachomii Abbatis Tabennensis Regulae Monasticae. Bonn 1923.

50 *P. Deseille:* Pachomiana Latina. Traduction française par les moines de Solesme, in: ders.: L'Esprit du monachisme pachômien. Abbaye de Bellefontaine, Spiritualité orientale II, 1968, 1–120.

51 *H. Bacht:* Der Liber Orsiesii lateinisch/deutsch, in: *Bacht,* Vermächtnis, 58–189.

52 *O. Schuler:* Der »Oberen-Spiegel« des Abtes Horsiesi, in: Erbe und Auftrag 43 (1967) 22–38.

53 *B. Steidle:* Der Osterbrief unseres Vaters Theodor an alle Klöster, in: Erbe und Auftrag 44 (1968) 104–119 (zitiert als: *Steidle).*

54 *M. de Elizalde:* Libro de Nuestro Padre San Orsiesio. Introducción, traducción y notas, in: Cuadernos Monasticos 4–5 (1967) 173–244.

55 Vgl. dazu die ausgezeichnete Übersicht in der Einleitung zu *Boon,* vgl. auch: *Veilleux,* Liturgie 120.

56 Von der einzigen lateinischen Vita existieren Hss. in Paris, Brüssel, Bern, München, Rom und Trier. Wegen des sehr engen Zusammenhangs dieser Vita mit der (in außerpachomianischem Milieu entstandenen) G-2-Vita (siehe Anm. 57) widerspricht diese Tatsache aber den Ausführungen nicht.

57 *Lefort,* XXIX meint, daß die G-2-Vita in konstantinopolitanischem Milieu entstanden sein muß.

58 *Lefort,* LXII–LXX.

über die Wirkungen der einzelnen pachomianischen Texte zuläßt, dann kann als sicher gelten, daß im Abendland in aller erster Linie die (aus außerpachomianischem Milieu stammende) G-2-Vita und die Regeln des *Pachomius* für die Ausgestaltung des Mönchtums bedeutsam waren. Fast ohne Einfluß auf Wachsen und Werden des Mönchtums im Abendland blieben dagegen die Viten des *Pachomius;* also die erst seit 1680 zur Verfügung stehende G-1-Vita und die gesamten koptischen Viten.

Die Quellen zum pachomianischen Armutsstreit

Die Ereignisse, die in der Literatur unter den Überschriften »Apollonische Krise«,[59] »pachomianischer Armutsstreit«,[60] oder »Führungskrise unter Horsiese«[61] abgehandelt werden, sind uns in den Quellen an insgesamt 10 Stellen überliefert:
- zwei fragmentarische Berichte in der bohairischen Vita[62],
- drei fragmentarische Berichte in den sahidischen Viten und in einer koptischen Katechese[63],
- drei vollständige Berichte in den griechischen Viten[64],
- ein vollständiger Bericht in einer arabischen Vita[65].

Da es sich bei dem zweiten boharischen Bericht und bei der Erwähnung in der koptischen Katechese lediglich um ganz kurze Anspielungen handelt, können wir von acht mehr oder weniger lückenhaften Berichten sprechen.[66]

Die acht Viten(-fragmente) handeln von ein und demselben Ereignis. Trotz der Übereinstimmung in den Grundlinien, die in allen acht Viten(-fragmenten) zu erkennen ist, zeigen sich aber deutliche Unterschiede. In den koptischen Viten ist der Grund für die Schwierigkeiten mit *Apollonios* nicht genannt.[67] Daß der koptischen Tradition allerdings der Grund bekannt gewesen sein muß, zeigt die Notiz in Bo 204.[68]

---

59 so z. B.: *Bacht,* Vermächtnis 19–23.

60 so z. B.: *K. Baus:* in: Handbuch der Kirchengeschichte II/1, 364.

61 so z. B.: *Ruppert,* Gehorsam 203.

62 Bo 165–167: CSCO 89 155,27–158,25 (=*Lefort* 191,4–193,13); Bo 204: CSCO 89 202,26–203,1 (=*Lefort* 225,1–4).

63 S-3b: CSCO 99 285a,1–288b,31 (=*Lefort* 335,3–337,8); S-5: CSCO 99 189,15–192,3 (=*Lefort* 278,31–282,28); S-6: CSCO 99 268a,5–280,34 (=*Lefort* 324,8–333,16); zu erwähnen wäre hier eine kurze Anspielung auf den Armutsstreit in *Theodors* 3. Katechese: CSCO 159 60b,10–16 (=CSCO 160 61,15–16).

64 G-1 128–132: *Halkin* 80,34–83,21 (=*Festugière* 229–232); G-3 179–184: *Halkin* 380,19–385,19; G-4 70–71: *Halkin* 455,22–456,5.

65 Am 666,2–673,7.

66 Zum besseren Verständnis ist im Anhang eine synoptische Zusammenstellung der entsprechenden Texte beigefügt. Die kurze Inhaltsangabe wurde in dieser Synopse lediglich für S-6 und Am ausgedruckt. Für die anderen Texte sind nur die Stellen markiert, an denen ein entsprechender Paralleltext vorhanden ist. Textlücken sind durch Striche kenntlich gemacht. Auf eine eigene Erwähnung des G-4-Textes wurde verzichtet, da G-4 lediglich eine ganz knappe Inhaltsangabe des Textes darstellt, den auch Am bzw. G-1 und G-3 haben.

67 S-6: CSCO 99 268a,31–268b,9 (=*Lefort* 324,15–17): »Es war ein gewisser *Apollonios,* Vorsteher des Klosters Tmouschons-Monchosis, der viele Schwierigkeiten verursachte, um so mehr, als andere Klöster mit seinen Thesen einverstanden waren.«

68 Bo 204: CSCO 89 202,26–203,1 (=*Lefort* 225,1–4): »[. . .] als dieser nach Alexandrien

In der Erzählung von S-6 aber wird ein Grund nicht genannt. Auch macht die Erzählung von S-6 gegenüber den Erzählungen der griechisch/arabischen Tradition einen sehr gekürzten Eindruck. In den Berichten über den Traum des *Horsiese* und seine Rede an die Brüder stimmten die beiden Traditionen (die koptische und die griechisch/arabische) weitgehend überein. Durch eine Lücke im Text von S-6 sind die beiden Traditionen anschließend nicht mehr vergleichbar. Erst im Bericht über die erste Rede des *Theodor* können wir die Traditionen wieder vergleichen und stellen fest, daß nun S-6 weit ausführlicher berichtet, als Am, G-1 und G-3. Ab der Stelle, an der S-5 als zusätzlicher Zeuge der koptischen Tradition zur Verfügung steht, wird der Unterschied zwischen der koptischen und der griechisch/arabischen Tradition noch deutlicher. Nach der koptischen Version kommen nach der ersten Rede *Theodors* die Aufrührer zu ihm[69], während nach der griechisch/arabischen Version *Theodor* sich zu den Aufrührern begibt.[70] Die Berichte über *Theodors* Zorn, seine zornige Rede, die Unterwerfung der Aufrührer unter das Gesetz der *Koinonia,* das Mattenflechten der Aufrührer und die Umbesetzungen in den Führungspositionen, fehlen in der griechisch/arabischen Version. Desgleichen fehlt dort die letzte Rede des *Theodor.*[71] Schon dieser erste Überblick[72] zeigt deutlich, daß es sich bei den insgesamt acht Berichten um zwei Versionen handeln muß: eine *Version A,* repräsentiert von den koptischen Texten Bo, S-3b, S-5 und S-6, und eine *Version B,* repräsentiert von den griechischen Texten G-1 und G-3 sowie vom arabischen Text Am. (G-4 kann wegen seines Charakters einer ganz kurzen Zusammenfassung außer Acht bleiben).

Version A erzählt den ersten Teil bis zur Lücke in S-6 recht rasch und oberflächlich. Version A berichtet, daß *Apollonios* »Schwierigkeiten machte«, andere Klöster auf seine Seite zog und nichts mehr mit *Horsiese* zu tun haben wollte;[73] weiter, daß *Horsiese* dieses Problem in intensivem Gebet Gott vortrug. Darauf folgt der Traum von den zwei Betten, die

---

schickte, um gesonderte Einkäufe für die Kranken tätigen zu lassen. Apa *Horsiese* stimmte nicht zu, daß *Apollonios* Dinge an einem gesonderten Ort unter eigener Aufsicht aufbewahrte, da er wußte, daß dies unser Vater *Pachomius* nicht gewollt hatte.« Anscheinend war es früher üblich, die Arzneien in Alexandrien gemeinsam einzukaufen. Vgl. dazu Bo 107: CSCO 89 140,1–3 (=*Lefort* 179,27–180,1): »Die Brüder begaben sich nach Alexandrien, um dort einige Matten zu verkaufen und das, was die Kranken brauchten, einzukaufen.« Auch unter *Petronius* scheint das noch so gewesen zu sein: vgl.: S-5 118: CSCO 99 174,11–16 (=*Lefort* 264,19–265,4).

69 S-5: CSCO 99 188,3–8 (=*Lefort* 279,1–3): »Als die Vorsteher der anderen Klöster erfuhren, daß *Theodor* an die Stelle von *Horsiese* gesetzt wurde, machten sie sich auf und kamen erfreut zu ihm, um ihm ihre Aufwartung zu machen.« Derselbe Text in: S-6: CSCO 99 274,25–30 (=*Lefort* 327,26–28).

70 G-1 131: *Halkin* 83,17 (= *Festugière* 231–232): »Danach ging er mit einigen Brüdern auf ein Boot, um die anderen Brüder zu besuchen.« Derselbe Text in: G-3 183: *Halkin* 385,13 und Am 673,4–6.

71 Ab S-5 141: CSCO 99 188,14 (=*Lefort* 279,9) bzw. S-6: CSCO 99 274,25–(=*Lefort* 327,26) einschließlich Bo 165–167 bietet die koptische Version Informationen, die in der griechisch/arabischen Version vollkommen fehlen.

72 Vgl. dazu die Synopse im Anhang.

73 Bemerkenswert die Formulierung:
Version A: Apollonios will nichts mehr mit *Horsiese* zu tun haben;
Version B: Apollonios will nichts mehr mit *Pbow* zu tun haben.

Einsetzung des *Theodor* durch *Horsiese* und *Horsieses* Rückzug nach Scheneset-Chenoboskion. Es folgt die Erinnerung des *Theodor* daran, daß er mit dem Problem »Nachfolge des Generalabtes« schon einmal üble Erfahrungen machen mußte[74] und daraus resultierend sein Wunsch, sich zunächst bei *Horsiese* rückzuversichern. Dann bricht die Textüberlieferung für Version A ab. Diese Erzählung macht den Eindruck, daß alles, was bis jetzt berichtet wurde, lediglich eine Art Vorgeschichte ist zu dem, was später (also nach der Lücke in S-6) berichtet werden soll.

Im Gegensatz dazu ist dieser erste Teil in der *Version B* bei weitem ausführlicher gestaltet. Die Erzählung beginnt mit der Mitteilung, daß die Zahl der Brüder zugenommen hatte, daß die Frage des Klosterbesitzes eine Rolle spielte, daß *Horsiese* den *Apollonios* wegen seiner Machenschaften zur Rede stellte, daß dieser darauf hin dem Kloster Pbow den Gehorsam aufkündigte, daß die Angelegenheit sich ausweitete, daß *Horsiese* die Schwierigkeiten zunächst ertragen wollte, dann aber den Gedanken hatte, einen Koadjutor zu benennen und dann um diesen Koadjutor inständig betete. Es folgt wie in Version A der Bericht über den Traum von den zwei Betten, die Einsetzung des *Theodor* als Stellvertreter und *Horsieses* Rückzug nach Scheneset-Chenoboskion.

Im Unterschied zu A berichtet B von der Freude der Brüder über die Einsetzung des *Theodor* und von der Rückfrage *Theodors* bei *Horsiese*, allerdings ohne das Ereignis aus *Theodors* Vergangenheit zu erwähnen. Ob daraufhin A von B abweicht, ist nicht mehr festzustellen, weil für Version A der Text fehlt. Ein Vergleich der beiden Versionen ist dann wieder möglich, nachdem für A und B wieder Texte zur Verfügung stehen. Beide Versionen berichten zwar von einer Rede des *Theodor*. Doch nun ist A bei weitem ausführlicher als B. Die zweite Rede *Theodors*, die in A berichtet wird, fehlt in B völlig. Erst bei der Erwähnung, daß die Brüder sich wieder in ihre Zellen zurückgezogen hätten finden wir eine Übereinstimmung der beiden Versionen. Sofort danach unterscheiden sie sich aber wieder: In B machte sich *Theodor* zu einem – anscheinend kurzen – Besuch in den Klöstern auf, während in A die aufständischen Äbte zu *Theodor* kamen. *Theodor* war nach A sehr zornig, hielt eine dritte, sehr aufgebrachte Rede an die Aufrührer, worauf diese sich ihm unterwarfen. *Theodor* degradierte sie, ließ sie »wie die anderen Brüder« Matten flechten und machte sich nun erst zur Visitation der einzelnen Klöster auf. Nach der Rückkehr von dieser Reise – auf der er in den Klöstern »wie *Pachomius*« empfangen wurde – erhielt *Theodor* in einem Gesicht weitere Anweisungen; er nahm die ihm bezeichneten Umbesetzungen vor. Es folgt die Erwähnung der zukünftig halbjährlichen Umbesetzungen, sowie eine erneute, lange Rede *Theodors*. All diese Informationen, *Theodor* und sein Vorgehen betreffend, fehlen in Version B völlig.

Die verschiedene Schwerpunktsetzung in A und B (A berichtet vor allem *Theodors* Vorgehen; des *Apollonios* Vergehen bildet dazu quasi nur die Einleitung. B berichtet vor allem das Vergehen des *Apollonios;* das Eingreifen *Theodors* klingt hier wie eine Nach-Berichterstattung) zeigt deutlich die unterschiedlichen Aussageabsichten der beiden Versionen und läßt ihre Herkunft erahnen.

---

74 Vgl. dazu S. 58.

Theodor hält in A insgesamt fünf Reden. Zu *Theodor* kommen die
Aufrührer. *Theodor* ist es, der die Aufrührer zornig anfährt. *Theodor*
besucht die Klöster. *Theodor* wird von den Mönchen in den Klöstern wie
einst *Pachomius* empfangen. *Theodor* setzt alte Äbte ab und neue Äbte
ein. *Theodor* geht aus der Geschichte gestärkt hervor; quasi als der
legitimer Nachfolger des *Pachomius*.
Demgegenüber sieht der Bericht in B anders aus: *Theodor* steht hier im
Dienst einer Sache. Nicht *Theodor* und seine Stellung sind erwähnenswert, sondern der Zusammenhalt der *Koinonia* untereinander und mit
dem Mutterkloster Pbow, in dem sich ja auch nach B fast alles abspielt.
Schon im ersten Satz des *Apollonios* zeigt sich dieser Unterschied:
Version A: »Wir gehorchen nicht mehr dem *Horsiese*«, *Version B:* »Wir
gehorchen nicht mehr dem Mutterkloster Pbow.« Was *Theodor* redet und
tut, ist in B kaum erwähnenswert. Ein Satz darüber erscheint B genügend.
Wichtig dagegen ist für B die Erwähnung, daß der Friede wieder
hergestellt wurde, und daß *Apollonios* in die Gemeinschaft wieder
zurückfand.

Redaktionsgeschichte des pachomianischen Armutsstreits

Was der synoptische Vergleich der acht Viten(-fragmente) vermuten läßt,
daß es sich nämlich um zwei unterschiedliche Textfassungen ein und
derselben Geschichte handelt, bestätigen die text- und redaktionsge-
schichtlichen Untersuchungen von *Lefort*[75] und *Veilleux*.[76]
In seiner Einleitung zur französischen Übersetzung der koptischen Viten
weist *Lefort* darauf hin, daß es sich bei der bohairischen Vita (Bo) und den
sahidischen Viten S-5, S-6 und S-3b um dieselbe, mehr oder weniger
identische Textfassung handelt.[77] Eine Tatsache, die schließlich *Veilleux*
veranlaßte, generell von der Gruppe SBo zu sprechen.[78] Für G-1 und G-3
hat *Veilleux* einen ähnlichen Zusammenhang nachgewiesen.[79] Er geht
davon aus, daß der Kompilator von G-3 neben anderen Texten auch eine
G-1-Vita vorliegen hatte. Darüber hinaus hat *Veilleux* durch umfangrei-
che Untersuchungen einen Zusammenhang zwischen Am 600–643 und
Am 652–711 (wozu unser Text gehört) einerseits und G-3 andererseits
festgestellt.[80] Diese Feststellung veranlaßte *Veilleux* zu der Behauptung,
bei Am handele es sich an diesen Stellen um eine Übersetzung von G-3.
(In Einzelheiten glauben wir, diese These *Veilleux'* so nicht übernehmen
zu können.[81])
Die Arbeiten von *Veilleux* und *Lefort* bestätigen also den Eindruck aus
dem synoptischen Vergleich: bei Bo, S-5 und S-6 handelt es sich um eine
Textfassung (unsere Version A). Bei Am, G-1 und G-3 handelt es sich
ebenfalls um eine Textfassung (unsere Version B).

---

75 *Lefort* I–XCI.
76 *Veilleux*, Liturgie, 16–156.
77 *Lefort* LXXXI.
78 *Veilleux*, Liturgie 38.
79 Ebd. 32.
80 Ebd. 57.
81 Ein ganz enger Zusammenhang ist unbestreitbar. Die vielen Unterschiede in an sich
belanglosen Einzelheiten lassen es jedoch als äußerst unwahrscheinlich erscheinen, daß
Am eine einfache Übersetzung von G-3 ist.

Hinter die heute vorliegenden Textzeugen hat *Veilleux* in umfangreichen Untersuchungen zurückgefragt.[82] Er hat bei seinen Forschungen viele und gute Gründe dafür angeführt, daß einst eine gemeinsame Quelle von SBo und G-1 existiert haben muß.[83] Diese gemeinsame Quelle wiederum ist entstanden – so *Veilleux* – aus einer Zusammenfügung zweier sehr kurz nach den Ereignissen selbst verfaßten Viten: einer Vita des *Pachomius* (von *Veilleux* VBr = *Vita brevis* genannt) und einer Vita des *Theodor* (von *Veilleux* VTh = Vita des *Theodor* genannt). Die *Vita brevis* endete nach *Veilleux'* Untersuchungen mit dem Tod des *Pachomius,* während die Vita des *Theodor* (VTh) Ereignisse auch nach dem Tod des *Pachomius* behandelte.[84]

Wenn nun SBo außer VBr und VTh keine weiteren Quellen zur Verfügung hatte, so dürfen wir annehmen, daß wir in der SBo-Fassung des Armutsstreits – *Pachomius* war ja schon fünf Jahre tot – die mehr oder weniger veränderte Fassung des VTh-Berichts vom Armutsstreit vor uns haben.

Für G-1 nimmt *Veilleux* an, daß der Redaktor zwar auch VBr und VTh vorliegen hatte, daß er jedoch zusätzlich noch weitere Quellen verwenden konnte. *Veilleux* erwähnt hier vor allem die Regeln und die Aszetika.[85] Eine dieser weiteren Quellen hat allerdings *Veilleux* nicht erwähnt. *Festugière* glaubt, diese weitere Quelle (zusätzlich zu den Regeln und den Aszetika) nachweisen zu können.[86] Er spricht in seiner ausführlichen Einleitung zur französischen Übersetzung von G-1 davon, daß wohl sehr früh neben VBr und VTh auch eine Art »Geschichte des Klosters Pbow« existiert haben muß.[87]

Unsere inhaltlichen Untersuchungen legen den Schluß nahe, daß es sich – wegen der in Version B auf das Kloster Pbow zentrierten Betrachtungsweise des Armutsstreits – beim Bericht in G-1 über den Armutsstreit um die Fassung handeln muß, die – mehr oder weniger verändert – in der »Geschichte des Klosters Pbow« geschrieben stand. Gute Gründe sprechen also dafür, daß es sich bei unserer Version A um den Bericht handelt, wie er vor allem im Freundeskreis um *Theodor* erzählt wurde, und bei unserer Version B um den Bericht, wie er vor allem im unmittelbaren Umkreis des Klosters Pbow überliefert wurde.

Der Armutsstreit aus der Sicht des Klosters Pbow:

Veilleux stellt den Zusammenhang innerhalb der Version B etwa wie folgt dar: Hauptzeuge ist nach ihm G-1, unter Umständen angereichert durch Zitate aus den Regeln und Aszetika. Von G-1 hängt nach Veilleux G-3 ab. Am schließlich ist für ihn eine bloße Übersetzung von G-3 ins Arabische.[88]

Was die Episode des pachomianischen Armutsstreits betrifft, so müssen

---

82 Vgl. dazu S. 17–18.
83 *Veilleux,* Liturgie 97.
84 Ebd.
85 Ebd. 104.
86 *Festugière,* a. a. O., siehe Anm. 25.
87 Ebd. 156; diese Geschichte von Pbwo nimmt *Festugière* für G-1 118 ff. an.
88 *Veilleux,* Liturgie 54 und 57.

wir diese These *Veilleux'* auf Grund eines detaillierten Textvergleiches modifizieren. Wie schon angeführt, sprechen nicht wenige Anzeichen dafür, daß es sich bei dem Bericht der Version B um die mehr oder minder veränderte Fassung der »Geschichte von Pbow« (HPb) handeln kann; eine Tatsache, die *Veilleux,* der im übrigen vom Wert der Festugière'schen Forschungen nicht im mindesten überzeugt ist, völlig außer Acht gelassen hat.[89]

Ein synoptischer Vergleich zeigt, daß G-1 und G-3 bis auf verschwindend kleine Ausnahmen ausschließlich stilistischer Art, nahezu wörtlich übereinstimmen. Ganz anders dagegen fällt ein Vergleich zwischen Am einerseits und G-1/G-3 andererseits aus. Hier zeigen sich deutliche Unterschiede. Am kann also nicht – wie *Veilleux* annimmt – eine Übersetzung von G-3 sein. Ein genauer Wort-für-Wort-Vergleich der drei Textzeugen, Am, G-1 und G-3 erbringt folgendes Ergebnis: inhaltlich und in der Anordnung der Erzählungen stimmen die drei Berichte weitgehend überein. Die vielen Parallelen in den beiden Berichten zeigen deutlich, daß sowohl Am, als auch G-1/G-3 auf eine gemeinsame Quelle zurückgehen. Die vielen Abweichungen im Text belegen deutlich, daß keiner der beiden Textzeugen eine Übersetzung des anderen sein kann. Am erweitert die gemeinsame Quelle an einigen Stellen. Manchmal geschieht das recht ungeschickt und ohne logischen Zusammenhang mit der gesamten Gedankenführung.[90] An anderen Stellen ist die Erweiterung in Am so echt pachomianisch,[91] daß wir annehmen möchten, der Redaktor von Am (bzw. der entsprechenden koptischen Vorlage) auf weiteres original pachomianisches Material zurückgreifen konnte, das dem Redaktor von G-1 nicht zur Verfügung stand, oder dies einfach weggelassen hat. Die Frage, warum G-1 diese Sonderinformationen nicht enthält, wird solange ungeklärt bleiben müssen, als die Entstehungsgeschichte von Am noch im Dunkeln liegt.[92]

---

89 Vgl. z. B.: *Veilleux,* Liturgie 39 und 45.

90 So z. B. bei der Interpretation des Traumes von den zwei Betten und bei der recht ungeschickten Erwähnung der Todesstunde des Pachomius.

91 So z. B. bei den Einschüben in der Rede Theodors, die deutliche Ähnlichkeiten mit einer Katechese des *Pachomius* aufweisen (CSCO 159 1,4–24,30 [= CSCO 160 1,3–26,7]): Am 671,4–5: »Vergessen wir nicht, an den Tod zu denken, denn das ist das erste gute Werk.« CSCO 159, 12,24–29 (= CSCO 160 13,13–18): »O Mensch, meide die Sünde und denke an den Tod!« Beidemal finden wir einen Zusammenhang zwischen Vermeidung der Sünde (bz. gutem Werk) und dem Gedanken an den Tod. Und in beiden Fällen fährt der Sprechende unmittelbar fort, über das Ertragen der Mitmenschen zu reden.
Den Gedanken »Wir müssen die Bürde der Brüder tragen und Gott dafür danken, damit wir von unseren Feinden erlöst werden.« (Am 671,5–8) finden wir in der erwähnten Pachomius-Katechese gleich an mehreren Stellen:
CSCO 159 5,28–6,2 (= CSCO 160 5,31–6,7); CSCO 159 11,14–15 (= CSCO 160 11,34–12,1); CSCO 159 11,27–28 (= CSCO 160 12,12–14); CSCO 159 23,10–24,9 (= CSCO 160 24,19–25,19).

92 Solange das gesamte arabische Vitenmaterial nicht gedruckt vorliegt und in seiner Gesamtheit auf Zusammenhänge hin untersucht werden kann, werden alle weiteren Aussagen Spekulation bleiben müssen. Für den heutigen Stand der Wissenschaft können wir entweder (mit *Bousset,* a.a.O 247–253) Am Priorität zusprechen oder auf die Entdeckung der verschollenen Kairoer Vita warten. (Vgl. dazu auch S. 116–118).

Der Armutsstreit aus der Sicht des Freundeskreises um Theodor

Die koptischen Texte berichten nach unserem ersten Eindruck den Armutsstreit in der Textfassung von VTh. Im einzelnen handelt es sich dabei um folgende Fragmente: aus Codex Bo die Fragmente Ti=Tischendorff 25 und Wh=White (fol. 425–427) und das Fragment White (fol. 428)[93]; aus Codex S-6 die Fragmente 3, 4 und 5[94]; aus Codex S-5 die Fragmente 18 und 19[95] sowie aus Codex S-3b die Fragmente 1 und 2.[96] Synoptisch gegenübergestellt zeigen diese einzelnen Textfragmente folgende Parallelen:

Codex Bo	Codex S-6	Codex S-5	Codex S-3b
	Fragm. 3		
	Fragm. 4		
	Fragm. 4	Fragm. 18	
	Fragm. 4		
	Fragm. 5		
Fragm. Ti+Wh	Fragm. 5		
	Fragm. 5		
Fragm. White	Fragm. 5		
	Fragm. 5		
	Fragm. 5	Fragm. 19	
		Fragm. 19	
		Fragm. 19	Fragm. 1
		Fragm. 19	Fragm. 1
			Fragm. 2
		Fragm. 19	Fragm. 2

93 Fragm. *Tischendorff* 25 (fol. 425–426) und Fragm. *White* (fol. 427): CSCO 89 155,27–158,4 (=*Lefort* 191,4–193,3); Fragm. *White* (fol. 428): CSCO 89 158,6–26 (=*Lefort* 193,3–13).

94 Fragm. 3: CSCO 99 268a,1–271b,34 (=*Lefort* 324,6–326,5); Fragm. 4: CSCO 99 272a,1–276,34 (=*Lefort* 326,7–329,24); Frag. 5: CSCO 99 277,1–280,34 (=*Lefort* 329,26–333,16).

95 Fragm. 18: CSCO 99 188,1–189,10 (=*Lefort* 278,32–279,32); Fragm. 19: CSCO 99 189,15–196,26 (=*Lefort* 280,1–286,22); von diesem Fragment 19 ist für den pachomianischen Armutsstreit lediglich folgende Stelle interessant: CSCO 99 189,15–192,3 (=*Lefort* 280,1–282,13).

96 Fragm. 1: CSCO 99 285a,1–286b,23 (=*Lefort* 335,3–336,11); Fragm. 2: CSCO 99 287a,1–288b,31 (=*Lefort* 336,14–337,19).

Die genaue Zitation dieser Stellen lautet:
Codex Bo:
- Fragm. Ti und Wh: CSCO 89 155,27–158,4 (=*Lefort* 191,4–193,2);
- Fragm. White: CSCO 89 158,6–25 (=*Lefort* 193,3–13).
Codex S-6:
- Fragm. 4/1 CSCO 99 272a,1–274,22 (=*Lefort* 326,7–327,23);
- Fragm. 4/2 CSCO 99 274,22–275,27 (=*Lefort* 327,24–328,12);
- Fragm. 4/3 CSCO 99 275,27–276,34 (=*Lefort* 328,13–329,24);
- Fragm. 5/1 CSCO 99 277,1–277,29 (=*Lefort* 329,26–330,19);
- Fragm. 5/2 CSCO 99 277,29–278,31 (=*Lefort* 330,20–331,20);
- Fragm. 5/3 CSCO 99 278,31–279,6 (=*Lefort* 331,21–27);
- Fragm. 5/4 CSCO 99 279,7–279,16 (=*Lefort* 331,29–37);
- Fragm. 5/5 CSCO 99 279,16–280,4 (=*Lefort* 332,1–24);
- Fragm. 5/6 CSCO 99 280,5–280,34 (=*Lefort* 332,25–333,16).
Codex S-5:
- Fragm. 18 CSCO 99 188,1–189,10 (=*Lefort* 278,32–279,33);
- Fragm. 19/1 CSCO 99 189,15–190,15 (=*Lefort* 280,1–280,31);
- Fragm. 19/2 CSCO 99 190,15–190,34 (=*Lefort* 280,32–281,14);
- Fragm. 19/3 CSCO 99 191,1–191,20 (=*Lefort* 281,15–32).
Nach eingehender Untersuchung der koptischen Textzeugen läßt sich sagen: Bo ist an einigen Stellen ein klein wenig ausführlicher als S-6. Ein Vergleich der Textlücke in Bo mit den entsprechenden Stellen von S-6 läßt ebenfalls den Schluß zu, daß Bo auch an dieser Stelle den Text von S-6 stehen hatte, lediglich ebenfalls geringfügig erweitert; zumal S-6 und Bo nach der Textlücke wiederum fast identisch sind. Auch an den heute verschollenen Stellen hatte also wohl Bo den selben, lediglich leicht erweiterten Text wie S-6.
Fragment 18 aus S-5 ist mit Fragment 4/2 aus S-6 nahezu wörtlich identisch; lediglich drei ganz kleine Unterschiede können festgestellt werden. In der Lücke in S-5 ist Platz für gerade soviel Zeilen Text, wie in S-6 an dieser Stelle stehen bzw. gestanden haben können. Fragm. 5/6 aus S-6 und Fragm. 19/1 aus S-5 stimmen wiederum fast wörtlich überein. Wir nehmen darum mit *Lefort* an, daß S-5 der ursprünglichere der beiden fast identischen Textzeugen sei.[97]
S-3b und S-5 weisen im ersten Teil ebenfalls sehr große Übereinstimmungen auf. Beide Texte fahren dann ohne nennenswerten Unterschied fort mit Zitaten aus Ps. 39,18 und Hebr. 11,13. Nach diesem Zitat aus dem Hebräerbrief hört die Parallelität vollkommen auf. S-5 und S-3b stimmen von da an überhaupt nicht mehr überein.
In S-3b zitiert *Theodor* den Wehruf Jesu über die Reichen.[98] Er muß sich offensichtlich darauf gegen die Einwände seiner Zuhörer wehren, die auf den Reichtum mancher »Heiliger« verweisen. *Theodor* widerlegt diese Einwände, indem er unterscheidet zwischen dem Reichtum an sich – der für ihn an dieser Stelle allem Anschein nach nicht verwerflich ist – und dem möglicherweise schlechten Umgang mit dem Reichtum. Dann

---

97 Ein Hinweis in diese Richtung scheint auch folgende Einzelheit zu sein: S-5 schreibt in der Mitte von fol. 287: *afhmoos erou afschadsche,* während S-6 für die entsprechende Stelle als letzte Buchstaben von fol. 44 schreibt: *afhmoos* und als erste Buchstaben auf fol. 45: *afschadsche.* Das fehlende *erou* (=zu ihnen) könnte ein Abschreibfehler sein.
98 Mt. 19,24.

beginnt er vom Gleichnis des armen Lazarus und des reichen Prassers zu sprechen, worauf der Text in S-3b leider abbricht.

Ganz anders hingegen S-5: Dort setzt sich *Theodor* mit dem Einwand auseinander, daß ja auch *Salomo* ein Festmahl gegeben habe. Theodor interpretiert dieses Festmahl, indem er auf den mystischen Sinn dieses Textes hinweist. Dazu nimmt er Bezug auf Spr. 9,1–3. Es scheint, daß seine Zuhörer dieses Festmahl als ein Zeichen von Reichtum verstanden haben; *Theodor* weist sie auf den geistlichen Sinn hin. In S-5 schließt *Theodor* seine Rede:»Meine Brüder, nachdem wir nun über die Armut und den Verzicht der Heiligen gesprochen haben, wollen wir unsererseits ihr Leben nachahmen, damit wir ihre Söhne werden.[99] Dieser Satz würde inhaltlich weitaus besser an das Ende der Rede in S-3b passen.

In S-5 entläßt *Theodor* darauf die Oberen in ihre (neuen) Abtpositionen und begibt sich selbst zu *Horsiese* nach Scheneset-Chenoboskion, um ihn zu trösten und ihn zu beruhigen. Danach kehrt *Theodor* wieder nach Pbow zurück. Nach diesem Bericht ist alles wieder in bester Ordnung: *Theodor* ist der große Held, und hat die Schwierigkeiten glänzend gemeistert:»Nachdem die gute Ordnung in der *Koinonia* wieder hergestellt war, sprach *Theodor* zu den Brüdern...«[100] Es folgt hier eine Rede über ein anderes Thema.

Diese Stelle findet sich nun wieder in S-3b. Der Text ist dort aber wesentlich umfangreicher: an der Stelle, an der in S-5 allein die mystische Interpretation des Festmahls des *Salomo* gegeben wird, ist in S-3b zunächst eine Lücke von 9 Seiten, und dann folgend die Textstelle aus Fragm. 2/1, in der sich eine Auslegung von 1 Kor. 6,15 und Spr. 21,23 findet, was mit dem hier anstehenden Thema wenig zu tun hat.

Wir nehmen an, daß – was sich vom Ablauf der Dinge nahelegt – *Theodor* wirklich über die Armut in seiner Rede gehandelt hat. Wir nehmen ferner an, daß der Ablauf der Dinge – wie gezeigt[101] – von VTh stark modifiziert wurde. Wir schließen daraus, daß die Einschübe in S-5 und S-3b, die nichts mit dem Thema der Armut zu tun haben, von Redaktoren stammen, die hier weitere, ihnen vorliegende Katechesen des *Theodor* verarbeitet haben. Damit erklärt sich dann auch, warum die Fragmente 19/4 aus S-5 und 1/2 aus S-3b überhaupt nichts miteinander zu tun haben: es handelt sich um Katechesen-Texte *Theodors,* die von späteren Redaktoren unabhängig voneinander in die ursprüngliche Rede *Theodors* zum Thema Armut eingearbeitet wurden.[102]

Das würde dann bedeuten: An den Stellen, an denen S-5 und S-3b

99 S-5: CSCO 99 191,33–192,2 (= *Lefort* 282,11–13).
100 S-5: CSCO 99 192,4–5 (= *Lefort* 282,29–31).
101 Vgl. dazu S. 123.
102 Sowohl VTh (Vita des Theodor = unsere Version A) in S-5 und S-3b, als auch HPb (Geschichte des Klosters Pbow = unsere Version B) lassen sich verleiten, die letzte Rede des *Theodor* – wie wir zeigen konnten – aufzufüllen mit weiteren paränetischen Texten, die dem Schreiber zur Verfügung gestanden haben dürften, die aber mit dem zur Debatte stehenden Thema der Armut nichts zu tun hatten.
    Daß – wie wir ebenfalls zeigen konnten – ausgerechnet VTh einen *Theodor-Text* und HPb einen *Pachomius-Text* dazu benützt, kann kein Zufall sein. Vielmehr zeigt sich auch daran, daß die beiden Versionen des Armutsstreits sich nicht grundlos unterscheiden, sondern sehr stark von der jeweils prägenden Figur (*Pachomius* bzw. *Theodor*) beeinflußt sind.

denselben Text haben, übernehmen beide die ursprüngliche VTh-Fassung. An den Stellen, an denen S-5 und S-3b von einander abweichen, handelt es sich um später nachgereichtes Material.
Da S-5 im ersten Teil der von uns verglichenen Parallelstellen weniger glättet und ergänzt als S-3b nehmen wir auch hier an, daß S-5 der ursprünglichere der beiden Textzeugen ist.

Der Armutsstreit im Spiegel der Reden Theodors

Entscheidend für Verlauf und Ausgang des Armutsstreits war das Eingreifen *Theodors*. Einen großen Teil seiner Aktivitäten machten die Reden aus, die er an die Brüder hielt. Diese Reden sind uns in verschiedenen Fassungen überliefert. Die griechisch/arabische Version (B) weiß von einer Rede, die Am in anderer Fassung überliefert, als G-1/G-3. Die koptische Version (A) weiß von insgesamt fünf Reden *Theodors*, die S-6, S-5 und S-3b in mehr oder weniger großen Fragmenten überliefern.
Zum besseren Verständnis fügen wir im Anhang eine Übersicht über die koptischen Reden und eine Übersetzung aller Reden des *Theodor* bei. Die Reden sind dort – um synoptische Vergleiche zu erleichtern – nochmals in einzelne Abschnitte unterteilt. Wir übernehmen auch hier diese Unterteilung.

Theodors Rede in der Version B

Die von Am überlieferte Rede des *Theodor* nimmt Bezug auf die Autorität des *Pachomius* und stellt einen Abfall vom ursprünglichen Ideal fest. *Theodor* leitet über zur Betrachtung von der Vergänglichkeit des Lebens und aller Dinge und fordert seine Zuhörer auf, die Last und Mühsal des Lebens zu ertragen. Unter Bezugnahme auf die Lasten und Mühsale des Vaters *Pachomius* stellt er fest, daß ja erst fünf Jahre her sind, seit jener tot ist und er ermuntert im letzten Teil der Rede seine Zuhörer zu neuen Anstrengungen auf dem ursprünglichen Weg.
Auch in *G-1/G-3* finden wir den Bezug auf die Autorität des *Pachomius*, allerdings dahingehend ergänzt, daß ein Abfall vom ursprünglichen Ideal die Mühen des Vaters umsonst erscheinen ließe. Daraus wird auch hier die Forderung abgeleitet, erneut Anstrengungen zu unternehmen und vom alten Ideal künftig nicht mehr abzulassen.

Theodors Reden in der Version A
Auch in der *1. Rede nach S-6* werden die Zuhörer aufgefordert, in Erinnerung an Mühsal und Anstrengung des *Pachomius* wieder zusammenzustehen und sich an die gute, alte Ordnung zu halten.
In der *2. Rede nach S-6* macht *Theodor* seinen Zuhörern Mut; es sei noch nicht alles verloren; es gäbe durchaus Anzeichen, die einen Neubeginn hoffnungsvoll erscheinen ließen.
Als Einzelheit der guten, alten Ordnung wird in die *3. Rede nach S-6* die Übung genannt, sich im Gespräch mit dem Bruder bei jeder sich bietenden Gelegenheit mit der Heiligen Schrift zu befassen. Es folgt erneut die Aufforderung, künftig nicht mehr die Gebote zu übertreten und nicht mehr nach eigenem Gutdünken allein zu handeln.

Der *1. Teil der 4. Rede* hält den Zuhörern als ihren großen Fehler vor, daß sie den Apa *Horsiese* aus seinem Leitungsamt gejagt hätten. Wiederum unter Erwähnung der Mühen des *Pachomius* werden die Zuhörer aufgefordert, von ihrem falschen Weg umzukehren. Die in dieser Rede vorgeschlagenen »Buße« stellt sich als eine Art Vertrag dar, den *Theodor* im Namen Gottes den Zuhörern anbietet.

Unter Bezugnahme auf eine frühere Vision des *Pachomius* wird im *2. Teil der 4. Rede* dieser »Buß-Vertrag« in Einzelheiten erläutert: Gott schenkt den Zuhörern für ihre bis jetzt begangenen Fehler Vergebung und die Zuhörer versprechen, von nun an »nicht mehr zu sündigen.«[103]

Zu Beginn des *4. Teils der 4. Rede* könnte von Gemeinschaft und Solidarität gehandelt worden sein; es läßt sich dies aber nicht mehr ausmachen. *Theodor* spricht weiterhin von der Buße und behandelt die Frage, wer wem die Sünden bekennen soll. Am Ende dieser Rede wird – als eine Art kleiner Einschub anmutend – vom ursprünglichen Thema der Auseinandersetzung gesprochen! *Theodor* zitiert frühere Aussprüche seiner Zuhörer: »Dieses Kloster gehört mir, »dieses Ding gehört mir!« Daraufhin werden die Zuhörer zum Verzicht auf ihre Ämter aufgefordert.

Im *1. Teil der 5. Rede* sind anscheinend schon neue oder versetzte Äbte die Zuhörer. Sie werden aufgefordert, ihre neue Aufgabe im Gehorsam anzunehmen. Die S-5-Fassung dieses Teiles ist zu kurz, um entscheiden zu können, wie das dort erwähnte Zitat über Armut und Reichtum zu verstehen ist.

Auch im *2. Teil der 5. Rede* werden die (neuen) Äbte ermuntert, ihre Aufgabe vertrauensvoll zu übernehmen. Dies geschieht unter ausdrücklicher Erwähnung der Gehorsamsforderung. *Ijob* wird den Zuhörern als leuchtendes Beispiel vor Augen geführt.

Erst im *3. Teil der 5. Rede* handelt *Theodor* von der Armut und dem Reichtum. Allerdings setzt er sich lediglich mit dem Einwand auseinander, die Heiligen (gemeint sind die Gestalten der Bibel) seien ja auch zum Teil reiche Leute gewesen. *Theodor* erklärt diesen Widerspruch dadurch, daß er den Reichtum der Heiligen als »für Almosen bestimmt« erklärt und unter Bezugnahme auf das Evangelium davon spricht, daß ein Verwalter ja nicht zu seinem eigenen Nutzen einem Gut vorstehe, sondern um die Diener zu ernähren.

Im *4. Teil der 5. Rede* antwortet *Theodor* wiederum auf den Einwand, daß auch Heilige reich gewesen seien. In der S-5-Fassung wird dieser Einwand mit dem Hinweis auf die Möglichkeit, Almosen geben zu können, beantwortet; in der S-6-Fassung wird – sehr umständlich – nachgewiesen, daß *Abraham* wirklich Almosen gegeben habe; *Mose* wird als ein Beispiel der Solidarität mit dem leidenden Volk dargestellt.

Im *5. Teil der 5. Rede* interpretiert *Theodor* das – offensichtlich als Zeichen von Reichtum verstandene – Gastmahl des *Salomo* typologisch und endet mit der Bemerkung, er habe nun über die Armut gesprochen (so in der S-5-Fassung).

In der S-3b-Fassung erläutert er den Satz Jesu: eher kommt ein Kamel durch ein Nadelöhr, als ein Reicher ins Himmelreich; zusammen mit dem

---

103 Auf die Bedeutung dieser Vorstellung von der Buße als einem »Vertrag mit Gott« für die Theologie des Bußsakramentes können wir hier nur am Rande hinweisen.

Einwand, daß es auch »reiche Heilige« gegeben habe. Er tut das, indem er unterscheidet zwischen: reich sein und: den Reichtum benützen. Dieser Redenteil schließt in der S-3b-Fassung mit einer längeren Sammlung allgemeiner Ermahnungen.

Wollte man auf Grund dieser Reden des *Theodor* Rückschlüsse über die Thesen der am Armutsstreit beteiligten Parteien ziehen, so würde man nicht unerheblich enttäuscht. Trotz des breiten Raumes, den die Reden in den Viten einnehmen, stellen wir mit Überraschung fest, daß diese Reden nur an ganz wenigen Stellen von dem, was man eigentlich erwarten würde: vom Eigentum und von der Armut, handeln. In viel stärkerem Maß reden die Texte vom Gehorsam, von der guten, alten Ordnung, von den Mühen des *Pachomius* und von der Aufforderung, sich doch wieder an die alte Ordnung zu halten.

Es ist also zunächst zu klären, ob diese Reden überhaupt in den Zusammenhang gehören, in dem sie heute stehen, oder ob diese Reden ursprünglich nicht einen ganz anderen Sitz im Leben gehabt haben.

Am Ende der 4. Rede nach S-6 zitiert *Theodor* eine These der Aufrührer, die in den Zusammenhang des Armutsstreits gehören muß: »Dieses Ding gehört mir!« Ganz kurz setzt sich *Theodor* mit dieser These auseinander, um dann sofort wieder auf ein anderes Thema überzuwechseln.

Das in seinem Zusammenhang nicht mehr ganz erkennbare Anfangsstück von Fragment 19 aus S-5 handelt von Armut und Reichtum. Noch deutlicher spricht *Theodor* im 4. und 5. Teil der 5. Rede von Armut und Reichtum. Die 5. Rede nach S-5 beendet *Theodor* mit der Bemerkung »nachdem wir nun über die Armut gesprochen haben.«

Wir haben gesehen[104], daß S-5 mit guten Gründen für ursprünglich gehalten werden darf. Daß in allen S-5-Fragmenten immer wieder von Armut und Eigentum gehandelt wird, spricht dafür, daß – mindestens unter anderem – Armut ein Thema in den Reden *Theodors* war. Ebenso haben wir dargelegt,[105] daß die Stellen, die in S-5 und S-3b übereinstimmen – also der von späteren Zufügungen aus anderen Katechesen gereinigte Kernbestand – sehr nahe an der ursprünglichen Fassung der Texte liegen. Und gerade dort, wo S-5 und S-3b in den Reden übereinstimmen, wird von der Armut gesprochen. Es ist dies die – allerdings etwas eigenartige – Auseinandersetzung um den Reichtum der Heiligen.

Trotzdem taucht auch in der sehr ursprünglichen Rede nach S-5 die Armut – verglichen mit den anderen, Theodor anscheinend viel wichtigeren Themen – immer noch sehr am Rande auf. Wir folgern daraus: ursprünglich ging es bei dem Streit, zu dem diese Reden gehalten wurden, um eine Armutsauseinandersetzung; die hier überlieferten Reden gehören also in den hier zur Debatte stehenden Zusammenhang. Die Reden wurden – wie sie heute vorliegen – durch spätere katechetische Zufügungen und Ergänzungen zwar erweitert; trotzdem aber ist die »Verdrängung« des Armutsthemas durch das Autoritätsthema sicherlich ursprünglich. Die Überbetonung der Autoritätsfrage gegenüber der Armutsfrage ist durchgängig in allen Textzeugen so deutlich erkennbar,

---

104 Vgl. S. 130.
105 Vgl. S. 129.

daß wir nicht annehmen, daß es sich bei dieser Erscheinung um spätere Zufügungen handeln kann.

Schon bei der Schilderung des Armutsstreits selbst haben wir darauf hingewiesen,[106] daß *Theodor* einen Erfolg nur erwarten konnte, wenn er in erster Linie Ruhe, Ordnung und die Autorität des Mutterklosters wieder herstellen würde. Nicht einmal zu Verhandlungen über eine finanzielle Teilautonomie der Klöster war ja *Theodor* bereit. Seine einzige Chance konnte er – in Anbetracht der Ausmaße des Aufstandes – darin erblicken, daß er die aufständischen Äbte als Aufrührer gegen den Vater *Pachomius* ins Unrecht setzte, sie so von den Mönchen isolierte und ihnen dadurch die Basis für ein weiteres Vorgehen nahm. Damit aber war es *Theodor* nicht mehr möglich, mit den Äbten über eine Änderung der Klosterordnungen zu verhandeln. Die Untersuchung der Reden des *Theodor* bestätigten diese Thesen.

Auch *Ruppert* hat in seiner Untersuchung über das Gehorsamsverständnis bei den Pachomianern auf einen ähnlichen Zusammenhang mit Recht hingewiesen: »Von entscheidender Bedeutung dürfte aber die innere und äußere Krise kurz nach dem Tode des *Pachomius* gewesen sein. Je mehr nun *Pachomius* und seine Regel in die Nähe Gottes gerückt wurden, desto mehr wurden sie verbindliche Norm. Die göttliche Autorität des verstorbenen *Pachomius* und seiner Regel konnte so die schwache Stellung des *Horsiese* stützen. *Theodor* hat dabei wohl die entscheidende Rolle gespielt... Die Verschärfung des Gehorsamsgedankens, die nach dem Tod des *Pachomius* eintrat, hat keine biblische Grundlage. Sie entstand aus einem asketischen Rigorismus, vor allem aber dem Bestreben, der Führungskrise unter *Horsiese* Herr zu werden.«[107]

Nach diesen Überlegungen wird deutlich, warum *Theodor* in den uns heute überlieferten Fassungen seiner Reden so relativ wenig von der Armut und dafür so relativ viel vom Gehorsam und von der Autorität spricht: schon *Theodor* selbst hat den Armutsstreit nicht in erster Linie als solchen, sondern als eine Autoritätskrise begriffen und angegangen. Die späteren Redaktoren der Viten haben dann diese von *Theodor* schon grundgelegten Tendenzen in seinen Reden dadurch weitergeführt, daß sie Material aus weiteren Katechesen und Reden des *Theodor* (und teilweise wohl auch des *Pachomius*) eingearbeitet haben.

Die wirtschaftlichen und sozialen Hintergründe des pachomianischen Mönchtums

Für *Pachomius* war – wie gezeigt – das Hergeben des Besitzes nicht zentraler Punkt seiner Idee vom gemeinsamen Leben. Dies kann schon deshalb nicht der Fall gewesen sein, da die meisten seiner Jünger, bevor sie ins Kloster kamen, schon in unwahrscheinlich armen Verhältnissen lebten.

H. Bacht ist durchaus zuzustimmen, wenn er die Auffassung vertritt, daß »der für alle [Mönche des *Pachomius*] geltende Lebensstandard relativ

---

106 Vgl. S. 29–33.
107 *Ruppert*, Gehorsam 465–466.

hoch liegt.«[108] Dies wird bedeutsam vor dem Hintergrund, daß der »größte Teil der Brüder aus Schichten der armen und mittellosen Nilbauern kam.«[109]

Was waren das für wirtschaftliche und soziale Verhältnisse, aus denen die Mönche des *Pachomius* kamen?

Wie *Rostovtzeff* darlegt, war das ausgehende Kaisertum eine Zeit des politischen, wirtschaftlichen und kulturellen Chaos und eine Zeit großer Umwälzungen, die erst durch *Diokletion* und *Konstantin* wieder einigermaßen in geregelte Bahnen gebracht wurden.[110]

Die genannten Umwälzungen vollzogen sich zuerst in den Eigentumsverhältnissen an Grund und Boden[111]: in der ausgehenden Antike stellen wir einen Übergang vom – vor allem in Ägypten seit altersher weit verbreiteten – Staats- bzw. Königsbesitz in privaten Latifundienbesitz fest.[112] Parallel dazu verschwand immer mehr die Bewirtschaftung im Sklavenbetrieb und trat immer mehr die Bewirtschaftung im Pachtbetrieb oder durch Kolonat in Erscheinung. Zur Zeit des *Pachomius* war das fruchtbare und bebaubare Land zum großen Teil Latifundienbesitz und wurde durch Pächter oder Kolonen bewirtschaftet.[113]

---

108 *H. Bacht:* Das Armutsverständnis des *Pachomius* und seiner Jünger, in: *Bacht,* Vermächtnis 225–242.

109 *P. Nagel:* Die Motivierung der Askese in der alten Kirche und der Ursprung des Mönchtums, Berlin 1966, 86; vgl. dazu auch: *F. Wulf:* Charismatische Armut im Christentum, in: Geist und Leben 44 (1971) 16–31; hier: 25: »Es waren durchweg die Armen und Ungebildeten, die sich der neuen Bewegung anschlossen. Schon *Antonius* war ein einfacher Bauer; noch mehr waren es seine Nachfahren, die zu Tausenden in die Zönobien strömten, rauhe, koptische Bauern aus einem niedrigen Lebensstandard, Analphabeten. Hier fand der einfache, gläubige Mensch seine Erfüllung, die ihn über sein bisheriges Milieu hinaushob.
Ähnlich auch: *C. D. G. Müller:* Grundzüge des christlich-islamischen Ägypten, Darmstadt, 1969, 112.

110 *M. Rostovtzeff:* Gesellschaft und Wirtschaft im römischen Kaiserreich, (engl. Original: Oxford 1926), Leipzig 1931, 212–214.

111 Schon 1926 beklagte *Rostovtzeff,* a. a. O. 214, den Mangel an einschlägigen Untersuchungen. Grundlegend wurde diesem Mangel bis heute nicht abgeholfen. Lediglich für Teilbereiche liegen – allerdings von sehr unterschiedlichem Ansatzpunkt her – Einzeluntersuchungen vor. Nach dem Zweiten Weltkrieg arbeiteten vor allem marxistische Historiker an den Fragen zu den Produktions- und Eigentumsverhältnissen und der Klassenzugehörigkeit. Im Zuge dieser Forschungen erhoben sie auch wichtige Einzelheiten über das Leben der Landbevölkerung im 4. Jh. Zu erwähnen sind hier besonders die sowjetischen Althistoriker, die für den deutschen Sprachbereich *W. Seyfarth* referierte: Soziale Fragen der spätrömischen Kaiserzeit im Spiegel des Theodosianus. Deutsche Akademie der Wissenschaften, Berlin 1963, 11–54; vgl. dazu auch: *H. Kressig:* Das Frühchristentum in der Sozialgeschichte des Altertums, in: *J. Irmscher/K. Treu* (Hrsg.): Das Korpus der griechischen christlichen Schriftsteller. Historie. Gegenwart. Zukunft. TU 120, Berlin 1977, 15–20. Für den westlichen Bereich ist vor allem hinzuweisen auf den Forschungsbericht von *A. K. Bowman:* Papyri and Roman Imperial History 1960–1975, in: Journal of Roman Studies 66 (1976) 153–173.

112 *G. Rouillard:* La Vie rurale dans l'Empire Byzantin, Paris 1953, 14–15; *H. J. Bell:* An Epoch in The Agrarian History of Egypt, in: Bibliothèque des Hautes Etudes 234 (1922) 262; *M. San Nicolò:* Ägyptisches Vereinswesen zur Zeit der Ptolemäer und Römer, Bd. I, München 1913, [2]1972, 143–154.

113 Zum System der Latifundienwirtschaft allgemein vgl.: *L. Brentano:* Das Wirtschaftsleben der antiken Welt, Jena 1929, 85.

Kolonen waren im Gegensatz zu den Sklaven zwar freie Bürger, die aber an die Bewirtschaftung eines bestimmten Stücks Land gebunden waren. Ihre Freizügigkeit war also – bei theoretisch nach wie vor unangetastetem freien Stand – eingeschränkt. Da die Pacht eines Stücks Land oft mit erdrückenden Steuerlasten einherging, war es gar nicht so einfach, jedes Jahr die Parzellen zu verpachten. Vor allem verschuldete Bauern (in Ägypten herrschte seit alters her die Sitte, nicht nur Geld, sondern auch Saatgut zu leihen) wurden daher zwangsweise in Pacht genommen. Die soziale Lage der Kolonen war alles andere als glänzend. Verpflichtet, ein bestimmtes Stück Land zu bewirtschaften – und die damit verbundenen Steuern und Abgaben zu entrichten – um dessen Bewirtschaftung sich niemand aus eigenem Interesse mühte, konnte die wirtschaftliche und soziale Lage der Kolonen auch gar nicht anders sein.

Neben den großen Latifundien gab es in Ägypten Dorfgemeinschaften, die hinsichtlich des Rechtes, Steuern einzunehmen und hinsichtlich der Verpflichtung zur Ablieferung der Steuern den Latifundien gleichgestellt waren.[114] Solche Dorfgemeinschaften gehen auf ältere Vorbilder zurück und existierten bis weit in die byzantinische Zeit hinein.[115] Das typisch ägyptische Dorf beschreibt *Rouillard* als eine Ansammlung von Häusern, von einer Mauer umgeben und durch einen Kanal mit der Hauptkommunikationsstraße Ägyptens, dem Nil, verbunden.[116] Unter den Bewohnern der Dörfer finden wir selbständige Bauern, die ihren eigenen Grund und Boden bewirtschafteten, aber auch Pächter und Halbpächter; daneben zahlreiche Handwerker und Kaufleute. Die Handwerker waren in einer Art »Zunft« zusammengeschlossen.[117]

Vor diesem sozialen Gefüge der Dorfgemeinschaften ist die Entstehung der pachomianischen Klöster zu betrachten. Sein erstes Kloster gründete *Pachomius* in dem verlassenen Dorf Tabennesi.[118] Die Mönche, die in den einzelnen Häusern lebten, waren jeweils nach ihren verschiedenen ausgeübten Tätigkeiten zusammengeschlossen. So weisen die Schilderung des Lebens in einem ägyptischen Dorf bei *Rouillard* und die Beschreibung des Klosters Panopolis-Akhmîn bei *Blazovich*[119] deutliche Übereinstimmungen auf.

Die Grundbesitzer waren, wie die »Dorf-Kollektive«, für die Aufbringung der Steuern haftbar.[120] Zusätzlich zu den Steuern mußten noch »außerordentliche« Naturalabgaben, die *Annona* geleistet werden. Diese

---

114 *G. Rouillard:* La Vie rurale, a. a. O. 31.

115 Ebd. 56.

116 Ebd. 57.

117 Ebd. 48–53; vgl.: *M. San Nicolò:* Ägyptisches Vereinswesen zur Zeit der Ptolemäer und Römer, a. a. O. 66–128.

118 S-1: CSCO 99 1,24–2,1 (= *Lefort* 2,3–4); S-3: CSCO 99 107,2–5 (= *Lefort* 60,22–24); S-3: CSCO 99 100b,4–6 (= *Lefort* 56,4).

119 *A. Blazovich:* Soziologie des Mönchtums und der Benediktinerregel, Wien 1954.

120 Propyläen-Weltgeschichte 4, 545; *C. D. G. Müller:* Grundzüge des christlich-islamischen Ägyptens, Darmstadt 1969, 115. Die Frage des Steuerwesens in Ägypten ist auch durch eine Fülle überlieferter Papyri so unübersichtlich geworden, daß *Bowman,* a. a. O. 167 meint, »that it is difficult to see the wood for the trees«.
Zu Fragen des antiken Steuerwesens vgl. auch: *A. H. M. Jones:* Taxation in Antiquity, in: Studies in Ancient Economics, Oxford 1974; *D. Bonneau:* Le fisque et le Nil, Paris 1972; *W. Goffart:* Caput and colonate – towards a history of late roman taxation, 1974.

ursprünglich als einmalige Abgaben vorgesehenen Leistungen wurden unter *Diokletian* immer weiter ausgebaut und erhielten regulären Charakter.

Die Höhe der Steuern und Abgaben war in Ägypten seit alters her beträchtlich und lag weit über dem Durchschnitt des Reiches. Durch die römische Herrschaft jedoch wurde dieser Abgabendruck noch erheblich gesteigert.[121] *Rostovtzeff* spricht von einer mehr oder weniger organisierten Räuberei.[122]

Vor diesem Hintergrund eines sehr beachtlichen Steuerdrucks ist bemerkenswert, daß gerade in den pachomianischen Texten an keiner Stelle vom Steuerzahlen oder Steuereinnahmen die Rede ist.

Wenn die Pachomianer wirklich keine Steuern zu zahlen hatten, dann kann der bedeutend höhere Lebensstandard in den pachomianischen Klöstern – verglichen mit der Umwelt – als gesichert gelten.

Bei der sozial und wirtschaftlich schwachen Lage der Landbevölkerung – die nur durch Zwang auf dem Land gehalten werden konnte – nimmt es nicht Wunder, daß die Bauern und Kolonen es ab einem bestimmten Punkt vorzogen, ihr Land zu verlassen, zu fliehen oder sich in ein Kloster zurückzuziehen.[123] *Rostovtzeff* schildert die wirtschaftliche Lage der ausgehenden Kaiserzeit zusammenfassend wie folgt: »Der Grundzug des Wirtschaftslebens im spätrömischen Reich war die allgemeine Verarmung. Je ärmer das Volk wurde, um so primitiver wurde das Wirtschaftsleben des Reiches [...] Die Bauern lebten in äußerster Armut und kehrten zu einer fast uneingeschränkten Hauswirtschaft zurück, d. h. jedes Haus deckte seinen eigenen Bedarf durch Eigenproduktion.«[124]

Reich wurden nach *Rostovtzeff* eigentlich nur die Staatsbeamten aller Rangstufen durch Bestechlichkeit und Korruption. Im 3. Jh. begannen sie in Ägypten, ihre Gewinne im großen Stil in Ländereien anzulegen, und – wie schon erwähnt – Land aus öffentlichem Besitz in privaten Besitz zu bringen. So entstanden Großgüter, die über das ganze Reich zerstreut waren und kleinen Fürstentümern glichen.[125]

Unterhalb der vermögenden Schicht gab es die Schicht der freien Pächter, die der freien Handwerker, die teils mehr, teils weniger freien Handwerker, Kolonen, *tributarii, adscripti* und die Sklaven der verschiedensten Stufen. Die verschiedenen Begriffe für die Landbevölkerung werden im Laufe der Zeit immer mehr vermengt; die Begriffe »Bauer« und »Kolon« nähern sich ständig; im 5. Jh. findet sich kaum mehr ein Unterschied.[126]

Auch dies ist ein Zeichen dafür, daß der Unterschied zwischen der vermögenden Oberschicht und dem Rest, der Landbevölkerung, immer deutlicher wurde. Trotz vieler Bemühungen gelang es der Landbevölkerung eigentlich nie, in größerem Rahmen an der Zivilisation der Städte teilzunehmen.[127] Dieser Gegensatz war in Ägypten besonders ausge-

---

121 Lexikon der antiken Welt, Zürich–Stuttgart 1965, 42.

122 *M. Rostovtzeff:* a. a. O., Bd. 2, 214.

123 *G. Rouillard:* La Vie rurale, a. a. O. 15; *H. Braunert:* Die Binnenwanderung. Studien zur Sozialgeschichte Ägyptens in der Ptolemäer- und Kaiserzeit, Bonn 1964.

124 *M. Rostovtzeff,* a. a. O. 231.

125 Ebd. 236.

126 *E. M. Schtajerman:* Zur Frage der Bauernschaft, in: Westnik Drewnej Istorii 1952, 2–109; vgl. auch: *G. Alföldy:* Römische Sozialgeschichte, Wiesbaden 1975.

127 *M. Rostovtzeff,* a. a. O. 211.

prägt, handelte es sich doch bei der vermögenden Oberschicht fast durchweg um Bewohner hellenistischer Prägung, bei der Unterschicht um alteingesessene Bewohner des Landes; wir können also von einer deutlichen Schichtung der ägyptischen Bevölkerung ausgehen.[128] Schon der Sprachgebrauch zeigt dies: die einheimische Bevölkerung sprach koptisch. Noch kurze Zeit vor der arabischen Eroberung mußten sich griechisch sprechende Reisende zur Konversation griechisch-koptischer Wörterbücher bedienen. Auch die Erlasse der Staatsbeamten mußten – noch in dieser späten Zeit – ins koptische übersetzt werden, da sie sonst von der Landbevölkerung nicht verstanden worden wären.[129] Griechisch sprachen lediglich Ärzte, Lehrer und Advokaten aus der Mittelschicht, vielleicht noch manche Domänenverwalter und Honoratioren aus manchem Dorf.[130] Verbunden mit dieser scharfen sprachlichen Trennung war ein ausgeprägter ägyptischer »Nationalismus« der koptischen Landbewohner. Sie setzten sich deutlich von den Fremdlingen ab. Die Landbewohner fühlten sich zunächst als Kopten. Sie waren stolz auf ihre Rasse und verachteten mehr oder weniger alles, was aus dem Ausland kam.[131] *Pachomius* und seine Jünger sind nach diesem kurzen Überblick sehr leicht einzuordnen. Sie entstammten der völlig verarmten und unter dem Steuerdruck leidenden Landbevölkerung. Schon der Weg in ein Dorf, um dort eine Handwerkerarbeit auszuüben, hätte für manchen, da nicht mehr zwangsweise an die Bewirtschaftung eines nicht ertragreichen Stücks Land gebunden, eine wirtschaftliche Besserstellung bedeutet.

Einige Bemerkungen aus den pachomianischen Viten lassen ferner eine eindeutige Zuordnung der pachomianischen Mönche zur Schicht der koptischen Landbevölkerung zu: *Pachomius* selber sprach nur koptisch. Auch in den pachomianischen Klöstern wurde nur koptisch gesprochen und verstanden.[132] Als ein gewisser *Theodoros* aus Alexandrien ins Kloster eintritt, vertraut ihn *Pachomius* einem alten Bruder an, der das Griechische beherrschte, bis *Theodoros* auch die thebaische Sprache verstand.[133]

Daß die Menschen aus dieser Schicht und aus diesem Lebensbereich – an den sie ja kraft Gesetzes fest gebunden waren – in die Klöster zogen, zeigt, daß ihr bisheriger Lebensbereich für sie derartig drückend geworden war, daß sie in den Klöstern wirklich nur noch eine Hebung ihres Lebensstandards erwarten konnten. Auf diesen Zusammenhang hat schon *Heussi* hingewiesen: »Man könnte sich wundern, daß den Klöstern des *Pachomius* so viele Menschen zuströmten, obwohl ihrer dort ein kärgliches Leben, eine Strenge Zucht, ja für Vergehen die Peitsche harrte. Waren sie alle von der Hoffnung auf himmlischen Lohn erfüllt, so daß sie diese harte Lebensweise ›freiwillig‹ auf sich nahmen? Gewiß gingen

---

128 *G. Rouillard*, a. a. O. 59.
129 Ebd. 61.
130 Ebd. 62.
131 *G. Rouillard*, a. a. O. 62.
132 *G. Rouillard:* L'administration civile de l'Egypte byzantin, Paris 1928, 178; 188.
     C. D. G. Müller: Grundzüge des christlich-islamischen Ägypten, a. a. O. 112: »Im Kloster konnte der außen von Fremden und weltlichen Behörden bedrückte Ägypter somit endlich seine eigentliche Persönlichkeit als Ägypter zur Entfaltung zu bringen suchen.«
133 G-1 94: *Halkin* 63,7–10 (= *Festugière* 208); Bo 89: CSCO 89 104,16 (= *Lefort* 153,15–17); S-3a: CSCO 99 256b,4–7 (= *Lefort* 317,25–26); Am 475,1.

zahlreiche Menschen damals ebenso ›freiwillig‹ ins Kloster, wie die Menschen in den modernen Industrieländern in die Fabriken. Es war die wirtschaftliche Not, die dahinterstand.«[134] *Morenz* kommt in seiner Übersicht zum selben Ergebnis: »die breiten Volksschichten Ägyptens haben sich unter den Ptolemäern und Byzantinern, die Land und Volk ausbeuteten in einem Zustand von Armut und Rechtsunsicherheit befunden, der tief unter dem Durchschnitt der Ökumene lag.«[135] *Nagel* erwähnt den »drastischen Ausdruck«, den die wirtschaftliche Not auch in den Zeugnissen des Mönchtums gefunden hat: »Der Apa *Olympios* hatte eine starke Versuchung *eís porneían.* Da bildete er sich eine Frau aus Lehm und sagte sich: Siehst du, das ist deine Frau. Nun mußt du viel arbeiten, damit du sie ernähren kannst.«[136]

Pachomius und heterodoxe Strömungen

Zur Frage des religiösen Hintergrundes des pachomianischen Mönchtums sei hier nur auf einige bemerkenswerte Informationen aus den Viten eingegangen. Übereinstimmend geben die Texte Zeugnis davon, daß im unmittelbaren Umkreis des *Pachomius* heterodoxe Strömungen hervortraten und heterodoxe Mönche lebten. Auch darin stimmen alle Texte überein, daß *Pachomius* sich deutlich gegen diese heterodoxen Strömungen gewandt, seine Jünger davor gewarnt, ja bisweilen sogar ihnen den Umgang mit solchen Mönchen verboten hat. Auch von Lektüreverboten wissen einige Stellen in den Viten zu berichten.
Im einzelnen handelt es sich um folgende Erzählungen:

(a) Mahnungen des *Pachomius* auf dem Sterbebett.

Kurz vor seinem Tod mahnt *Pachomius* seine Jünger: »Keine Gemeinschaft soll bestehen zwischen euch und der Ketzerei des *Origenes, Meletius* und *Arius* oder der übrigen Christusräuberei oder auch anderen, die ich euch bezeichnet habe.«[137] Von letzten Worten des Pachomius auf dem Sterbebett berichten auch die anderen Viten: G-1[138], G-3[139], G-4[140], S-7[141], S-3[142], Am[143]; die Textstelle über den Tod des *Pachomius* fehlt in der bohairischen Vita. Die Stelle aus der G-2 Vita haben wir oben zitiert. Allein diese G-2-Vita berichtet von der Warnung vor »*Origenes, Meletius*

134 *K. Heussi:* Der Ursprung des Mönchtums, Tübingen 1936, 114–115. Wir zitieren diesen Hinweis *Heussis* nicht, weil wir darin eine umfassende Aussage über die Motive der ersten Mönche sehen, sondern weil auch in diesem Zitat die wirtschaftliche Lage der Mönche sichtbar wird, bevor sie zu *Pachomius* kamen.
135 *S. Morenz:* Neue Urkunden zur Ahnenreihe des Klosters, in: Theologische Literaturzeitung 74 (1949) 423–429; hier: 428.
136 *P. Nagel:* Die Motivierung der Askese in der alten Kirche, a. a. O. 104.
137 G-2 88: *Halkin* 268,7–12 (= *Mertel* 119,1–6).
138 G-1 114: *Halkin* 74,24–75,9 (= *Festugière* 221–222).
139 G-3 165–166: *Halkin* 369,24–370,26.
140 G-4 66: *Halkin* 453,30–454,22.
141 S-7: CSCO 99 92,20–93,2 (= *Lefort* 48,35–49,9).
142 S-3: CSCO 99 127b,8–37 (= *Lefort* 76,11–21).
143 Am 643,8–648,6.

und Arius«. Diese Stelle in der G-2-Vita gibt uns, wenn wir sie zusammen mit den Forschungen von *Veilleux*,[144] oder *Halkin*,[145] oder *Lefort*[146] betrachten wohl eher Auskunft über die Entstehungszeit und den Entstehungsort der G-2-Vita, denn über echte Worte des Pachomius.[147] Trotzdem darf nicht ganz außer Acht bleiben, daß der Verfasser von G-2 diese Zufügung – wie sich gleich zeigen wird – nicht unter totaler Verdrehung der echten pachomianischen Tendenzen vorgenommen hat.

(b) Der Origenes-Haß des *Pachomius*

Eine zweite Gruppe von Erzählungen weiß – noch aus der Zeit, als *Pachomius* lebte – zu berichten, daß *Pachomius* den *Origenes* »grimmig« gehaßt haben soll: »Den *Origenes* haßte er grimmig als einen Lästerer und verabscheute ihn ... Denn dieser hatte in seinen eigenen Ausführungen das, was wahrscheinlich war, den wahren Lehren der Heiligen Schrift gleichsam wie verderbliches Gift beigemischt ... Den Brüdern legte nun *Pachomius* dringend ans Herz, nicht bloß das törichte Geschwätz des *Origenes* nicht zu lesen, sondern sich auch nicht zu erkühnen, dem Lesen anderer zuzuhören. Man erzählt sich, daß er einmal ein Buch von ihm gefunden habe und es sogleich in den Fluß geworfen habe und dazu bemerkte: ›wenn ich nicht wüßte, daß da der Name Gottes darin steht, so hätte ich es verbrannt.‹«[148] Diese ebenfalls aus G-2 stammende Stelle hat Parallelen lediglich in der griechisch/arabischen Tradition[149]. Für die koptische Tradition finden sich keine Parallelstellen. Auch hier legt sich das Urteil »spätere Zufügung« sehr schnell nahe. Allerdings finden wir in einem koptischen Dokument, das *Lefort* der S-3-Vita zuordnet und in *Am* eine verblüffende Übereinstimmung:
S-3c erwähnt einige Irrlehren, die allerdings lückenhaft sind, und von denen sich nicht eindeutig ausmachen läßt, um welche konkreten Irrlehren es sich dabei gehandelt haben könnte, bzw. wer solche Thesen vertreten haben könnte. Teilweise könnte es sich in der Tat um *Origenes* gehandelt haben, teilweise ist aber auch unsicher, ob *Origenes* es war, der solche hier genannten Thesen vertreten hat.[150] Für unsere Frage weist aber diese koptische Stelle darauf hin, daß auch in der koptischen Tradition »irgendetwas« von heterodoxen Strömungen und von Abgrenzungen des *Pachomius* diesen Strömungen gegenüber bekannt war. Daß es sich bei diesen Nachrichten über Abgrenzungen nicht ausschließlich um spätere Zufügungen aus außerpachomianischem Milieu gehandelt haben kann, dies, so meinen wir, gilt auch wenn in der S-3c-Stelle der Name des *Origenes* nicht ausdrücklich genannt ist.

---

144 *Veilleux,* Liturgie 27–28.
145 *Halkin* 45*.60*.
146 Vgl. dazu *Veilleux,* Liturgie, 28: »Lefort glaubt nachweisen zu können, daß der Autor [von G-2] aus konstantinopolitanischem Milieu gekommen sein könnte, in dem die Regel des *Pachomius* bekannt war.«
147 Eine Verachtung des Origenismus durch *Pachomius* läßt sich also so einfach nicht behaupten, wie *Gribomont* das in LThK ²VII, 1330–1331 tut.
148 G-2 27: *Halkin* 195,1–16 (= *Mertel* 48,27–49,20).
149 G-1 31: *Halkin* 20,16–18 bzw. *Lefort* 353,23–33 (= *Festugière* 177); *Am* 599,6–600,2; *Dion* 27: *Cranenburgh* 144,27,27–30.
150 *Lefort* 354.

(c) Das Gespräch des *Pachomius* mit fremden Mönchen

Eine dritte Gruppe von Erzählungen weiß von einem Gespräch zu berichten, daß *Pachomius* mit irgendwelchen »fremden Mönchen« führte: »Ein Bruder kam herein und sagte: es sind einige große Einsiedler[151] gekommen, die euch zu besuchen wünschen. Er gebot, sie schnell hereinzuführen ... Sie begannen mit weissagender Rede und mit Geschicklichkeit, die an der Heiligen Schrift geübt worden war. *Pachomius* aber war in Verlegenheit wegen eines unerträglichen Gestankes, den er wahrnahm [... dann, nach dem Gespräch] eilte er den Männern nach und als er sie eingeholt hatte, sprach er zu ihnen: Ich will euch fragen, nur ein Wort. Sie sagten: Sprich! Er erwiderte: Lest ihr die Schriften des berüchtigten *Origenes* ... dann nehmt alle Bücher des *Origenes* und werft sie in den Fluß.«[152] Auch zu dieser Stelle finden wir keine koptischen Parallelen. Auffallend an dieser Stelle ist jedoch, daß dem *Pachomius* der Verdacht auf Origenismus so spät kommt, daß er den Männern erst noch nachlaufen muß. Bedenkt man hierzu, daß diese Erzählung auch in den *Paralipomena* erwähnt wird, und daß dort ein Engel dem *Pachomius* eingibt, daß es sich um Origenisten handele, so wird wiederum klar, woher dieser Anti-Origenismus kommt, und warum wir keine koptischen Parallelen finden.

(d) Das Philosophen-Gespräch bei Panopolis-Akhmîm

Der Verdacht, den wir schon bei der Erwähnung der S-3c-Stelle äußerten, daß nämlich der Anti-Origenismus in den griechischen Viten zwar aus späterer Zeit und aus außerpachomianischem Milieu stammen mag, daß er aber bestimmt nicht gegen die Gesamttendenz der pachomianischen Viten eingefügt wurde, bestätigt sich, wenn wir die vierte Gruppe von Erzählungen betrachten. Diese vierte Gruppe zeigt deutliche Parallelen zu den koptischen Texten. Wir meinen dadurch die Bestätigung vor uns zu haben, daß es in der Umgebung des *Pachomius* heterodoxe Strömungen gab, daß *Pachomius* sich dagegen abgrenzte, und daß vor allem die G-2-Texte aus diesen, in den koptischen Texten allgemein gehaltenen Abgrenzungen, Abgrenzungen gegen den Origenismus gemacht haben. Die hier zu besprechende Episode spielt nahe der nördlich vom eigentlichen pachomianischen Zentrum gelegenen Stadt Panopolis-Akhmîm; einer Stadt mit deutlich griechisch geprägtem Gesicht.[153] Mit Ausnahme von Bo berichten S-5[154]; Am[155]; G-1[156]; G-2[157] und

---

151 Es wäre zu überlegen, ob hier eine direkte Übersetzung der »langen Brüder« vorliegt.
152 G-2 68: *Halkin* 240,1–241,10 (= *Mertel* 93,14–94,19); Paral. 7: *Halkin* 130,9–132,6.
153 Die Entfernung von Pbow nach Panopolis-Akhmîm beträgt nach *Lefort* (Vies coptes 147) 120 km auf dem Nil und 106 km mit der Eisenbahn. Für einen Fußgänger etwa 100 km. Vgl. dazu auch: A. L. *Schmitz:* Das Totenwesen der Kopten, in: Zeitschrift für Ägyptische Sprache 1930; *Festugière* 42–43: »Les moines de Panopolis doivent être doublement ›capables‹ pour résister aux tentations de la ville voisine pour répondre aussi aux visiteurs paiens, comme il appert du capître immédiatement suivant.«
154 S-5 54: CSCO 99 146,12–23 (= *Lefort* 248,3–13).
155 Am 569,7–570,5.
156 G-1 81–82: *Halkin* 54,15–56,3 (= *Festugière* 201–202).
157 G-2 62–66: *Halkin* 232,21–238,11 (= *Mertel* 86,28–91,29) mit vielen Einschüben aus den *Paralipomena*.

Dion[158] davon, daß der Bischof von Panopolis-Akhmîm, ein gewisser *Areios* den *Pachomius* in seine Diözese bat, um dort ein Kloster zu gründen. Einige Viten wissen davon zu berichten, daß Leute aus dieser Stadt gegen die Gründung eines pachomianischen Klosters gewesen seien und die Ansiedlung der Mönche dort hintertrieben hätten. Kurz nach dem Bericht von der glücklich vollendeten Klostergründung erwähnen alle Viten (nun auch Bo[159]), daß es zu einem oder mehreren Streitgesprächen zwischen Mönchen des *Pachomius* (auffälligerweise nie *Pachomius* selbst) und fremden »Philosophen« gekommen sein soll. Auf den Inhalt der Streitgespräche werden wir gleich kommmen. An diesen Stellen ist der Name *Origenes* nicht genannt.

Als gesichert will uns darum mindestens folgende Auffassung scheinen: es gab schon zur Zeit des *Pachomius* »fremde Mönche«, mit denen *Pachomius* und die mit *Pachomius* keine Gemeinschaft hatte(n).[160] Anhänger des *Origenes* waren diese »fremden Mönche« sicher nicht, da einerseits die Informationen, es seien Origenisten gewesen, zu deutlich nur in einer einzigen Vita auftauchen, die zudem aus außerpachomianischem Milieu stammen dürfte, und da es zum anderen als äußerst unwahrscheinlich erscheint, daß in der Mitte des 4. Jh. im oberen Niltal der Origenisus ein Problem gewesen sein soll.

Wenn nun aber keine Origenisten, welche anderen christlichen oder halbchristlichen Glaubenslehren könnten dann im 4. oder 5. Jahrhundert in der Gegend von Scheneset-Chenoboskion in Umlauf gewesen sein?

(e) Die Funde von »Nag Hammadi«

Bei der Beantwortung dieser Frage können wir an einer Tatsache nicht vorbeigehen: der Fund der gnostischen Texte bei Nag Hamadi.[161] Die im Jahre 1945 von ägyptischen Bauern in einem Tonkrug gefundenen 13 Ledertaschen enthielten koptische gnostische Schriften; sie sind als die gnostische Bibliothek von Nag Hammadi bekannt.

Gefunden wurden diese Texte aber nicht in Nag Hammadi (Nag Hammadi ist der heutige Verwaltungssitz jener Gegend), sondern – wie heute allgemein als sicher gilt – in einem Gräberfeld am Fuße des *Dschebel et tarif*, in unmittelbarer Nähe der pachomianischen Klöster.[162] Der Fundort der Texte ist von Nag Hammadi etwa 13 Kilometer entfernt; vom Kloster Scheneset-Chenoboskion aber nur etwa 5 Kilometer.[163]

---

158 Dion 39–42: *Cranenburgh* 180,39,1–190,42,34 mit vielen Einschüben aus den *Paralipomena*.

159 Bo 55: CSCO 89 52,18–55,4 (= *Lefort* 117,4–119,9).

160 Rechtgläubigkeit war *Pachomius* auch sonst ein Anliegen: S-1 94: *Halkin* 63 11–13 (= *Festugière* 208).

161 Wertvolle Hinweise über die Funde von Nag Hammadi und die Beziehungen dieser Texte zu *Pachomius* verdanke ich Herrn Prof. Dr. *A. Böhlig*, Tübingen. Vgl. *A. Böhlig*: Die Bedeutung der Funde von Medinet Madi und Nag Hammadi, in: *H. Temporini/W. Haase*, (Hrsgg.): Aufstieg und Niedergang der römischen Welt. Teil II: Principat, Bd. 23/2, Berlin/New York 1980.

162 *W. C. Unnik*: Evangelien aus dem Nilsand, Frankfurt 1960, 13; *J. M. Robinson*: Introduction, in: The Nag Hammadi Library in English, San Francisco 1977, 21.

163 *Unnik*, a. a. O. gibt auf einer Karte folgende Entfernungen:
Fundort   – Tabennesi   12 km

Geschrieben wurden diese Texte etwa in der zweiten Hälfte des vierten Jahrhunderts.[164] Es handelt sich – wie übereinstimmend angenommen wird – um Übersetzungen aus dem Griechischen in das Koptische des sahidischen bzw. subachmimischen Dialekt.[165] Geht man davon aus, daß die Aufbewahrung in einem Tonkrug in der Erde auf ein Versteck hindeutet, so kann man annehmen, daß der eigentliche Benutzungsort der Texte nicht allzu weit vom Fundort entfernt gelegen haben dürfte, da ein (unter Umständen fluchtartiges) Verstecken von Texten kaum einen allzu weiten Transport erlaubt hätte. Trotzdem war sich die Wissenschaft lange Zeit darüber einig, daß zwischen den Gnostikern, die die Bibliothek von Nag Hammadi benutzt hatten, und den Mönchen des *Pachomius* keinerlei Beziehungen bestanden.

Gab *Schiersee* 1960 noch die damals herrschende Meinung richtig wieder, wenn er schrieb: »Doch haben sich bis jetzt noch keine Anhaltspunkte ergeben, daß die Wüstenväter etwas mit den ketzerischen Büchern zu tun hatten«,[166] so mußte diese Auffassung zwischenzeitlich revidiert werden.

Im Dezember 1970 wurden im Ledereinband von Codex VII der Nag Hammadi Bibliothek beschriebene Papyrusfragmente von Briefen, Bibeltexten und Geschäftsdokumenten gefunden. Später kamen aus anderen Einbänden weitere Fragmente hinzu. Diese sensationelle Entdeckung erlaubte eine genauere zeitliche und räumliche Fixierung der Texte von Nag Hammadi. Erstmals wies *R. Kasser* darauf hin.[167] *Robinson* gab in der Einleitung zur Faksimile-Ausgabe von Codex VII weitere Einzelheiten.[168] Die bisherigen Forschungsergebnisse referierte *Robinson* 1977 in der Einleitung zur englischen Ausgabe der Nag Hammadi Texte.[169] Dort erwähnt *Robinson* die inzwischen schon mehrfach aufgestellte These, wonach die Nag Hammadi Texte nicht nur irgendeine Beziehung zu den pachomianischen Klöstern gehabt hätten, sondern sogar in einem pachomianischen Kloster – *Robinson* denkt an Scheneset-Chenoboskion – selbst geschrieben wurden. Diese These belegt er wie folgt: Die Papyrusfragmente aus den Einbänden lassen sich auf die Jahre 333, 341, 346 und 348 n. Chr. datieren, also auf die Blütezeit des pachomianischen Mönchtums. Auf diesen Fragmenten sind die Orte »Chenobos(kion)« und »Dios(polis parva)« genannt. Auch die Nähe des Fundorts zu den pachomianischen Klöstern führt *Robinson* an. Ein in diesen Fragmenten genannter Mönch *Sansnos* aus einem pacho-

---

– Pbow	8 km
– Scheneset	9 km
– Nag-Hammadi	13 km

Robinson, a. a. O. nennt folgende Entfernungen:

Fundort	– Pbow	5,3 km
Fundort	– Scheneset	8,7 km

164 *Unnik*, a. a. O. 29; *Robinson*, a. a. O. 16; J. *Leipoldt*: Koptisch-gnostische Schriften, Hamburg 1960, 9.

165 J. *Leipoldt*, a. a. O., 10; J. M. *Robinson*, a. a. O. 13.

166 F. J. *Schiersee*: Nag Hammadi und das Neue Testament, in: Stimmen der Zeit 168 (1960/61) 47–62: hier: 48.

167 R. *Kasser*: Fragments du Livre Biblique de la Genèse cachés dans la reliure d'un codex gnostique, in: Le Muséon 85 (1972) 65–89.

168 J. M. *Robinson*: The Facsimile Edition, Leiden 1972, IX.

169 *Ders*: The Nag Hammadi Library in English, San Francisco 1977, 16–21.

mianischen Kloster soll »anscheinend« Besitzer des Codex VII gewesen sein, oder doch mindestens sehr enge Beziehungen zu den Schreibern der gnostischen Texte gehabt haben. Die Möglichkeit, daß die Bücher *blanco* in einem pachomianischen Kloster hergestellt, und dann in einer gnostischen Kommunität geschrieben worden wären, hält *Robinson*, weil den damaligen Gewohnheiten widersprechend, nicht für möglich. Auf das Problem heterodoxer Schriften in einem pachomianischen Kloster eingehend, meint *Robinson*, daß die Vorstellung von der strengen Orthodoxie der frühen Klöster eine Projektion aus späterer Zeit sei, und erhärtet schließlich seine These vom wirklichen – und nicht bloß als anti-ketzerisches Kampfmaterial anzusehenden – Gebrauch der Nag Hammadi Texte in einem pachomianischen Kloster durch den Hinweis auf das sowohl in den Nag Hammadi Texten, als auch in den Briefen des *Pachomius* begegnende »mystische Alphabet.«[170] Nimmt man mit *Robinson*[171] weiter an, daß die Codices nach den Einbänden in drei verschiedene Gruppen eingeteilt werden könnten, so würde keine Doublette zur selben Gruppe gehören und keine Doublette vom selben Schreiber stammen; dann wäre es auch möglich, daß verschiedene Mönche bei ihrem Eintritt ins Kloster dieses Material als geistliches Schrifttum mitgebracht hätten. Uns scheinen die Thesen von *Robinson* zwar noch einige wichtige Fragen unbeantwortet zu lassen. Was aber als gesichert gelten kann, ist die zeitliche und räumliche unmittelbare Nachbarschaft der »Gnostiker von Nag Hammadi« mit den Mönchen des *Pachomius*. Wenn die These von *Robinson* stimmen sollte, daß also die Nag Hammadi Bibliothek in einem pachomianischen Kloster entstanden und verwendet worden sein soll, dann müßte geklärt werden, wie dies mit der Spiritualität der Pachomianer zu vereinbaren wäre. Unter dem direkten Einfluß und mit Wissen des *Pachomius* kann dies nicht geschehen sein. Dafür sind die Unterschiede zwischen *Pachomius* und der Gnosis doch zu groß. Unsere Untersuchungen legen allenfalls die Vermutung nahe, daß nach dem Tode des *Pachomius* – je länger desto stärker – andere geistige Strömungen sich in den Klöstern ausbreiteten. Wir denken dabei nicht so sehr an den Armutsstreit in erster Linie, sondern an diejenige Art von Spiritualität, die sich mit dem Namen *Theodors* verbinden läßt.[171a]

Ohne auf die sicherlich wichtige Frage der Beziehung der pachomianischen Mönche zur Gnosis hier näher eingehen zu können, ist für unsere Fragestellung festzuhalten, daß nach allen heute vorliegenden Informationen nur die Gnostiker von Nag Hammadi als die heterodoxen Christen in Frage kommen können, von denen sich *Pachomius* ausweislich der Viten mehrmals und eindeutig absetzt, und vor denen er auch seine Brüder eindeutig warnt.

Mit Gnostikern war *Pachomius* ja nicht nur in der Gegend von Pbow und Scheneset-Chenoboskion konfrontiert. Auch das Kloster Tsmine bei

170 Vgl. dazu S. 120.

171 *J. M. Robinson:* Nag Hammadi Studies VII (1975) 15–31.

171a Auf die Tatsache, daß die Abgrenzung zwischen Orthodoxie und Heterodoxie in der Umwelt des *Pachomius* so streng wohl nicht gehandhabt wurde, deutete schon *Bousset* hin; vgl. dazu: Das visionäre Element in der Überlieferung, in: ders.: Apophtegmata, Tübingen 1923, 236–244; hier 243.

Panopolis-Akhmîm sah sich ja gnostischen Einflüssen ausgesetzt.[172] Dort fand ja auch das Philosophen-Gespräch statt, das *Robinson* vom Inhalt her eindeutig in den Bereich der Gnosis verweist.[173] Ob der teilweise akhmimische Dialekteinschlag einiger Nag Hammadi Texte, also der in der Gegend von Akhmîm gesprochene Dialekt,[174] hier von Bedeutung ist, kann nicht entschieden werden.

(f) Nochmals das Philosophen-Gespräch bei Panopolis-Akhmîm

Vor dem Hintergrund enger räumlicher und zeitlicher Nachbarschaft zwischen Pachomius und gnostischen Mönchen[175] gewinnt der Inhalt jenes schon genannten Philosophen-Gesprächs neue Bedeutung. Das Ereignis ist in den Viten gut bezeugt.[176] Die verschiedenen Berichte stimmen darin überein, daß es sich bei der Stadt Panopolis-Akhmîm ereignete, daß »Philosophen« zu Pachomius kamen, daß er selbst mit ihnen nicht sprach und daß einer der »Philosophen« dem *Theodor* folgende Fragen stellte: »Wer starb, ohne geboren zu sein? Wer wurde geboren und starb nicht? Wer ist gestorben und ging nicht in Verwesung über?«

Ebenso übereinstimmend berichten alle Texte, daß *Theodor* den Frager mit folgenden Antworten zum Schweigen bringt: »*Adam* starb, ohne geboren zu sein; *Hennoch* wurde geboren und starb nicht und *Lots* Frau starb, ging aber nicht in Verwesung über.«

Vor dem Hintergrund des oben Gesagten stellt sich die Frage, ob mit diesen »Philosophen« nicht Gnostiker gemeint sein könnten.

Von der Wortwahl her verbietet sich zunächst eine solche Annahme: in den Texten von Nag Hammadi werden die »Philosophen« von den Gnostikern abgelehnt, so z. B. in *De resurrectione* (NH I 46,9f.) und im Eugnostosbrief (NH III 70,15). Im *tractatus tripartitus* (NH I 110,14) wird die Philosophie als eine Wissenschaft mit allen Mängeln des kosmischen Lebens angesehen. Waren es also »Philosophen« im eigentlichen Sinn, so können es sicher keine Gnostiker gewesen sein.

Man könnte aber im oberen Niltal auch an Gräkoägypter denken, die an griechischen Schulen[177] sich rhetorische und philosophische Bildung erwarben. Vielleicht muß man aber auch damit rechnen, daß die Pachomiusviten die von den Gnostikern gemachte Unterscheidung gar nicht kannten und die Gnostiker mit den Philosophen zusammenwarfen. Für diese Annahme spricht die Formulierung der Frage, die von den »Philosophen« in diesem Gespräch gestellt wurde. Die Fragen und Antworten kreisen um das Hervorkommen und das Vergehen, den

---

172 *E. Amélineau:* Géographie de l'Egypte à l'époque copte, Paris 1893, 18–20.

173 *J. M. Robinson:* Introduction, in: The Nag Hammadi Library in English, San Francisco 1977, 18.

174 *W. Till:* Koptische Grammatik, Leipzig 1955, 35–36.

175 Vielleicht ergibt dies auch einen Hinweis darauf, warum *Pachomius* nach drei Jahren in der Gegend von Scheneset-Chenoboskion von dort weg und in die Wüste zog; vgl. S. 50.

176 Bo 55: CSCO 89 52,17–54,24 (= *Lefort* 117,4–119,2); Am 570,6–573,3; G-1 82: *Halkin* 55,5–56,6 (= *Festugière* 202); G-2 66: *Halkin* 237,9–238,8 (= *Mertel* 90,24–91,28).

177 *A. Böhlig:* Die griechische Schule und die Bibliothek von Nag Hammadi, in: *A. Böhlig/F. Wisse:* Zum Hellenismus in den Schriften von Nag Hammadi, 1975, 9–53.

Fragesteller interessieren verschiedene Arten des Hervorkommens und verschiedene Arten des Vergehens durch Sterben und Nicht-Sterben. Als Personen, an denen er dies darstellt, wählt der Fragesteller *Adam, Hennoch* und die Frau des *Lot.* Dies zeigt schon eine Nachbarschaft des Fragers zur Gedankenwelt der Gnosis auf. In der Einleitung zur Edition des Ägypterevangeliums aus Nag Hammadi führt *Böhlig* aus, daß die Gnosis in Bildern und Symbolen das Hervorgehen des Unvollkommenen aus dem Vollkommenen personal darzustellen versucht, wobei im Ägypterevangelium besonders das Hervorgehen *Adams* eine Rolle spielt. Kennzeichnend für gnostische Texte ist schließlich nach *Böhlig,* daß sie die von der biblischen Überlieferung als böse dargestellten Orte (in unserem Fall Sodom) in gute Orte umdeute.[178] Wir stimmen also *Robinson* hier zu, wenn er die Gesprächspartner von Panopolis-Akhmîm in den Bereich der Gnosis verweist.[179] Dabei spielt es wohl keine große Rolle, ob es sich dabei um gnostische Christen, pagane Philosophen oder andersartige Mönche handelte.

Merkwürdig erscheint allerdings, daß *Pachomius* dieses Gespräch nicht selber führt. Er schickt den *Theodor* (in einigen Viten zusammen mit *Cornelios;*) zu den Philosophen hinaus. Was mag den *Pachomius* dazu bewogen haben? Warum »drückte« er sich vor diesem Gespräch? Konnte er erahnen, was ihn erwartete? Die Fragen und Antworten machen nicht den Eindruck eines »Gesprächs«; viel eher scheint es sich um den Austausch von vorgefertigten Fragen und Antworten gehandelt zu haben.[180] Wenn *Pachomius* ahnte, was »Philosophen« aus der stark griechisch durchsetzten Stadt Panopolis-Akhmîm von ihm wollten, und wenn er sich nicht in der Lage fühlte, ihnen *paroli* zu bieten, warum schickte er dann ausgerechnet den *Theodor* hinaus? Und warum konnte *Theodor* die Antworten so mühelos geben? Es bleibt nur die eine Erklärung, daß *Theodor* diese Antworten – und damit auch das gnostische Frage- und Antwortspiel – vorher schon kannte. Wir hätten hier dann einen weiteren Hinweis dafür, daß *Theodor* zu jenen »anderen Mönchen« engere Beziehungen hatte. Bei den bekannten asketischen Tendenzen der Gnosis[181] und bei den – schon mehrfach erwähnten – asketischen Tendenzen *Theodors* ist dies nicht verwunderlich.

Wenn nun also die Gnostiker dem *Pachomius* buchstäblich vor der Haustür saßen, und wenn *Theodor* zu solchen Gnostikern – wann auch immer – nähere Beziehungen hatte, würde dies auf das Verhältnis *Pachomius/Theodor* ein völlig neues Licht werfen.

---

178 *A. Böhlig:* Das Ägypterevangelium von Nag Hammadi, Wiesbaden, 1974, 21.
179 Vgl. dazu S. 143.
180 *Prümm* erwähnt in seinem Gnostizismus-Artikel (LThK II, 1021–1030) solche Fragen: »Der Gnostiker begnügt sich nicht mit der Taufe als Befreiungsmittel, sondern sucht Wissen in einer Reihe von Fragen, die man (etwas schematisierend) auf die Dreiheit zurückführen kann: wo kommt der Mensch her, was ist er und wohin geht er.«
181 Vgl. dazu die Artikel: »Gnostizismus« in: LThK II, 1021–1030; »Gnosis« in: RGG II, 1648–1661.

7 Anschauungsmaterial

Deutsche Übersetzung der Reden Theodors

Die eine Rede *Theodors* nach Am

Wo sind unsere Väter? Wo sind unsere Vorfahren?[1] Wo ist unser Vater und Lehrer, der Vater *Pachomius,* der die Klöster gegründet hat? Ja, er ist jetzt entschwunden und nach kurzer Zeit werden auch wir entschwunden sein, wie der Herr es zu unserem Vater *Adam* im Paradies gesagt hat: Staub bist du und zum Staube kehrst du zurück. Wenn also die Dinge so liegen, dann vergessen wir doch nicht, an den Tod zu denken, denn das ist das erste der guten Werke. O Brüder, wir müssen die Last unserer Brüder tragen, ihre Sünde in Worten und Werken, in der Gewißheit, daß wir es doppelt entlohnt bekommen vom Herrn, wenn wir die Last, die Ungerechtigkeit, die Unterdrückung und die Schwierigkeiten ertragen, wenn wir als Elende angesehen werden, behandelt werden mit Ungerechtigkeit, all die Dinge, die uns betrüben und schmerzen, die von unseren Brüdern kommen, wenn wir sie ertragen mit Milde und Stärke und ohne zu murren, und wenn wir Gott dafür danken, auf daß wir von unseren Feinden befreit werden.

Desweiteren: wenn der, der dich betrübt, deine Festigkeit sieht, deine Geduld, deinen Mut, deine Weisheit in allem dem, was dir widerfährt, dann wird er voll von Bewunderung sein, Gott preisen, dich nachahmen und so wirst du für ihn zur Ursache, und du wirst seine Seele retten aus der Hand des Feindes.

Vergessen wir doch niemals den Weg unseres Vaters *Pachomius,* seine Abtötung im Trinken, seine Trübsal, die ihm der Teufel und die Menschen bereiteten. Es sind jetzt kaum fünf Jahre her,[2] seit er tot ist, und wir denken schon an die Ruhe, in der wir uns in diesem Leben befanden. Auch wenn er im Fleische nicht mehr unter uns ist, so ist er doch im Geiste anwesend. Erinnern wir uns, wie recht unser Vater in seinem Leben war: es gab in seinem Herzen nichts anderes als den Gedanken an Gott und sein Wort, das süßer ist als Honig und Honigwabe.[3] Denken wir doch nicht, daß wir auf der Erde wandeln sollten, wir sollten viel lieber im Himmel sein. Vergessen wir nicht, daß ein Mensch, der von der Kälte gepackt ist, sich erwärmt, wenn er marschiert oder arbeitet, und so gar nicht die Kälte bemerkt. Wenn sein Schritt aber langsamer wird, werden seine Glieder kalt. So ist es auch bei uns. Solange wir die Vorschriften Gottes beachten, wird uns die Wärme des Geistes nicht entzogen, aber wenn wir die Arbeit vergessen, wird sich die Wärme des Heiligen Geistes von uns entfernen und die Kälte des Satans wird zu uns kommen. Jetzt werden wir unseren Zustand erkennen: die Kälte ist dabei, uns zu überwältigen. Kehren wir um zur Güte Gottes, seien wir seiner Barmherzigkeit sicher, damit er uns erwärme mit seinem Geist und damit er in uns die Wärme des Geistes auch erneue.

---

1 In diesem Satz ein Anklang an G-1: »Wo sind die Alten?«
2 Hier wieder Anklang an G-1: »auch sind es nicht fünf Jahre her.«
3 Anklang an G-1: »Wir hatten nämlich [...] süßer als Honig und Honigwabe.«

Die eine Rede *Theodors* nach G-1

Wo sind die Alten?[4] Werdet stärker im Herrn, und einigen wir uns doch untereinander im Mitleiden, damit der Feind nicht das mühsam Erarbeitete unseres Vaters zerstreue. Denn ihr kennt doch genau die Ängste, die er selbst von den Dämonen erdulden mußte, als er noch unseren Herrn Jesus Christus lehrte, dessen Gegenwart Furcht und Schauder ist. Auch sind es noch nicht fünf Jahre her,[5] als wir vergessen haben, wie groß die Freude und der Friede, den wir damals miteinander gehabt haben. Wir hatten nämlich zur Zeit unseres Vaters *Pachomius* nichts anderes weder im Herzen noch im Munde, außer das Wort Gottes das süßer ist als Honig und Honigwabe.[6] Wir hatten auch nicht das Gefühl, wie auf Erden zu leben, sondern wie im Himmel ein Fest zu feiern.

Ein Mensch nämlich, der sich in Kälte und großem Frost befindet, läuft so weit bis in die Wärme des Feuers, und er freut sich und lebt wieder auf.[7]

So war es damals auch für uns, wir suchten vielmehr Gott, und es erschien uns mehr seine Güte, die unsere Seelen versüßte. Und wie sind wir jetzt? Darum wollen wir wieder umkehren; wir wollen vertrauen, daß Gott uns erneut sein Erbarmen geben wird.

Die 1. Rede *Theodors* nach S-6

Unser Vater *Pachomius* hat sich für uns aufgeopfert unter Vernachlässigung seiner eigenen Angelegenheiten zum Wohle unserer Gemeinschaft, damit nicht unsere Klöster, die Gott zusammengefügt hat durch die Tränen und Mühen unseres Vaters, auseinanderfallen würden. Jetzt aber, meine Brüder, bleiben wir doch in einer Gemeinschaft zusammen in der guten Ordnung. Wenden wir uns ab von der Vernachlässigung und der Mißachtung, in der wir waren.

Wirklich, wir haben die gute Ordnung noch nicht lange genug nach dem Tode unseres Vaters *Pachomius* befolgt, als daß wir seine Gesetze abschaffen könnten. Deshalb hat ja auch der Teufel die Seele von vielen unter uns verwirrt. Im Prediger steht aber geschrieben: Wer die Mauer einreißt, den sticht die Schlange. Ihr kennt doch genau die Mühen und Lasten, die unser Vater ertragen hat, seinen Hunger, seinen Durst und die zahlreichen Nachtwachen, damit er uns rein dem Herrn vorstellen könne.

---

4 Anklang an Am: »Wo sind unsere Väter?«

5 Anklang an Am: »Es sind jetzt kaum fünf Jahre her, ...«

6 Anklang an Am: »Es gab in seinem Herzen nichts anderes, als den Gedanken an Gott und sein Wort, das süßer ist als Honig und Honigwabe.«

7 Dies ist die einzige Stelle im Bericht von G-3 über den Armutsstreit, an der G-3 nennenswert von G-1 abweicht. G-3 hat hier folgenden Text: (der G-1-Text ist kursiviert) »*Ein Mensch nämlich, der sich in Kälte und großem Frost befindet, läuft* und wird überwältigt, wird wieder erwärmt und wieder entflammt *und freut sich* und ist stolz darauf bloß, daß er die Kälte besiegt hat. Wenn er aber auf dem Weg schlaff macht, ist er entblößt und die Wärme schwindet und er zittert vor Kälte.«
Auch ist dies die einzige Stelle, an der G-3 textlich vielleicht etwas näher an Am ist, als an G-1. Am hat an dieser Stelle folgenden Text:
»Vergessen wir nicht, daß ein Mensch, der in der Kälte ist, sich erwärmt, wenn er marschiert oder arbeitet, und so gar nicht die Kälte bemerkt. Wenn sein Schritt aber langsamer wird, werden seine Glieder kalt.«

Und wir sind nun aus eigenem Verschulden dem Teufel übergeben, damit er uns verschlinge, und damit wir so die Mühen, die unser Vater für uns getragen hat, zunichte machen.

Die 2. Rede *Theodors* nach S-6

»Beherrscht euch, und hört auf meine Worte!« Dann fing er an, wieder zu ihnen zu sprechen: »Wenn ihr ebenso denkt, wie ihr weint, dann ist das ein Zeichen, daß euer Geist der Zerknirschung noch nicht ganz verschwunden ist. Ein Toter ist wirklich tot, wenn er versucht, sich zu schneiden und das nicht mehr spürt, weil er tot ist. Wenn aber noch Atem in ihm ist, dann genügt es, ihn zu bewegen, damit er es sofort merkt. So ist es auch möglich, daß ihr wieder belebt werdet, wenn es dem Herrn gefällt.«

Die 3. Rede *Theodors* nach S-6

Werden die Brüder der heiligen Koinonia von Tabennesi wiederum die Söhne unseres Vaters *Pachomius,* des gerechten Mannes sein? Werden sie wiederum ihren Nachbarn fragen, was ist der Sinn dieser Vorschrift? Oder werden wir uns wieder begegnen bei der Arbeit, auf dem Wagen oder auf der Straße, wenn wir das Wort Gottes rezitieren, entsprechend der Empfehlung unseres seligen Vaters? Und nun, meine Brüder, kämpfen wir gegen uns selbst, wandeln wir in der Furcht des Herrn und übertreten wir fürderhin nicht mehr ein einziges der Gebote und Gesetze, die uns gegeben wurden. Jeder von uns möge voranschreiten nicht nach seinen eigenen Vorstellungen, sondern wir wollen voranschreiten nach dem Wohlgefallen des Herrn, der uns in diese große Reinheit berufen hat.

Die 4. Rede *Theodors* nach S-6[8] (Teil 1)

Wird Gott uns retten und nicht seinen Zorn über uns ausgießen, weil ihr euch gegen unseren Vater *Horsiese* aufgelehnt habt, und ihn aus seinem Amt getrieben habt, diesen wirklich guten Mann, dessen wir nicht würdig sind, ihn, den Gott und unser Vater an diesem heiligen Ort eingesetzt haben, ihn, der gekommen ist, Stellvertreter unserer entschlafenen Väter zu sein. Gibt es jemand, der gegen die Entschlüsse des Herrn ankämpfen könnte, in dessen Gegenwart alles Lebende wie nichts ist? Ich bin wirklich erstaunt, daß ihr euch erkühnt habt, zu sagen: wir wollen nicht, daß jener über uns herrsche.
Darauf sagten sie: »Da wir so gesprochen haben, ist es möglich, daß er zu uns sagt: ›Mein Volk, was hab' ich dir getan, oder womit habe ich dich betrübt, antworte mir!‹«
Sieht uns denn nicht unser seliger Vater *Pachomius* in seinem Aufenthalt bei den Heiligen in dieser Verfassung, und wird er nicht erstaunt sein, sich traurig setzen und wird er nicht voll Kummer sagen: Habe ich nicht guten Weizen gesät auf meinem Acker, woher kommt denn das Unkraut?
Also, meine Brüder, wenn wir gesündigt haben, laßt uns Buße tun. Ich

---

8 In diesem Teil stimmen S-6 und S-5 fast wörtlich überein. Eine eigene Übersetzung dieses Teils der 4. Rede nach S-5 erübrigt sich also.

werde heute vor dem Angesicht des Herrn mit euch eine Übereinkunft treffen, damit ihr Vergebung erlangt für die Mißachtung, in der einige von euch gelebt haben. Ihr habt es in der Tat unternommen, den heiligen Ort aufzulösen, mit dem der Herr unseren Vater *Pachomius* begnadet hat wegen der Bitten und Tränen, die er wegen uns an ihn gerichtet hat. Denn ihr erinnert euch noch, wie zu der Zeit, als er noch im Fleische bei uns war, ihm vom Herrn all das geoffenbart wurde, was sich[9] jetzt an uns ereignet hat, noch bevor es geschah.

Die 4. Rede des *Theodor* nach S-6[10] (Teil 2)

[Denn ihr erinnert euch noch, wie zu der Zeit, als er noch im Fleische bei uns war, ihm vom Herrn all das geoffenbart wurde, was sich jetzt an uns ereignet hat, noch bevor es geschah.] Als der Herr ihm in einer Vision die Augen öffnete, sah er die Mehrzahl der Brüder, die einen im Rachen eines Krokodils, andere in Feuerflammen, wieder andere im Rachen wilder Tiere und andere vor dem Schiffbruch in der Mitte des Flusses um Hilfe rufend. Und sofort betete er damals für das Heil derer, die er in Gefahr sah.

Und jetzt werde ich mit euch wie folgt übereinkommen: Ab sofort wird jeder, der über seine Seele wachen wird und nicht mehr gegen den Herrn sündigen wird bis zu seinem Tode, Vergebung erhalten für alles Schlechte, das er begangen hat bis zum heutigen Tag. So wird er einer werden, der gerade auf die Welt gekommen ist und weder Fehler noch Verdienste hat, und das wird jetzt sofort die Erneuerung des Lebens für die Zukunft sein. Dennoch bestärken wir uns darin, Früchte zu bringen, die der Buße würdig sind, wie es bei Jesaia geschrieben steht: »Wenn ihr eure Sünden bereut, werden eure Seelen für lange Zeit in Wohlfahrt leben.« Wirklich, wenn wir eifrig bemüht sind, in der Demut und in anderen Anstrengungen, nachdem wir in der Mißachtung gelebt haben, dann werden wir es verdienen, daß unsere Seelen die Heiligen sehen, die sich in der langen Dauer befinden, d. h. in der Ewigkeit ohne Ende. Und wenn durch eure freie Entscheidung ihr euch anschickt, gemäß der Übereinkunft zu handeln, die ich mit euch heute getroffen habe, wird sich heute nicht nur der barmherzige und mitleidige Gott über unsere Bekehrung freuen, der allzeit unsere Schwächen und Fehler erträgt, und er wird uns helfen. Und selbst die Engel werden sich freuen, die in der Heiligen Schrift »flammendes Feuer« genannt werden, und die das Böse nicht ertragen können und sie werden sich mit Mitleid uns zuwenden. Mehr noch: sie werden über uns wachen, wie geschrieben steht: »Der Engel des Herrn umgibt die, die ihn fürchten und er errettet sie.« Durch die Tatsache, daß er sagt, daß sie wachen werden über jene, die den Herrn fürchten, wird deutlich, daß sie die nicht ertragen, von denen sie sehen, daß sie wissentlich in der Mißachtung leben.

Was den betrifft, der das Universum geschaffen hat, ebenso wie die Engel, der erträgt eher unsere Fehler und unsere Schwächen in seiner Güte mit Rücksicht auf unsere Natur. Sie dagegen ertragen sie, damit man Buße tue und daß sie nicht ohne Wert sei.

---

9 Hier hört die Parallele mit S-5 auf, da der Text in S-5 abbricht.
10 Für den zweiten Teil dieser Rede findet sich in S-5 wegen einer Lücke kein Text.

Darum lädt er seine Schüler ihrerseits ein, barmherzig und Söhne Gottes zu sein, indem er sagt: seid barmherzig, wie auch euer Vater barmherzig ist, der im Himmel ist. Und wiederum sagt er: seid auch ihr andere...[11]

Die 4. Rede *Theodors* nach S-6[12] (Teil 4)

Er wird daraus keinen Nutzen ziehen, denn er gehört nicht zu denen, denen es zuträglich ist, diese Reden auszuhalten, denn nur vollkommenen Menschen, in denen der Geist Gottes wohnt, ist dies zuträglich, wie geschrieben steht: dein Dankgebet mag ausgezeichnet sein, aber der andere hat keinen Nutzen davon.[13]
Und damit wir genau wissen, daß sie, die einen ähnlich hohen Grad erreicht haben und von denen wir sprechen, diejenigen sind, denen der Mensch, der bereut, seine Sünden bekennen muß, sagt er: Bekennet eure Sünden einer dem anderen, und wiederum: Das Gebet des Gerechten ist wirksam und mächtig. *Elias* nämlich war ein Mann wie wir. Er richtete ein Gebet, damit der Himmel nicht regne und er regnete nicht während drei Jahren und sechs Monaten, dann betete er von neuem und der Himmel gab Regen und die Erde brachte ihre Frucht. Ich sage euch das, meine Brüder, damit der Herr, wenn er will, Heilmittel anwende für die Wunden derer unter uns, die geschlagen wurden durch den Teufel, und die ihre Schwäche zeigten. Denn es steht geschrieben: Der, der seine Schwächen verbirgt, ist nicht auf dem rechten Weg. Jetzt, meine Brüder, die ihr Obere seid der heiligen Orte, die Gott unserem seligen Vater gab, ich höre, daß aus eurem Munde offen solche Reden kamen wie diese: Dieses Kloster gehört mir, oder dieses Ding gehört mir.[14] Ja, nun soll solches nicht mehr vorkommen. Vielmehr, wenn ihr von ganzem Herzen disponiert seid, nach der Art unseres seligen Vaters Verzicht zu leisten, daß nun also jeder erklärt: ich bin nicht mehr Oberer des Konvents, darüber hinaus sind wir bereit, uns in allem zu unterwerfen, was du von uns verlangst.

Die 5. Rede des *Theodor* nach S-6[15] (Teil 1)

So habe ich euch benannt, wie ihr denkt, durch den Willen Gottes, denn so ist es das Heil der Seelen und auch das Heil unserer Brüder, die mit uns sind. Wenn ich also einen benannt habe, der sich in einem schwierigen Konvent befindet, um nun in einen leichten Konvent überzuwechseln, und wenn der sich dann innerlich freut, wenn er das erfährt: ich sage euch, daß in so einem der Geist Gottes nicht wohnt. Oder anders: wenn der eine, der sich in einem leichten Konvent befindet, und vorgesehen ist durch uns für einen schwierigen Konvent, wenn er dann sich deswegen

---

11 Hier bricht der Text für S-6 ab. Der nun folgende 3. Teil dieser Rede ist verschollen.
12 Dieser Teil hat keine Parallele in S-5.
13 Weil der Zusammenhang fehlt, ist unsicher, ob damit der Gedanke der Solidarität ausgesprochen ist.
14 Hier die erste Stelle in den Reden, in denen wirklich von unserem Thema geredet wird: Armut und Besitz.
15 Die entsprechende Stelle in S-5 bringen wir unmittelbar im Anschluß.

betrübt, so sage ich euch, daß auch in diesem weder der Geist Gottes, noch der Geist der Demut ist.[16]

Die 5. Rede des *Theodor* nach S-5 (Teil 1)

... Freude. In dem anderen aber wohnen weder die Barmherzigkeit Gottes, noch die Demut. Denn, ist er auch reich in seinem Herzen, er benötigt doch nichts, wie geschrieben steht. Der eine stellt sich reich und hat doch nichts, der andere stellt sich arm und hat ein großes Vermögen.

Die 5. Rede des *Theodor* nach S-6[17] (Teil 2)

Der Mensch aber, der wirklich Gott liebt aus seinem ganzen Herzen, der freut sich über nichts anderes, als zu sehen, daß er ein Gebot Gottes erfüllt, oder auch, daß er sieht, daß sein Nächster Fortschritte im Gesetze Gottes macht, wie geschrieben steht: Wenn ein Glied geehrt wird, freuen sich alle Glieder mit ihm. Auch überkommt ihn keine Verdrießlichkeit, wenn auch sein Herz ihm Vorschriften macht, weil er im Gesetze Gottes nachlässig war, oder aber, wenn er einen sieht, der auf dem Weg der Mißachtung wandelt, wie geschrieben steht: Wer hat Ärgernis genommen ohne daß ich brenne? Du aber, der du nichts anderes im Sinn hast, als den Herrn, wenn man dich für ein schwieriges Kloster benennt, bist du vielleicht nicht fähig, entschlossen zu sagen und dem Herrn zu danken: Ich danke dir, daß ich einen Platz gefunden habe, um meine Hände zu Gott zu erheben. Oder auch zu sagen: warum sollte ich nicht dankbar und froh sein, da ich ja eine Vorschrift erfüllt habe und da ich den Gehorsam und die Demut übe. Wenn aber der Versucher in dein Herz den falschen Kummer geworfen hat, erinnere dich, daß der selige *Ijob*, obwohl er König war, von einer wahrhaft evangelischen Armut und Verzichtsbereitschaft erfüllt war, auch schon vor der Ankunft unseres Erlösers. Denn als er sein ganzes Glück zerrinnen sah, und den Tod seiner Söhne und Töchter erfuhr, da wurde er nicht nur nicht schwach, sondern auf das wenige, was er noch besaß, verzichtete er voll Freude – seine Kleider und seine Haare auf dem Kopf – und pries den Herrn, der seine Hoffnung war. Er warf sich vor ihm nieder, betete ihn an und sprach: »Nackt wie ich aus dem Schoß meiner Mutter hervorgegangen bin, so werde ich auch nackt dorthin zurückkehren. Denn Gott hat mir alles gegeben; er wird es mir auch wieder nehmen wie es ihm gefällt.[18]

Die 5. Rede des *Theodor* nach S-5[19] (Teil 3)

Es soll geschehen, wie es dem Herrn gefällt, der Name des Herrn sei gepriesen.[20] Also, wenn dieser Gerechte nicht jeden Tag vollkommen

---

16 Die Übereinstimmung mit dem Text in S-5 zeigt sich lediglich in dieser Formel: »... weder der Geist Gottes, noch der Geist der Demut«.

17 Wegen der fast wörtlichen Übereinstimmung von S-5 und S-6 in diesem Teil verzichten wir auf eine eigene Übersetzung von S-5.

18 Der Text von S-6 bricht an dieser Stelle ab.

19 Für diesen 3. Teil der fünften Rede findet sich keine Parallelstelle.

20 Hier endet die Parallele mit S-6 da S-6 hier abbricht.

gewesen war in der Entscheidung seines Herzens, so dürfte er sich doch sehr betrübt haben und gegen den Herrn gesündigt haben, wegen des Verschwindens seines Glückes. Auf welche Weise werden wir das sein, wenn nicht durch das Wort, das verkündet wird, während er geprüft wurde. Noch ganz bedeckt mit Wunden erfuhr er, wer weiß wie, daß er die Leiden, er nicht erdulden muß wegen der Sünden, die er in der Freude seines Reichtums beging, sondern daß sie ihm als Prüfung vom Herrn geschickt wurden. Daher sagte er: wenn ich mein Vertrauen auf Edelsteine gesetzt hätte, oder wenn ich mich gefreut hätte, als der Reichtum bei mir war! Er will auch, daß die, die an den Herrn glauben, wissen, daß der Reichtum der Heiligen nicht dafür da war, daß sie ihr Fleisch zufrieden stellten, sondern zum Zweck, die Armen und die Bedürftigen zu nähren; ein Verwalter, der durch einen Vorgesetzten an die Spitze des Glücks gesetzt wurde, um die Diener zu ernähren entsprechend dem Gleichnis des Evangeliums.[21] Der Gerechte drückt sich ja auch so aus und sagt: Ich war der Blinden Augenlicht und Fuß dem Lahmen, den Armen wollte ich Vater sein. Der Apostel hat uns ebenso den Verzicht des Gesetzgebers *Mose* erwähnt dadurch, daß dieser[22] es ablehnte, Sohn des Pharao genannt zu werden und statt dessen lieber mit dem Volk Gottes litt.

Die 5. Rede des *Theodor* nach S-5[23] (Teil 4)

[Der Apostel hat uns ebenso den Verzicht des Gesetzgebers *Mose* erwähnt dadurch, daß dieser es ablehnte,[24] Sohn des Pharao genannt zu werden, und statt dessen lieber mit dem Volk Gottes litt,] als die leichte Freude der Sünde zu genießen. Wir wissen auch, daß der Patriarch *Abraham* reich war an Gold, Silber und vielen Knechten. Warum also sollte er uns nichts sagen von den vielen Almosen, die er den Armen gab, wenn nicht, damit sich das Wort des Apostels erfülle: unsere ehrenhaften Glieder brauchen keine Ehre. Wenn man nun wirklich über sie schrieb, daß sie zum Herrn riefen, ist es offenbar in ihrem Wandel, daß sie alle guten Werke und alle Liebe übten. Wir stellen also fest, daß man über viele Heilige sagen kann, daß sie reich waren, aber infolge ihrer Entsagung der Herzen erklärten: wir sind arm und elend; wie einst *David* sagte, der ja König war: ich bin arm und elend vor Gott und Gott ist meine Rettung. Der Apostel lehrt uns ebenso über die Patriarchen. Sie grüßten und bekannten: wir sind Fremdlinge und Pilger auf Erden.[25]

Die 5. Rede des *Theodor* nach S-3b (Teil 4)

[... Entsagung, da er es ablehnte, Sohn der Tochter des Pharao genannt zu werden, sondern es vorzog, lieber mit dem Volk Gottes zu leiden,] als sich

---

21 Erst an dieser Stelle kommt *Theodor* wieder auf den Zusammenhang von Armut und Reichtum zu sprechen.

22 Ab dieser Stelle steht in S-3b wieder ein Paralleltext zur Verfügung.

23 Die Übersetzung des Paralleltextes zu diesem vierten Teil aus S-3b bringen wir unmittelbar im Anschluß.

24 Ab hier: Paralleltext aus S-3b.

25 Die relative Übereinstimmung zwischen S-5 und S-3b hört an dieser Stelle auf.

der vergänglichen Freuden der Sünde zu erfreuen. Er gedachte Christi, als eines höheren Reichtums, denn alle Schätze Ägyptens. Hier also, wenn wir unsere Aufmerksamkeit auf einige Heilige der jüngeren Zeit richten; die Schrift gibt uns keine Auskünfte über die Almosen, die sie gegeben, obwohl sie reich waren [...] wie in der Genesis vom Patriarchen *Abraham* berichtet wird, dem Vater aller Heiligen. Er war reich an Gold, Silber und vielen Knechten. Warum aber hat uns [die Schrift] nichts erwähnt über die Almosen, die er den Armen gab. Es sollte sich erfüllen, was Paulus sagte: unsere schönen Glieder brauchen die Ehre nicht. Wenn er nämlich über sie schreibt, daß sie Gott gefielen, dann wird deutlich, daß alle guten Werke und Almosen dazu gehörten, um das Gefallen Gottes zu erreichen. Denn wir verstehen, daß man für viele unter euch feststellen muß, daß sie reich waren und infolge der Gleichgültigkeit ihrer Herzen erklärten: wir sind arm und wir sind elend; wie einst *David* sagte; obwohl er König war: ich bin arm und elend; der Herr ist meine Hoffnung. Paulus seinerseits sagt über die Patriarchen: sie grüßten und bekannten: wir sind Fremdlinge und Pilger auf Erden.

Die 5. Rede des *Theodor* nach S-5[26] (Teil 5)

So habe ich euch nun unterrichtet. Aber es muß nicht sein, daß einige unter euch sich erregen, wenn sie vom Festmahl des *Salomo* lesen. Im Gegenteil: bedenken wir, daß das in einem mystischen Sinn gemeint ist, da ja *Salomo* die Stelle unseres Erlösers einnimmt, der aus seinem Geschlecht dem Fleische nach entstammt. Er, der die Diener aussandte, wie es im Gleichnis heißt: Meine Ochsen und Kälber sind geschlachtet, alles ist bereitet, kommet zur Hochzeit. Wirklich das ist er, die göttliche Weisheit; wie geschrieben steht: die Weisheit hat sich ein Haus gebaut, sie hat sieben Säulen aufgeführt, sie hat den Wein eingeschenkt und die Diener ausgesandt um alle hereinzurufen ohne Unterschied ob gut oder böse.
Und nun, meine Brüder, nachdem wir über die Armut und die Entsagung gesprochen haben, wie sie die Heiligen übten, ahmen wir ihr Leben nach und werden wir ihre Söhne.[27]

Die 5. Rede des *Theodor* nach S-3b (Teil 5)

Und wenn ihr das Wort des Evangeliums hört: es ist einfacher, daß ein Kamel durch ein Nadelöhr geht, als ein Reicher ins Himmelreich kommt, dürft ihr nicht in Unachtsamkeit sagen: Aber sieh' doch, auch Heilige waren reich und sie sind dennoch ins Reich Gottes gekommen. Denn wir haben euch doch gerade erklärt, daß sie – obwohl sie reich waren – ihren Reichtum überhaupt nicht ausnützten. Sie hielten nicht jeden Tag glänzende Feste, trugen keine wertvollen Kleider; aber über jenen Reichen wird uns gesagt, daß er in seinem Vergnügen lebte und ausgesuchte Kleider trug: in der Hölle aber, wo Heulen und Zähneknirschen herrschen, erhob er seine Augen und sah von weitem *Abraham* und

---

26 Ab diesem Teil steht wieder in S-3b ein Parallelzeuge zur Verfügung. Die Rede ist dort sehr anders. Wir bringen diese Übersetzung sofort im Anschluß.

27 Hier endet die Rede in S-5.

in seinem Schloß *Lazarus*.[28] [...] und wißt ihr nicht, daß ihr der Leib Christi seid, und daß eure Leiber Glieder Christi sind. Kann ich die Glieder Christi zu Gliedern einer Prostituierten machen. Auf keinen Fall! Darum sagt er: Meide die Unzucht. Alle Sünde, die ein Mensch begeht, ist außerhalb des Leibes. Derjenige aber, der Unzucht treibt, sündigt mit seinem Leib. Ebenso meint das Wort *Salomos* in den Sprüchen: mein Sohn, wenn du weise bist, wirst du es zu deinem Nutzen und zum Nutzen deines Nächsten sein, wenn du aber schlecht bist, ziehst du das Übel auf dich selbst, dies in demselben Sinn. Wir wissen, daß, wenn der Mensch weise ist, er dies zu seinem Nutzen und zum Nutzen seines Nächsten sein wird, und wenn er schlecht handelt, wird er viele in den Abgrund reißen. Wenn gesagt wird: wenn du schlecht bist, wirst du das Böse auf dich selbst ziehen, verstehen wir das in einem geistlichen Sinn. Mein Sohn, wenn du weise bist, wirst du es zu deinem Nutzen und zum Nutzen deines Nächsten sein. Wer ist hier der Nächste? wenn nicht das Wort, das Fleisch geworden ist zum Heil der Menschen. So nennt auch derjenige die, die an seinen Namen glauben, Brüder und Freunde. So sagt auch durch David – Vorbild des Wortes – der Heilige Geist: Ich werde deinen Namen meinen Brüdern nennen; inmitten der Versammlung werde ich dich preisen. Und im Evangelium nennt er seine Jünger: Freunde und Brüder. Wenn also geschrieben steht: Mein Sohn, wenn du weise bist, wirst du es zu deinem Nutzen und zum Nutzen deines Nächsten sein, so will das sagen: Wenn du die Verehrung Gottes hast, wirst du deine Seele retten und Christus wird mit dir zufrieden sein, denn du bist gerettet wie ein verirrtes Schaf. Auf der anderen Seite, wenn du das Böse tust, wird es allein auf dich zukommen, denn Christus ist nicht einverstanden mit dem, der das Böse tut. Dies entspricht dem Satz des Apostels: Alle Sünden, die der Mensch begeht, ist außerhalb des Leibes; wer aber Unzucht treibt, sündigt gegen seinen eigenen Leib.[29]

---

28 Hier bricht der Text in S-3b ab.
29 Hier endet der 5. Teil der 5. Rede *Theodors* nach S-3b.

Übersicht über die koptischen Reden des Theodor

sahidische Vita 6 = S-6	sahidische Vita 5 = S-5	sahidische Vita 3 b = S-3 b
Die 1. Rede des *Theodor*		
Lautes Weinen der Brüder.		
Die 2. Rede des *Theodor*		
Die Brüder weinen erneut.		
Die 3. Rede des *Theodor*		
Alle kehren in die Zellen zurück.	Alle kehren in die Zellen zurück.	
Die Aufrührer kommen zu *Theodor*.	Die Aufrührer kommen zu *Theodor*.	
Theodor ist sehr aufgebracht.	*Theodor* ist sehr aufgebracht.	
Die Aufrührer haben Angst.	Die Aufrührer haben Angst.	
Die 4. Rede des *Theodor* (Teil 1)	Die 4. Rede des *Theodor* (Teil 1)	
Die 4. Rede des *Theodor* (Teil 2)		
Die 4. Rede des *Theodor* (Teil 4)		
Unterwerfung der Aufrührer.		
Die Rede der Aufrührer.		
Theodor läßt die Aufrührer in Pbow zurück.		
Theodor besucht die Klöster.		
Theodor wird wie *Pachomius* empfangen.		
Theodor betet um weitere Weisungen.		
Theodor erhält sie in einem Gesicht.		
Theodor nimmt Umbesetzungen vor.		
Die 5. Rede des *Theodor* (Teil 1)	Die 5. Rede des *Theodor* (Teil 1)	
Die 5. Rede des *Theodor* (Teil 2)	Die 5. Rede des *Theodor* (Teil 2)	
	Die 5. Rede des *Theodor* (Teil 3)	
	Die 5. Rede des *Theodor* (Teil 4)	Die 5. Rede des *Theodor* (Teil 4)
	Die 5. Rede des *Theodor* (Teil 5)	Die 5. Rede des *Theodor* (Teil 5)

Synoptische Gegenüberstellung der Texte zum apollonischen Aufstand

Bo	S-6	S-5	5-3b	Am	G-1	G-3
				Die Zahl der Brüder wächst	X	X
				Apollonios besitzt mehr als andere		
	Apollonios macht Schwierigkeiten			Apollonios will die Regeln ändern	X	X
				Horsiese tadelt den Apollonios	X	X
				Apollonios will sich von Pbow trennen	X	X
	Andere hören auf Apollonios			Apollonios bringt andere an seine Seite	X	X
				Die Regeln werden abgeschafft		
				So entsteht großer Schaden	X	X
	»Haben nichts mehr mit Horsiese zu tun«			»Wir gehorchen Pbow nicht mehr«	X	X
				Die Versuchung nimmt zu	X	X
				Horsiese bittet Gott um Hilfe		
				Gedanke an einen Koadjutor	X	X
	Horsiese betet inständig			Horsiese betet inständig	X	X
				Gebet des Horsiese um einen Koadjutor	X	X
	Traum des Horsiese von den zwei Betten			Traum des Horsiese von den zwei Betten	X	X
	Interpretation des Traumes			Interpretation des Traumes	X	X
	Horsiese beruft eine Versammlung ein			Horsiese beruft eine Versammlung ein	X	X
	Rede des Horsiese an die Brüder			Rede des Horsiese an die Brüder	X	X
	Horsiese zieht sich zurück			Horsiese zieht sich zurück	X	X
				Die Brüder freuen sich über Theodor	X	X
	Die Brüder suchen den Theodor			Die Brüder suchen den Theodor	X	X
	Theodor erinnert sich an früher			Theodor wehrt sich gegen das Amt	X	X
	Theodor fastet drei Tage			Theodor fastet drei Tage	X	X
	Theodor nimmt Rücksprache mit Horsiese			Theodor geht zu Horsiese	(X)	(X)
				Horsiese erinnert an den Tod des Pachomius	X	X
				Theodor wehrt sich nicht mehr	X	X
				Theodor kehrt nach Pbow zurück	(X)	(X)
				Theodor wird endgültig eingeführt	X	X
				Die Brüder freuen sich über Theodor	X	X
				Theodor ist dem Horsiese gehorsam	X	X
	Die 1. Rede des Theodor			Die (einzige) Rede des Theodor	X	X
	Lautes Weinen der Brüder					
	Die 2. Rede des Theodor					
	Die Brüder weinen erneut					
	Die 3. Rede des Theodor					
	Brüder kehren in ihre Zellen zurück	X		Brüder kehren in ihre Zellen zurück	X	X
	Die Aufrührer kommen zu Theodor	X				
	Theodor ist sehr aufgebracht	X				
	Die Aufrührer haben Angst	X				
	Die 4. Rede des Theodor	X				
X	Unterwerfung der Aufrührer					
X	Die Rede der Aufrührer					
X	Theodor läßt sie in Pbow zurück					
X	Theodor besucht die Klöster			Theodor besucht die Klöster	X	X
X	Theodor wird wie Pachomius empfangen					
X	Theodor erbittet Weisungen					
X	Theodor erhält sie in einem Gesicht					
X	Theodor nimmt Umbesetzungen vor					
	Die 5. Rede des Theodor	X	X			
				Theodor diskutiert mit Apollonios	X	X
				Theodor nimmt Apollonios wieder auf	X	X

Zusammenstellung der Editionen und Übersetzungen

Quelle	Jüngste Edition	Moderne Übersetzungen
koptische Viten	*Lefort*=CSCO 89 (1925) *Lefort*=CSCO 99 (1933)	*Lefort* (1943), fr. *Cranenburg* (1979), holl.
griechische Viten	*Halkin* (1932)	*Festugière* (1965), fr. *Mertel* (1918), dt. *Athanassakis* (1975), engl.
lateinische Vita	*Cranenburgh*=Dion (1969)	
arabische Viten	*Amélineau*=Am (1889) [Univ.-Bibl. Göttingen, cod. arab. 116 (nicht ediert) =Ag; Vatikan-Bibl., cod. arab. 172 (nicht ediert)=Av; Bibl. Nat; Paris, cod. arab. 261 (nicht ediert)]	*Amélineau*=Am, fr.
Katechesen des *Pachomius*	*Lefort*=CSCO 159 (1956)	*Lefort*=CSCO 160 (1956), fr. *Budge*, Apocrypha (1913), engl.
Briefe des *Pacho-mius*	*Hermann/Kropp* (1968), kopt. *Quecke,* Fragment (1974), kopt. *Quecke,* W 145 (1975), gr. *Boon* (1932), lat.	*Quecke,* Zetesis (1973), dt. *Deseille (Boon)* (1968), fr.
Regeln des *Pacho-mius*	*Lefort*=CSCO 159 (1956), kopt. *Dillmann* (1886), äthiop. *Boon* (1932), lat.	*König (Dillmann)* (1878), dt. *Shoode (Dillmann)* (1885), engl. *Deseille (Boon)* (1968), fr. *Lefort (Lefort)* (1956), fr. *Löfgren (Dillmann)* (1948), schwed.
Katechesen, Briefe und Regeln des *Horsiese*	*Lefort*=CSCO 159 (1956)	*Lefort*=CSCO 160 (1956), fr.

Liber Orsiesii	*Boon* (1932)	*Bacht,* Vermächtnis (1972), dt.
		Deseille (Boon) (1968), fr.
		Elizalde, Libro (1967), span.
Katechesen des *Theodor*	*Lefort* = CSCO 159 (1956)	*Lefort* = CSCO 160 (1956)
Brief des *Theodor*	Boon (1932)	*Deseille* (Boon) (1968), fr.
		Steidle (1968), dt.

Quellenverzeichnis

(a) Viten

Apostolische Bibliothek des Vatikan, Rom: cod. arab. 172: Unveröffentlichte Vita auf Mikrofilm

Amélineau, E.: Vie de Pakhôme, in: ders.: Monuments pour servir à l'Histoire de l'Egypte chrétienne au IVe siècle. Histoire de Pakhôme et de ses communautés. Documents coptes et arabe inédits, publiés et traduits. Annales du Musée Guimet. Tome 17, Paris 1889, 336–711

Athanassakis, A.: The Life of Pachomius. (Vita prima Graeca). Sancti Pachomii vitae Graecae. Translated by *A. Athanassakis.* Introducted by *B. A. Pearson.* Texts and translations 7. Early Christian Literatur series 2, Missoula, Montana 1975

Bousquet, J./Nau, F.: Histoire de S. Pachôme, in Patrologia Orientalis 4 (1908) 409–511

Cranenburgh, H. van: La Vie Latine de Saint Pachôme. Traduite du Grec par Denys le Petit. Edition critique par *H. van Cranenburgh.* Subsidia Hagiographica 46, Brüssel 1969

–: Het leven van Sint Pachomius en van zijn eerste opvolgers. Vertaling van het Bohairisch leven vervolledigd met aanvullende teksten uit de verwante levensverhalen door *J. Hessing,* en ingeleid door *H. van Cranenburgh.* Monastieke Cahiers 9, Bonheiden 1979.

Draguet, R.: Un morceau grec inédit des Vies de Pachôme, apparié à un texte d'Evagre en partie inconnu, in: Le Muséon 70 (1957) 267–306

Festugière, A. J.: La première Vie grecque de Saint Pachôme. Introduction critique et traduction. Les Moines d'Orient 4.2, Paris 1965

Halkin, F.: Sancti Pachomii Vitae Graecae. Subsidia Hagiographica 19, Brüssel 1932

–: La Vie abrégée de Saint Pachôme dans le ménologe impérial, in: Analecta Bollandiana 96 (1978) 367–381

Lefort, L. Th.: S. Pachomii vita bohairice scripta. CSCO 89, Löwen 1925, Neudruck 1953

–: S. Pachomii vitae sahidice scriptae, CSCO 99, Löwen 1933. Neudruck 1952

–: Vies de S. Pachôme. Nouveaux fragments, in: Le Muséon 49 (1936) 219–230

–: Glanures pachômiennes, in: Le Muséon 54 (1941) 111–138

–: Les Vies coptes de S. Pachôme et de ses premiers successeurs, Bibliothèque du Muséon 16, Löwen 1943, Neudruck 1966

Mertel, H.: Vita Sancti Pachomii. Griechische Vita ins Deutsche übersetzt. Bibliothek der Kirchenväter 31, München–Kempten 1918, 789–899

Niedersächsische Staats- und Universitätsbibliothek, Göttingen cod. arab. 116: Unveröffentlichte Vita auf Mikrofilm

(b) Andere Dokumente

Boon, A.: Pachomiana Latina. Règle et épîtres de S. Pachôme, épître de

S. Théodore et Liber Orsiesii. Texte Latin de S. Jérôme. Bibliothèque de la Revue d'Histoire écclesiastique 7, Löwen 1932

Deseille, P.: Les Saints d'Orient. Textes choisis de S. Athanase, S. Pachôme, S. Basile et S. Cassien, Namur 1959

–: L'Esprit du monachisme pachômien. Spiritualité Orientale 2, Abbaye de Bellefontaine 1968, 1–120: Traduction française du »Pachomiana Latina«

Elizalde, M.: Libro de Nuestro Padre San Orsisio. Introducción, traducción y notas, in: Cuadernos Monasticos 4–5 (1967) 173–244

Hermann, A./Kropp, A.: Demotische und koptische Texte. Papyrologica Coloniensia 2. Wissenschaftliche Abhandlungen der Arbeitsgemeinschaft für Forschung des Landes Nordrhein-Westfalen, Köln–Opladen 1968

Lefort, L. Th.: La Règle de S. Pachôme (étude d'approche), in: Le Muséon 34 (1921) 61–70

–: La Règle de S. Pachôme (2e étude d'approche), in: Le Muséon 37 (1924) 1–28. Neuveröffentlichung unter dem Titel: Les excerpta grecs, in: *A. Boon:* Pachomiana Latina, Löwen 1932, 169–182

–: La Règle de S. Pachôme (nouveaux documents), in: Le Muséon 40 (1927) 31–64

–: La Règle de S. Pachôme (nouveaux fragments coptes), in: Le Muséon 48 (1935) 75–80

–: Un document pachômien méconnu, in Le Muséon 60 (1947) 269–283

–: Œuvres de S. Pachôme et de ses disciples. CSCO 159, Löwen 1956

–: Œuvres de S. Pachôme et de ses disciples. Traduction française. CSCO 160, Löwen 1956, Neudruck 1964

Quecke, H.: Briefe Pachoms in koptischer Sprache. Neue deutsche Übersetzung, in: Zetesis Album Amicorum angeboden aan E. de Strycker, Antwerpen–Utrecht 1973, 655–663

–: Ein neues Fragment der Pachombriefe in koptischer Sprache, in: Orientalia N.S. 43 (1974) 66–82

–: Die Briefe Pachoms. Griechischer Text der Handschrift W 145 der Chester-Beatty-Library. Anhang: die koptischen Fragmente und Zitate der Pachombriefe. Textus patristici et liturgici 11, Regensburg 1975

Schuler, O./Steidle, B.: Der »Oberen-Spiegel« des Abtes Horsiesi, erklärt und übersetzt, in: Erbe und Auftrag 43 (1967) 22–38

Steidle, B.: Der Osterbrief unseres Vaters Theodor an alle Klöster, in: Erbe und Auftrag 44 (1968) 104–119

Literaturverzeichnis

Amélineau, E.: Etude historique sur S. Pachôme et le cénobitisme primitif dans la Haute-Egypte, in: Bulletin de l'Institut d'Egypte, série 2,7, Kairo 1886, 306–399

Bacht, H.: Pakhôme – der Große Adler, in: Geist und Leben 22 (1949) 367–382

–: Heimweh nach der Urkirche. Zur Wesensdeutung des frühchristlichen Mönchtums, in: Liturgie und Mönchtum 7 (1950) 64–78

–: L'importance de l'idéal monastique de Saint Pachôme pour l'histoire du monachisme, in: Revue d'Ascetique et de Mystique 26 (1950) 308–326

–: Ein Wort zur Ehrenrettung der ältesten Mönchsregel, in: Zeitschrift für katholische Theologie 72 (1950) 350–359

–: Vom gemeinsamen Leben. Die Bedeutung des pachomianischen Mönchsideals für die Geschichte des christlichen Mönchtums, in: Liturgie und Mönchtum 11 (1952) 91–110

–: »Meditatio« in den ältesten Mönchsquellen, in: Geist und Leben 28 (1955) 360–373

–: Antonius und Pachomius. Von der Anachorese zum Coenobitentum, in: *B. Steidle* (Hrsg.): Antonius Magnus Eremita (Studia Anselmiana 38), Rom 1956, 66–107

–: Studien zum »Liber Orsiesii«, in: Historisches Jahrbuch 77 (1958) 98–124

–: La loi du »retour aux sources«. De quelque aspects de l'idéal monastique pachômien, in: Revue Mabillon, 51 (1961) 6–25

–: Mönchtum und Kirche. Eine Studie zur Spiritualität des Pachomius, in: *J. Daniélou/H. Vorgrimler* (Hrsgg.): Sentire Ecclesiam, Fribourg 1961, 113–133

–: Pakhôme et ses disciples, in: Théologie de la vie monastique. Etudes sur la tradition patristique (Théologie 49), Paris 1961, 39–71

–: Ein verkanntes Fragment der koptischen Pachomiusregel, in: Le Muséon 75 (1962) 5–18

–: Pachomius und Evagrius. Zur Typologie des koptischen Mönchtums, in: *K. Wessel:* Christentum am Nil (internationale Arbeitstagung zur Ausstellung »Koptische Kunst«), Recklinghausen 1964, 142–157

–: Vom Umgang mit der Bibel im ältesten Mönchtum, in: Theologie und Philosophie 41 (1966) 557–566

–: Das Armutsverständnis des Pachomius und seiner Jünger, in: Vermächtnis, 225–243; überarbeitete Fassung von: *Ders.* Die Bürde der Welt – Erwägungen zum frühmonastischen Armutsideal, in: Strukturen christlicher Existenz, Würzburg 1968, 301–316

–: Vexillum crucis sequi (Horsiesius). Mönchtum als Kreuzesnachfolge, in: *O. Semmelroth,* (Hrsg.): Martyria – Leiturgia – Diakonia (Festschrift Volk), Mainz 1968, 149–162

–: Das Vermächtnis des Ursprungs. Studien zum frühen Mönchtum I (Studien zur Theologie des geistlichen Lebens 5), Würzburg 1972

Berthold, H.: Die frühe christliche Literatur als Quelle für die Sozialgeschichte, in: *J. Irmscher/K. Treu* (Hrsgg.): Das Korpus der griechischen christlichen Schriftsteller, Berlin 1977, 43–64

Biedermann, H. M.: Die Regel des Pachomius und die evangelischen Räte, in: Ostkirchliche Studien 9 (1960) 241–253

Bousset, W.: Apophtegmata. Studien zur Geschichte des ältesten Mönchtums, Tübingen 1923

Brockmeyer, N.: Sozialgeschichte der Antike. Ein Abriß, Stuttgart 1972

Campenhausen, H. von: Die Askese im Urchristentum. Tradition und Leben. Tübingen 1960, 114–156

Chitty, D. J.: Pachomian Sources reconsidered, in: Journal of Ecclesiastical History 5 (1954) 38–77

–: A Note on the Chronology of Pachomian Foundations, in: Studia Patristica II (TU 64), Berlin 1957, 379–385

–: Some Notes, mainly Lexical on the Sources for the Life of Pachomius, in: Studia Patristica V (TU 80) Berlin 1962, 266–269

–: The Dessert A Citty. Introduction to the History of Egyptian and Palestinian monasticism under the Christian Empire. Oxford 1966

–: Pachomian Sources Once More, in: Studia Patristica X (TU 107), Berlin 1970, 54–64

De Clerq, Ch.: L'influence de la règle de s. Pachôme en Occident, in: Mélanges d'Histoire du Moyen Age dédiés à la mémoire de Louis Halphen, Paris 1951, 169–176

Cramer, M.: Thebanische Mönche, ihr asketisches und kultisches Leben, in: Archiv für Liturgiewissenschaft 2 (1952) 103–109

Cranenburgh, H. van: La »Regula Angeli« dans la Vie Latine de S. Pachôme, in: Le Muséon 76 (1963) 165–194

–: Nieuw Licht op de oudste Kloostercongregatie van de Christenheid: De Instelling von Sint-Pachomius, in: Tijdschrift voor geestelijke Leven, 19 (1963) 581–605/665–690; 20 (1964) 41–54

–: De plaats van den »abbas« als geestlijke vader in het oude monachisme, in: Tijdschrift voor geestlijke Leven 20 (1964) 460–480

–: Valeur actuelle de la vie religieuse Pachômienne, in: La Vie Spirituelle 119 (1969) 411–422

Dill, S.: Roman Society in The Last Century of The Roman Emire, New York ²1958

Farag, R. F.: Sociological and Moral Studies in the Field of Coptic Monasticism, Leiden 1964

Festugière, A. J.: Ursprünge christlicher Frömmigkeit, Freiburg–Basel–Wien 1963; fr.: Cultur ou saintité. Introduction au monachisme oriental (=Les Moines d'Orient I), Paris 1961

Frank, K. S.: Angelikos Bios, Münster 1964

–: (Hrsg.) Askese und Mönchtum in der alten Kirche, Darmstadt 1975

Frei, J.: Die Stellung des alten Mönchtums zur Arbeit, in: Erbe und Auftrag 53 (1977) 332–336

Gage, J.: Les classes sociales dans l'Empire romain, Paris ²1971

Gaultier-Sagert, A.: Analyse de l'abnégation chrétienne, in: Revue d'Ascétique et de Mystique 33 (1957) 3–33

Gregoire, R.: Introduction à une étude théologique du »mépris du monde«, in: Studia Monastica 8 (1966) 313–328

Grützmacher, G.: Pachomius und das älteste Klosterleben, Freiburg–Leipzig, 1896

Guy, J. C.: La place du Contemptus mundi dans le monachisme ancien, in: Revue d'Ascétique et de Mystique 41 (1965) 237–249

Halkin, F.: Les Vies grecques de S. Pachôme, in: Analecta Bollandiana 47 (1929) 376–388

Harnack, A.: Das Mönchtum, seine Ideale und seine Geschichte, 1921

Heussi, K.: Der Ursprung des Mönchtums, Tübingen 1936

Jones, A. H. M.: The Later Roman Empire, Oxford 1964

Krause, M.: Mönchtum in Ägypten (Kopt. Kunst), Essen 1969, 77–84.

Kreissig, H.: Das Frühchristentum in der Sozialgeschichte des Altertums, in: *J. Irmscher/K. Treu* (Hrsgg.): Das Korpus der griechischen christlichen Schriftsteller, Berlin 1977, 15–20

Kretschmar, G.: Ein Beitrag zur Frage nach dem Ursprung der frühchristlichen Askese, in: Zeitschrift für Theologie und Kirche 61 (1964) 27–67 (vor allem II, 32 ff.)

Ladeuze, P.: Des diverses recensions de la vie de S. Pachôme et leurs dépendances mutuelles, in: Le Muséon 17 (1898)

–: Etude sur le cénobitisme Pakhômien pendant le IVe siècle et la première moitié du Ve siècle, Löwen–Paris 1898, unveränderter Nachdruck: Frankfurt/Main 1961

Leclerq, J.: Il s'est fait pauvre. Le Christ modèle de la pauverté volontaire d'après les Pères de l'eglise, in: La Vie Spirituelle 117 (1967) 501–518

Lefort, L. Th.: Les sources coptes pachômiennes, in: Le Muséon 67 (1954) 217–229

–: Théodore de Tabennêsi et la lettre pascale de S. Athanase sur le canon da la Bible, in: Le Muséon 29 (1910) 205–216

Leipoldt, J.: Der soziale Gedanke in der altchristlichen Kirche, Leipzig 1952

–: Griechische Philosophie und frühchristliche Askese, in: Verhandlungen der Sächsischen Akademie der Wissenschaften, Philosophisch-historische Klasse 106/4, Berlin 1960

–: Pachôm, in Bulletin de la Société de l'Archéologie Copte, 16 (1961) 191–229

Lohse, B.: Askese und Mönchtum in der Antike und in der alten Kirche, München–Wien 1969

Lorenz, R.: Die Anfänge des abendländischen Mönchtums im 4. Jahrhundert, in: Zeitschrift für Kirchengeschichte 77 (1966) 2 ff.

Luff, S. G.: Transition from Solitary to Cenobitic Life (Ca. 250 to 400), in: The Irish Ecclesiastical Record 84 (1955) 164–184

Meinardus, O.: Monks and Monastries of the Egyptian Desserts, Kairo 1965

Molle, M. van: Confrontation entre la Règle et la Littératur Pachômienne posterieure, in: La Vie Spirituelle Supplement 21 (1968) 394–424

–: Essay de classement chronologique des premières règles de vie commune connue en chrétienté, in: La Vie Spirituelle Supplement 21 (1968) 108–127

–: Aux origines de la vie communautaire chrétienne, quelques équivoques déterminantes pour l'avenir, in: La Vie Spirituelle Supplement 22 (1969) 101–121

Müller, C. D. G.: Was können wir aus der koptischen Literatur über Theologie und Frömmigkeit in der ägyptischen Kirche lernen? In: Oriens Christianus 48 (1964) 191–215

Nagel, P.: Die Motivierung der Askese in der alten Kirche und der Ursprung des Mönchtums (T U 95) Berlin 1966

Peeters, P.: Le dossier copte de S. Pachôme et ses rapports avec la tradition grecque, in: Analecta Bollandiana 64 (1946) 258–277

Pengo, G.: La vita ascetica come, ›filosofia‹ nell'antica tradizione monastiche nei primi secoli, in: Studia Monastica 2 (1960) 79–93

–: La composizione sociale delle communita monastice nei primi secoli, in: Studia Monastica 4 (1962) 257–281

Quecke, H.: Die Briefe Pachoms, in: 18. Deutscher Orientalistentag vom 1. bis 5. Oktober 1972 in Lübeck. Vorträge hrsg. von *W. Voigt,* in: Zeitschrift der Deutschen Morgenländischen Gesellschaft, Supplement 2, Wiesbaden 1974, 96–108

Ranke-Heinemann, U.: Die ersten Mönche und die Dämonen, in: Geist und Leben 29 (1956) 165–170

–: Zum Ideal der Vita evangelica im frühen Mönchtum, in: Geist und Leben 29 (1956) 347–357

–: Das frühe Mönchtum. Seine Motive nach den Selbstzeugnissen, Essen 1964

Rostovtzeff, M.: The Social and Economic History of The Roman Empire, Oxford 1926 ²1957, (deutsch: Leipzig 1931)

–: Social and Economic History of The Hellenistic World, Oxford 1941 (deutsch: Darmstadt 1955–56)

Rouillard, G.: La vie rurale dans l'empire byzantin, Paris 1953

Ruppert, F.: Das pachomianische Mönchtum und die Anfänge klösterlichen Gehorsams, Münsterschwarzach 1971

–: Arbeit und geistliches Leben im pachomianischen Mönchtum, in: Ostkirchliche Studien 24 (1975) 8–12

Samir, K.: Témoins arabes de la catéchèse de Pachôme: »A propos d'un moine rancunier«, in: Orientalia Christiana Periodica 42 (1976) 494–508

Schiwietz, S.: Das morgenländische Mönchtum, Bd. I Mainz 1904, Bd. II Mainz 1913, Bd. III Mödling b. Wien, 1938

Steidle, B.: Der Zweite im Pachomiuskloster, in: Benediktinische Monatsschrift 24 (1948) 97–104, 174–179

–: »Wer euch hört, hört mich«. Die Einsetzung des Abtes im alten Mönchtum, in: Erbe und Auftrag 40 (1964) 179–196

–: »Ich war krank und ihr habt mich besucht«. Das alte Mönchtum und die Krankheit, in: Erbe und Auftrag 40 (1964) 443–458; 41 (1965) 36–46, 99–113, 189–206

–: Die Armut in der frühen Kirche und im alten Mönchtum, in: Erbe und Auftrag 41 (1965) 460–481

–: Der heilige Abt Theodor von Tabennesi, in: Erbe und Auftrag 44 (1968) 91–103

Strathmann, H.: Geschichte der frühchristlichen Askese bis zur Entstehung des Mönchtums, 1. Teil, Leipzig 1914

Tamburrino, P.: Koinonia. Die Beziehung »Monasterium« – »Kirche« im frühen pachomianischen Mönchtum, in: Erbe und Auftrag 43 (1967) 5–21

–: Bibbia e vita spirituale negli scritti di Orsiesi, in: *C. Vagaggini* (Hrsg.): Bibbia e Spiritualità, Rom 1967, 85–119

–: Aspetti ecclesiologici del monachismo pacomiano del secolo IV, Roma

Tillard, J. M. R.: La pauverté religieuse I, in: Nouvelle Revue Théologique 102 (1970) 806–848

Veilleux, A.: Le problème des Vies de Saint Pachôme, in: Revue d'Ascetique et de Mystique 42 (1966) 287–305

–: La liturgie dans de cénobitisme pachômien au quatrième siècle, Rom 1968

Vogue, A. de: Points de contact de chapître XXXII de l'Histoire Lausiaque avec les écrits d'Horsièse, in: Studia Monastica 13 (1971) 291–294

Wieacker, F.: Recht und Gesellschaft in der Spätantike, Stuttgart 1964

Wulf, F.: Das Mysterium der Armut Christi in der Welt von heute, in Geist und Leben 36 (1964) 128–133

–: Charismatische Armut im Christentum. Geschichte und Gegenwart, in: Geist und Leben 44 (1971) 16–31

Abkürzungsverzeichnis

Amélineau Am	*E. Amélineau:* Vie de Pakhôme. Texte arabe et Traduction, in: ders.: Monuments pour servir à l'Histoire de l'Egypte chrétienne au IVe siècle. Annales du Musée Guimet 17, Paris 1889, 336–711
Bacht	*H. Bacht:* Buch unseres Vaters Horsiesius, in: ders.: Das Vermächtnis des Ursprungs. Studien zum frühen Mönchtum I, Würzburg 1972, 58–189
Bacht, Vermächtnis	*H. Bacht:* Das Vermächtnis des Ursprungs. Studien zum frühen Mönchtum I, Würzburg 1972
Boon	*A. Boon:* Pachomiana Latina. Règle et épîtres de S. Pachôme, épître de S. Théodore et Liber Orsiesii. Texte Latin de S. Jérôme. Bibliothèque de la Revue d'Histoire Ecclesiastique 7, Löwen 1932
CSCO	Corpus Scriptorum Christianorum Orientalium Editum Consilio Universitatis Catholicae Americae et Universitatis Catholicae Lovaniensis, Löwen 1903 ff.
CSCO 89	*L. Th. Lefort:* Vita Pachomii bohairice scripta. CSCO 89, Löwen 1925, Neudruck 1953
CSCO 99	*L. Th. Lefort:* Vitae Pachomii sahidice scriptae. CSCO 99, Löwen 1933, Neudruck 1952
CSCO 159	*L. Th. Lefort:* Œuvres de S. Pachôme et de ses disciples. CSCO 159, Löwen 1956
CSCO 160	*L. Th. Lefort:* Œuvres de S. Pachôme et de ses disciples traduites par *L. Th. Lefort.* CSCO 160, Löwen 1956
Dion	La Vie Latine de Saint Pachôme. Traduit du Grec par Denys le Petit. Edition critique par *H. van Cranenburgh.* Subsidia Hagiographica 46, Brüssel 1969
Festugière	*A. J. Festugière:* La première Vie Grecque de S. Pachôme. Introduction critique et traduction. Les Moines d'Orient 4.2, Paris 1965
Halkin	*F. Halkin:* Sancti Pachomii Vitae Graecae. Subsidia Hagiographica 19, Brüssel 1932
Lefort	*L. Th. Lefort:* Les Vies coptes de S. Pachôme et de ses premiers successeurs. Bibliothèque du Muséon 16, Löwen 1943, ^{2}1966
LO	*Liber Orsiesii,* in: *Boon,* s. o.
Mertel	*H. Mertel:* Das Leben unseres Heiligen Vaters Pachomius. Deutsche Übersetzung der griechischen Vita durch *H. Mertel.* Bibliothek der Kirchenväter, Bd. 31, München/Kempten ^{2}1918, 798–899
Ruppert,	*F. Ruppert:* Das pachomianische Mönchtum und die

Gehorsam	Anfänge des klösterlichen Gehorsams, Münster-schwarzach 1971
Steidle	*B. Steidle:* Der Osterbrief unseres Vaters Theodor an alle Klöster, in: Erbe und Auftrag 44 (1968) 104–119
Veilleux, ˙	*A. Veilleux:* La liturgie dans le cénobitisme pachômien
Liturgie	au quatrième siècle. Studia Anselmiana 57, Rom 1968
VBr	Vita brevis des Pachomius, nach: *Veilleux,* Liturgie, s. oben
VTh	Vita des Theodor, ebd.

Zitationsweise der Quellentexte

● Erläuterungen zu den zur Bezeichnung der verschiedenen Vitenteile verwendeten Kürzel und Sigla finden sich auf S. 16–18 und 115 bis 118

● Die verschiedenen Quellentexte werden folgendermaßen zitiert: Genannt wird zunächst das *Werk,* also »Pachomius, 3. Brief« oder »Liber Orsiesii« (=LO) oder »Theodor, Osterfestbrief«. Bei den Viten geben die zuerst genannten Buchstaben oder Buchstabenkombinationen die Sprache an, in der die Vita verfaßt wurde. Also:

Bo = die bohairische Vita,
G = eine griechische Vita,
S = eine sahidische Vita,
A = eine arabische Vita.

● Die anschließenden Buchstaben oder Zahlen klassifizieren diese Viten innerhalb des genannten *sprachlichen Korpus.* Also z. B.:

S-4 = die von Lefort unter Nr. 4 veröffentlichte sahidische Vita,
G-3 = die von Halkin unter Nr. 3 veröffentlichte griechische Vita,
Am = die von Amélineau veröffentlichte arabische Vita,
Ag = die unveröffentlichte arabische Vita aus der Universitätsbibliothek Göttingen.

● Danach folgt, sofern das Werk im Original in Kapitel eingeteilt ist, die *Nummer* dieses Abschnitts.

● Nach dem Doppelpunkt wird die *Stelle* genannt, an der das Werk in Originalsprache ediert ist, und zwar Verfasser der Edition bzw. Reihe und Bandnummer, wenn das Werk in einer Publikationsreihe erschienen ist, sowie Seiten- und Zeilenzahl. Also z. B.: Halkin 127,12, Amélineau 355,6, CSCO 159 78,14.

● Die dann folgende Angabe in Klammern gibt Auskunft über die Stelle, an der eine *neusprachliche Übersetzung* der eben genannten Stelle zu finden ist (meist französisch, seltener deutsch). Also z. B.: (= *Lefort* 292,4).

● Lediglich bei Am wird keine Übersetzung angeführt, da Amélineau die französische Übersetzung auf derselben Seite gedruckt hat wie den arabischen Text. Die Zeilenzitate bei Amélineau beziehen sich auf den arabischen Text.